10/16

АЛЕКСАНДРА
МАРИНИНА

Адрес официального сайта Александры Марининой в Интернете
http://www.marinina.ru

МАРИНИНА АЛЕКСАНДРА

Обратная СИЛА

1842-1919

МОСКВА
2016

УДК 821.161.1-312.4
ББК 84(2Рос=Рус)6-44
М26

Разработка серии *А. Саукова*

Иллюстрация на обложке *И. Хивренко*

Маринина, Александра.

М26   Обратная сила. Роман. В 3 томах. Том 1. 1842—
1919 / Александра Маринина. — Москва : Издательство «Э», 2016. — 416 с. — (А. Маринина. Больше чем
детектив).

ISBN 978-5-699-91169-1

Считается, что закон не имеет обратной силы. Да, но
только — не закон человеческих отношений. Можно ли за-
ключить в строгие временные рамки родственные чувства,
любовь, дружбу, честь, служебный долг? Как определить
точку отсчета для этих понятий? Они – вне времени, если
речь идет о людях, до конца преданных своему делу.

*Самоубийство не есть неизбежный признак сумасше-
ствия, но... по статистическим сведениям, третья часть
самоубийств совершается в приступах душевных болез-
ней, а две трети приходятся на все остальные причины:
пьянство, материальные потери, горе и обиды, страх наказания, несчастная любовь.*

Из защитительной речи В.Д. Спасовича

УДК 821.161.1-312.4
ББК 84(2Рос=Рус)6-44

ООО «Издательство «Э», 2016

ISBN 978-5-699-91169-1

Не судите его по мерке ваших чувств, не требуйте от него вашей рассудительности... Да и вообще ведайте, что неодинаково бьется и чувствует сердце людское: в каждом есть свои счастливые и несчастливые особенности.

*Из защитительной речи
С.А. Андреевского на судебном
процессе по делу Иванова*

Дар чтения в чужой душе принадлежит немногим, да и те немногие ошибаются.

*Из защитительной речи
С.А. Андреевского на судебном
процессе по делу Мироновича*

ЧАСТЬ ПЕРВАЯ

> Самоубийство не есть неизбежный признак сумасшествия, но... по статистическим сведениям, третья часть самоубийств совершается в приступах душевных болезней, а две трети приходятся на все остальные причины: пьянство, материальные потери, горе и обиды, страх наказания, несчастная любовь.
>
> *Из защитительной речи В.Д. Спасовича в судебном процессе по делу Островлевой*

Глава 1
1842 год, апрель

— Вы уж, ваше сиятельство, матушка-барыня Аполлинария Феоктистовна, решите дело как-нибудь, а то боязно дворовым, ответственность-то какая, ежели что случится... — умоляюще бормотал Никитенко, сутуловатый невысокий, но энергичный управляющий имением Вершинское — родовым поместьем князей Гнедичей, расположенным неподалеку от Калуги.

— Иди, голубчик, иди, — махнула рукой Аполлинария Феоктистовна, — возвращайся с Богом в Вершинское. Скоро князь Николай Павлович вернется из-за границы, и мы все решим. Ты уж потерпи там как-нибудь.

«Ишь, как волнуется, — заметила про себя Аполлинария Феоктистовна, увидев, что косой ворот рубашки, виднеющийся из-под распахнутого армяка, намок от пота, хотя в доме было довольно прохладно. — Взопрел весь».

— Так что ж терпеть-то, — продолжал бормотать управляющий, пятясь задом к дверям гостиной, — нам-то что, наше дело — за крестьянами следить, за работами, урожай чтобы... Продать выгодно или там на ярмарку обоз снарядить, постройки в порядке содержать... Такое наше дело... А только ежели что — мы же и виноваты окажемся, и первый спрос — с меня, как я есть управляющий...

«Боится, что выгоню, — с недоброй усмешкой подумала княгиня, глядя на закрывающуюся дверь, — не наворовался еще. Не все успел украсть, что можно. Ах, беда, беда... Да не то беда, что управляющий вор, других-то и в помине нет, порода такая. У всех моих знакомых управляющие воруют. А вот с Григорием и вправду беда. Не зря шельма Никитенко заволновался. Три письма мне написал, а теперь уж и сам явился из Вершинского, указания получить хотел, чтобы с себя ответственность сложить. А какие тут указания дашь? Глаз с молодого барина не спускать? Ходить за ним повсюду? Так не осмелится никто. Да и надежды ни на кого нет, самые толковые да преданные здесь, в Москве, с нами...»

В свои сорок девять лет княгиня Гнедич была тучной и не вполне здоровой телом, но жесткой, решительной и сильной духом. Супруг ее, князь Николай Павлович, сделал блестящую карьеру по Иностранному ведомству и вот уже пять лет нес государеву службу в Швеции. В одном из последних писем князь Гнедич сообщил, что срок его служения Императорскому двору в миссии при дворе короля Швеции в скором времени закончится и уже через два месяца он вернется в Санкт-Петербург с отчетами, а потом и в Москву приедет, чтобы обнять наконец свое дорогое семейство: супругу Аполлинарию Феоктистовну, сыновей Григория и Павла и ненаглядную дочь Вареньку. О том, что старший сын, Григорий, подал в отставку и вышел из полка, князь, разумеется, знал, но вот то, чем эта отставка обернулась, от почтенного дипломата тщательно скрывали. Причина отставки выглядела вполне уважительно: отсутствие средств, необходимых для достойного несения службы в элитном полку Императорской армии, ибо «достойное несение» подразумевало отнюдь не малые траты со стороны самих офицеров. Конечно, того, что давало имение, после всех вычетов, сделанных управляющим в пользу собственного кармана, могло бы показаться достаточным, чтобы в лучших полках могли служить оба сына Гнедичей, однако Аполлинария Феоктистовна рассудила иначе. Была она большой любительницей вести светский образ жизни, имения в Вершинском чуралась, к природе была равнодушна, а вот блеск московских балов, званых обедов, приемов, торжеств, беспрестанная череда визитов, частые поездки в Петербург и связанные с этим бесконечные дела с модистками привлекали княгиню чрезвычайно. Жить в Москве — дорого, это всем известно, хотя и не так накладно, как в Петербурге. Вести в Первопрестольной роскошную и бурную жизнь — еще дороже. Сокращение трат неминуемо означало и уменьшение числа даваемых обедов и приемов, и сокращение своего пребывания на светских мероприятиях. Разве можно явиться на званый обед в надеванном платье? Это никак не возможно. Это позор и осуждение в свете. Стало быть, к каждому мероприятию должно шиться новое. Коль ужиматься в расходах — значит, и платья новые не заказывать, и в свете не появляться. На это княгиня Гнедич пойти не могла.

«Поймите меня, друг мой, Николай Павлович, — писала она мужу в Стокгольм, — Варенька теперь невеста, и для приискания подходящей партии нам необходимо вращаться в свете, дабы и свою репутацию укрепить, и достойного жениха сыскать. Вдобавок Павел, уже и без того принесший жертву тем, что добровольно отказался от служения Императору и Отечеству в полку, дабы не вводить семью в дополнительные расходы, успешно и старательно ведет свою карьеру на том месте, которое Вы ему определили перед своим отъездом в Швецию. Начальство в департаменте им весьма довольно, но светские связи и добрая репутация и ему не лишними будут, чтобы чинами не обошли. В доме нашем бывают самые уважаемые люди обеих столиц, и содержать его надобно достойно, что также весьма недешево. Если бы Господь был милостив к нам и Вы после возвращения из-за границы получили должность с предоставлением казенной квартиры в Петербурге, положение наше весьма выправилось бы. Однако до тех пор, пока мы живем в нашем московском доме, приходится тратиться на его содержание. Я задумала переделать свой будуар, поставить мебель, фанерованную розовым деревом, со вставками из золоченой бронзы и расписного фарфора, а для Вашего кабинета надобно купить новую мебель из карельской березы, да и туалетную комнату Вареньки необходимо заново отделать, довольно ей в детской дни коротать, комната ее в мансарде тесна и не приличествует девице на выданье, а это все траты, траты, траты... Видите сами, мой дорогой друг, что денег на жизнь в Москве требуется все больше, и нам никак не возможно выделять князю Григорию должную сумму на достойное поддержание его службы...»

Князь Николай Павлович Гнедич принял решение супруги хотя и не без опасений, но в целом спокойно: армейская служба во времена императора Николая Первого действительно была весьма затратной и не столь уж редки были случаи, когда отпрыски известных и родовитых семейств покидали элитные полки именно из финансовых соображений, а те, кто не желал из-за нехватки денег расставаться с армией, переводились в полки попроще или в городские бригады, где офицерам тратиться приходилось мало, а возможности заработать, напротив, имелись. В императорских же полках возможность пополнить и оживить собственный бюджет имелась в основном у командиров и у ремонтеров, то есть тех, кому доверяли заниматься закупкой полковых лошадей, однако для того, чтобы получить эту сулящую немалые выгоды должность, следовало стать любимчиком все того же командира полка.

За два года, прошедшие после выхода Григория Гнедича в отставку, молодой князь успел стать зримой угрозой для репутации семьи и, в конечном итоге, для ее благополучия. Наделавший карточных долгов во время службы, соблазнивший не меньше дюжины добропорядочных девиц-мещанок, сбежавший от разгневанных кредиторов — отцов тех девиц, — Григорий Николаевич и в Москве тихой благопристойной жизнью себя не обременял. Правда, кутежи, карты и кокотки требовали денег, и в этом вопросе у Аполлинарии Феоктистовны нашлись определенные аргументы: уплатив в течение года немалые суммы по нескольким векселям старшего сына, которому давали в долг охотно и с полным доверием, она сказала Григорию:

— У вас, сударь мой, есть выбор. Я могу написать вашему отцу о ваших выходках. Вы — первенец, старший сын, и, вероятно, имеете в расчете, что львиная доля наследства причитается именно вам. Мне легко будет устроить так, что все эти ваши расчеты пойдут прахом. Но вы можете уехать в наше имение Вершинское. Войдите в суть дела, изучите отчетность, возьмите под неустанное наблюдение управляющего. Каждый год нам на поддержание требуется... — Княгиня назвала сумму, заставившую Григория побледнеть. — Все сверх этого — ваше, можете распоряжаться и пользоваться. Как накопите достаточно — можете возвращаться в Москву и вести тот образ жизни, который вам желанен. Может быть, вы даже сумеете найти себе в сельской глуши приличную невесту, дочь какого-нибудь тамошнего помещика, за которой дадут хорошее приданое. Выбор за вами. Но ни одного вашего векселя я отныне больше не оплачу. И если вас отправят в долговую тюрьму, мое сердце не дрогнет.

Лукавила княгиня, ох, лукавила! Разумеется, долговую тюрьму для своего сына она не допустила бы. И не потому, что сын, а потому что любимицу княжну Вареньку следовало хорошо выдать замуж, для чего требовалось свято блюсти репутацию семьи. А какая уж тут репутация, если старший сын — несостоятельный должник! Да и карьера мужа-дипломата могла пострадать, а ведь пока он при высоких чинах, ее, Аполлинарии Гнедич, положение в свете — должное, соответствующее, к ней относятся с уважением и подобострастием, она всюду желанный гость, и приглашениями на ее обеды, вечера и приемы никому и в голову не придет пренебречь. О сыне Павле княгиня, как обычно, подумала в самую последнюю очередь, но все-таки и о нем не забыла: ему ведь тоже надо сделать правильную партию, впрочем, тут уж беспокоиться, кажется, не о чем, Павел и сам нашел себе невесту, так что дело можно считать улаженным.

Григорий Гнедич выбор свой сделал и убыл в Калужскую губернию, где провел уже целый год. В Москве за этот год он ни разу не показался и ни одного письма ни матери, ни брату, ни сестре не написал. Аполлинария Феоктистовна успокоилась, сочтя, что угроза скандала миновала. Вывозила Вареньку в свет, на должном уровне проводила все званые мероприятия, отправляла мужу в Стокгольм исполненные оптимизма и уверенности письма.

И вот теперь приехал испуганный и встревоженный управляющий...

Аполлинария Феоктистовна посмотрела на свои крупные, увитые толстыми венами кисти рук, сложенные на коленях, потом перевела взгляд на часы:

скоро пять пополудни, время приема визитеров. Надо одеваться, негоже принимать визиты в том же платье-дульетке, в каком обычно дома ходит. Ах, кабы можно было весь день оставаться в любимом фуляровом капоте, украшенном валансьенскими кружевами! И красиво, и — главное! — просторно...

Взяв медный колокольчик за деревянную рукоятку, княгиня резко тряхнула его. Спустя несколько секунд появилась горничная Прасковья, служившая у Гнедичей с малолетства, лет с пяти — при кухне, а с рождения княжны Варвары — уже при барыне. В горничные брали только незамужних девушек, но Прасковья заслужила такое доверие хозяйки, что осталась прислуживать ей и после того, как получила разрешение выйти замуж.

— Помоги встать, — велела княгиня, — одеваться пора. Что барышня, готова?

– Готова, ваше сиятельство. Барышня Варвара Николаевна оделись, вышивают у себя в комнате, ждут, когда ваше сиятельство ее сиятельство позовут. Какое платье прикажете подавать? — заботливо, но без малейшего намека на услужливость спрашивала Прасковья, осторожно ведя княгиню под руку в ее покои.

— То, зеленое, бархатное, что вчера от модистки принесли, готово ли? Его отутюжить нужно было.

— Отутюжили, ваше сиятельство, не извольте беспокоиться. И кружево подшили, оторвалось маленько во время примерки. Так его подавать?

— Его, — вздохнула княгиня. — Будь она неладна, эта новая мода, уж такой рукав узкий у плеча, что и не втиснешься, а коли втиснешься, так пальцы распухают, перчатки не натянешь. Радуйся, Парашка, что в крепостных уродилась, у дворян-то жизнь ох как нелегка: все сплошь правила да правила. Попробуй-ка выйти к гостям в домашнем платье! Или два дня подряд ездить с визитами в одном и том же наряде! Весь свет тут же отвернется от тебя. А ты вон платье накинула, фартуком подвязалась — и ни забот, ни хлопот.

Рукава у платья и вправду были чрезвычайно узки, и надеть доставленный от модистки шедевр портновского искусства, сшитый в полном соответствии с картинкой из французского журнала, оказалось весьма непросто. Проворные пальцы опытной Прасковьи, одевавшей хозяйку все последние семнадцать лет, справились с многочисленными пуговицами, застежками и завязками ровно к тому моменту, как часы в гостиной пробили пять раз. Едва Аполлинария Феоктистовна успела войти в комнату, где предполагала вести прием визитеров, как вошедший слуга доложил, что приехала графиня Толстая. Сама графиня, энергичная изящная дама лет тридцати пяти, золотистым ароматным облаком ворвалась, шурша крахмальными нижними юбками, в гостиную Гнедичей и прямо с порога начала щебетать:

— Ах, какое очаровательное платье на вас, душенька Полли! У кого шили? У Буасселя?

— Ну что вы, дорогая моя, как можно! — Аполлинария Феоктистовна надменно поморщилась. — Только у Лебур. Я, знаете ли, привыкла доверять тем, кто давно своим делом занят. Ваше платье тоже прелестно, милая графиня!

— Благодарю, княгиня. Ах, если бы вы знали, сколько пришлось мучиться с этими оборками!

Обычно я заказываю у Буасселя или у Анжелики Фабр, а это платье заказала у Аделаиды Менне, мне сказали, что у нее появилась чудо-швея, необыкновенная мастерица до тонкой работы. Я и понадеялась. Оказалось — напрасно. Вот эту деталь, — графиня Толстая указала концом веера на зигзагообразные, шоколадного цвета линии воланов, расположенные чуть ниже талии и красиво оттенявшие золотистый отлив бежевой тафты, из которой было сшито платье, — переделывали раз десять. До того бестолкова эта швея оказалась! Кончилось тем, что за дело принялась Матильда, дочь мадам Менне, у нее руки золотые, но она обшивает только самых уважаемых клиентов.

При последних словах глаза графини задорно блеснули: дескать, надо было сразу понять, кто таков заказчик, и отдать работу в руки самых достойных. Хозяйка гостиной бросила очередной взгляд на шляпку-кибитку, украшавшую голову гостьи: поля слишком прямые, нет в очертаниях привычной мягкой женственности, да что же поделать, такова нынче мода, придется и ей, княгине, такие заказывать. Только не прогадать бы с шляпницей...

Аполлинария Феоктистовна собралась было поделиться своим мнением по вопросу о том, кому из модисток на Кузнецком мосту можно доверять, а с кем лучше дела не иметь, но гостья уже сменила тему:

— Душенька Полли, вы слыхали о Коковницыне? Опять скандал!

— Разве он в Москве? — удивилась княгиня, бросая на графиню предостерегающий взгляд: мол, осторожнее, здесь молодая девица. — Когда же приехал?

Имение Коковницыных находилось по соседству с Вершинским, городские же дома имелись и в Петербурге, и — более скромный, совсем маленький — в Москве. Холодные осенне-зимние месяцы семейство проводило в обеих столицах. В отличие от Гнедичей, Коковницыны жили в имении охотно и подолгу, а бывая в Москве, непременно наносили визиты семье князя как добрые «соседи по деревне».

Молодой Петр Коковницын, двадцатитрехлетний драгун, не мог провести полагающийся ему отпуск без того, чтобы «не выкинуть фортель»: славящийся взрывным характером и бешеным темпераментом, он ухитрялся непременно с кем-нибудь громко повздорить, довести дело до оскорбления и тут же затевал дуэль. Не обладающий благородным чувством собственного достоинства, но зато чрезмерно наделенный спесью и высокомерием, он не гнушался публично унижать тех, кто не принадлежал к дворянскому сословию, чем вызывал гневное неодобрение аристократии и заслужил себе весьма дурную славу. Если бы допустимо было драться на дуэли с каждым, задиры-драгуна, вероятно, давно не было бы в живых. Однако правила дуэльного кодекса такой «демократии» не допускали, дозволяя иметь противником только сословно равного.

— Приехал три дня назад, — рассказывала графиня Толстая, перейдя на возбужденный шепот и то и дело посматривая на сидящую поодаль Вареньку, опустившую глаза к рукоделью: не слышит ли?

Но лицо девушки было безмятежным и полностью сосредоточенным на иголке и нитке. То ли она прекрасно владела собой, то ли и впрямь не интересовалась предметом беседы. Гладко расчесанные на прямой пробор волосы длинными локонами спадали на плечи: Варенька Гнедич зачитывалась романами Диккенса и старалась выглядеть «на английский манер». Ее серое шелковое платье, украшенное только затейливыми бантами на корсаже и на талии, являлось образцом скромности и безыскусности.

— На следующий день, — продолжала графиня, — отправился к Заровским делать предложение, просил руки Оленьки, а вчера... Ах, душенька, вы даже представить себе не можете, что он сотворил! Оказывается, в прошлом году он ездил в Италию, там завел романчик с какой-то местной «камелией» и теперь послал своего друга с поручением привезти девицу сюда. И вчера она приехала! Петр поселил ее в доме на Пречистенке и вчера же вечером устроил громкий кутеж до самого утра с криками, песнями и танцами. Говорят, эта его «камелия» итальянская танцевала босиком на столе, между тарелками и бокалами.

— Ужасно, — сокрушенно закивала головой Аполлинария Феоктистовна, — какое несчастье для семьи, когда старший сын, надежда престарелых родителей, ведет себя подобным образом! Какой дурной пример Петр подает своему брату Мишеньке, который совсем еще дитя! А что же граф Аристарх Васильевич? Никак не может обуздать нрав сына?

— Ах, Полли, дорогая, Аристарх Васильевич совсем слаб и телом, и душой, вы же помните, каким он был на рождественском балу у генерал-губернатора! Весь вечер слова не сказал и даже, кажется, с места не поднялся.

— Да, — задумчиво согласилась княгиня, — граф Коковницын теперь совсем старик, где ему с молодым горячим драгуном справиться... Воля уж не та, власть потеряна. Супруга его, конечно, добросердечна и мила, всегда готова поплакать над чужими горестями, это правда, но в строгие матери строптивому сыну никак не годится.

Новость о «выходке» молодого Коковницына дала пищу для обсуждения проблем воспитания детей — одной из излюбленных тем для светских дам в отсутствие мужчин. Второй по популярности темой был выбор женихов и невест, то есть «приискание партий» в среде тех, кто принадлежал к светскому обществу.

Через короткое время в гостиной появился следующий гость, прибывший с визитом, а к семи часам уже человек пять-шесть пили чай в доме Гнедичей. Варенька, как и полагается добропорядочной воспитанной девице, сидела здесь же с рукоделием и отвечала учтиво и с милой улыбкой, если к ней кто-то обращался, но сама ни с кем не заговаривала. С появлением в гостиной мужчин разговор, как и почти всегда, коснулся болезненного для любого россиянина «польского вопроса», и здесь уж можно было не стесняться молодой княжны — она все равно политикой не интересовалась, а недозволенных в приличном обществе пикантностей в «польском вопросе» и быть не могло. Княгиня умело и непринужденно вела общую беседу, стараясь, чтобы никто из присутствующих не скучал, при этом машинально отмечала, какие изменения нужно внести в список тех визитов на ближайшую неделю, которые придется наносить. Из пятерых гостей трое явились с ответным визитом, к ним ехать не нужно, а вот два человека пришли, чтобы засвидетельствовать почтение после возвращения из отъезда, и им визит следует непременно «отдать», причем чем скорее — тем лучше, откладывать нельзя, иначе такое промедление в свете могут счесть за нежелание поддерживать знакомство. Мнение света — это то, чем пренебрегать нельзя ни в коем случае. Как там у Пушкина? «Но дико светская вражда боится ложного стыда...»

Принимая визиты, Аполлинария Феоктистовна с удовольствием думала о том, что обновление и даже некоторая переделка гостиной сделали комнату намного более изысканной, соответствующей гордому княжескому титулу Гнедичей. Если прежде вся мебель здесь была в значительной степени случайной и в гостиной царило хаотическое смешение стилей, то теперь вся она выдержана в стиле жакоб — красное дерево с бронзой, а скамеечки для ног обиты той же тканью, что и диваны, кресла и стулья в каждой «группе», которых в гостиной насчитывалось целых три. Особую гордость княгини составляли жардиньерки с цветущими растениями. Эти жардиньерки разделяли собой группы столов и кресел, при этом каждая группа имела свой оттенок обивки, и цветы в жардиньерках также обладали соответствующим оттенком: розовым, лиловым или голубым. Но Бог мой, каких же затрат это все потребовало!

Когда на пороге гостиной появился Павел Гнедич в темно-зеленом мундире с шитьем в виде чередующихся дубовых и лавровых ветвей на воротнике — повседневной форменной одежде чиновника, служащего в Московском отделении архива Министерства иностранных дел, последние визитеры, едва взглянув на его бледное напряженное лицо, поспешили распрощаться. Молодой человек еле сумел выдавить из себя жалкое подобие любезной улыбки и с трудом произнес несколько приличествующих этикету слов. Едва за гостями закрылась дверь, он подошел к матери и взял ее за руку.

— Варенька, подойди сюда, — обратился он к сестре.

Девушка испуганно вскочила со стула и встала рядом с матерью. Аполлинария Феоктистовна тотчас поняла: случилось что-то ужасное. Если бы с Григорием — об этом сказал бы управляющий, а коль этот прохвост ничего не знает, то Павел никак не мог бы узнать раньше его. Если несчастье с невестой Павла, Лизанькой Шуваловой, то он не стал бы говорить в присутствии сестры. Значит, отец, князь Николай Павлович... Ну что ж, она, Аполлинария Гнедич, готова услышать горестную весть, у нее достанет духу выдержать удар судьбы с должным достоинством.

Так и оказалось.

— Матушка, сестрица, у меня дурные вести, — произнес Павел дрогнувшим голосом. — Наш отец... Сегодня пришло известие из Стокгольма... Внезапный удар... Тело уже отправлено в Москву для захоронения...

Варенька, в отличие от своей матери, к такому готова не была и зарыдала. Княгиня несколько минут успокаивала дочь, потом позвала прислугу, велела проводить барышню в ее комнаты, подать ей чаю и успокоительных капель и непременно кому-нибудь с ней побыть. Оставшись наедине с сыном, сказала:

— Что ж, сударь мой, мы с вами оказались без поддержки в нашей беде. Сегодня у меня был Никитенко, наш управляющий из Вершинского, много чего порассказал... Не стану утомлять вас подробностями, скажу одно: я рассчитывала, что Николай Павлович через месяц-другой будет здесь и сам примет все потребные решения. Однако Господь распорядился, чтобы с сегодняшнего дня главой нашей семьи стали вы. Вы молоды, неопытны, вам всего двадцать два года. В иных обстоятельствах через несколько месяцев вы обвенчались бы с Лизанькой, если б здоровье ее матушки не потребовало длительного отъезда на воды, но через какое-то время Шуваловы вернутся, венчание состоится, и у вас будет своя семья. А старшей в семье Гнедичей по-прежнему буду я. Но до этого момента, до вашего вступления в брак, вам придется взять на себя ответственность за решение всего, что может повлиять на благополучие нашего дома. Вы готовы к этому, Павел Николаевич?

— Вероятно, как настоящий дворянин я должен был бы ответить: да, готов, полностью готов, — с горечью ответил Павел. — Но как человек честный и при этом разговаривающий с горячо любимой матушкой, лгать не стану.

— Это хорошо, что не лжете, — одобрительно кивнула Аполлинария Феоктистовна. — Ничего нет хорошего в том, чтобы брать на себя то, с чем заведомо не справишься, и ничего нет зазорного в том, чтобы со смирением и благодарностью принять руководство любящей матери. Мы теперь начнем готовиться к похоронам и последующему трауру. Поэтому завтра же вы отправитесь в Вершинское и привезете Григория сюда. И после похорон он останется в Москве.

— Зачем, матушка? — удивился Павел. — Ведь все начнется сначала. Вы же не думаете, что он исправился и вознамерился переменить свое поведение?

— Разумеется, нет, — горько усмехнулась княгиня. — Но возвращение старшего сына после смерти отца — это тот естественный ход вещей, который всеми одобряется. Если же старший сын приедет только на похороны и тут же вернется в имение, а главой семьи фактически станет младший сын, это даст пищу для пересудов. Запомните, сударь мой: ради репутации в свете приходится идти на жертвы. Я сегодня же напишу вашему начальству, его превосходительство всегда был хорош с Николаем Павловичем, он не откажет убитой горем вдове предоставить короткий отпуск ее сыну для подготовки к похоронам.

1842 год, декабрь

Услышав раздающиеся из гостиной оживленные голоса, Павел Гнедич закрыл книгу, сменил атласный, вышитый цветами халат на архалук в темную полоску и вышел из кабинета. Варенька и ее жених граф Владимир Раевский вернулись с катания на горках и теперь стояли перед камином, протянув руки к огню. Варенька, раскрасневшаяся на морозе и оживленная, в отделанном мехом и вышивкой платье из серо-голубого люкзора выглядела необыкновенно хорошенькой, а двадцатисемилетний Владимир не скрывал своего счастливого настроения. В октябре закончился полугодовой срок глубокого траура по отцу, можно было начинать выезжать, и Раевские были одними из первых, кому Гнедичи отдали визит, ведь эта семья постоянно навещала скорбящих во время траура. Собственно, после первого же их появления с соболезнованиями и Аполлинарии Феоктистовне, и Павлу стало очевидно, что молодой Раевский пылко влюбился в Вареньку, и участившиеся визиты графини с сыном только подтвердили это предположение. Когда же настал срок полутраура и стало возможно выезжать, помолвка казалась вопросом нескольких недель, если не дней. Так и случилось. Теперь Гнедичи и Раевские готовились к скорой свадьбе, и Владимир, на правах официального жениха, бывал у них ежедневно.

Павел поцеловал сестру и пожал руку будущему родственнику, которому искренне симпатизировал.

— Как маменька? — с тревогой спросила девушка. — Ей не лучше? Вставала?

— Выходила к обеду и снова ушла к себе, ей по-прежнему нездоровится, — ответил Павел.

Аполлинария Феоктистовна со вчерашнего дня чувствовала себя плохо, жаловалась на сильную головную боль и онемение руки, вызванный к ней доктор поставил пиявки, что принесло некоторое облегчение, но и сегодня княгиня Гнедич еще была слаба.

Усадив невесту в кресло подле камина, Раевский тут же завел с Павлом разговор о денежной реформе, проводимой вот уже несколько лет министром финансов Канкриным. Вопрос для него был насущным, ведь семейству Раевских принадлежало несколько поместий, делами которых старались управлять наилучшим образом, вникая во все детали и мелочи и не пренебрегая резонами экономической науки. Следовало признать, что подобный подход приносил очень хорошие результаты, хотя и порождал в свете неоднозначное мнение о семье Раевских. Кто-то восхищался их деловой хваткой, а кто-то презрительно морщился, полагая, что дворянину не пристало думать о деньгах и считать, сколько у него вышло пудов зерна и стогов сена. В светском обществе приличным считалось изучать философию и литературу, а вовсе не экономическую науку.

Варенька, однако, не долго могла выдержать такой неинтересный для себя разговор.

— Поль, Вальдемар, фи! — Она капризно надула губы. — Как с вами скучно, право! Когда я выйду замуж, мне поневоле придется делить все эти тяготы с супругом, и я готова, но теперь-то я могу поговорить о чем-нибудь веселом? Будьте милосердны ко мне, господа, не так уж много времени осталось мне быть в девичестве!

Раевский тут же отвесил невесте шутливый поклон и поцеловал ей руку.

— Княжна, я к вашим услугам, — широко улыбнулся он. — Каких развлечений изволите?

— Давай петь. — Варенька направилась к стоящему в углу гостиной роялю. — Вальдемар, споемте тот дивный дуэт из Генделя. Вы мне обещали, что выучите его.

— Разумеется, Варвара Николаевна, — с готовностью отозвался граф.

Варенька открыла клавиатуру, уселась за рояль и несколько раз сжала и разжала кулачки.

— Руки так замерзли! Сейчас разогрею пальцы, и начнем.

Павел уже предвкушал удовольствие: Варенька хорошо играла на рояле и ему нравилось слушать, как она поет одна или дуэтом с Владимиром, обладавшим не сильным, но весьма приятным тенором. Князь направился к удобному креслу, в котором намеревался устроиться на время домашнего концерта, когда краем глаза заметил встревоженную физиономию лакея, выглядывавшего в гостиную из-за ширмы, стоящей во избежание сквозняков в дверном проеме, ведущем в танцевальную залу. Лакей Прохор делал барину какие-то суетливые знаки. Едва раздались первые бравурные звуки этюда, который Варенька играла для разминки и подготовки рук, Павел быстрыми тихими шагами вышел из залы.

— Что тебе? — строго спросил он Прохора.

— Ваше сиятельство, барин Павел Николаевич, там квартальный пришел, княгиню спрашивает, а тревожить-то их сиятельство не велено.

Павел нахмурился, сердце почуяло недоброе. Неужели опять с Григорием, старшим братом, беда случилась? Уж сколько раз так бывало...

— Что ему нужно?

— Не говорит. Дело, мол, секретное, только господам скажет. Отослать его? Он на крыльце ждет. Сказать, что не принимаете?

Павел оглянулся в ту сторону, откуда доносились звуки музыки. Сомнений нет, дело в Григории. Как ни следи за ним, а все равно найдет возможность выбраться из дома и что-нибудь натворить. Не нужно, чтобы Варя и ее жених знали, в чем дело.

— Подай шубу, — велел Гнедич. — Я сам выйду к нему.

Набросив на плечи котиковую шубу поверх архалука, Павел вышел на крыльцо, где топтался, пытаясь согреться, квартальный надзиратель Васюков. Увидев князя, Васюков весь подобрался и постарался принять вид важный и почтительный одновременно.

— Ваш-благородь, прощения просим за беспокойство!

— В чем дело? — осведомился Павел.

— Не извольте гневаться, ваш-благородь, а только их-благородь Григория Николаевича опять подобрали. Как с коляски сошел, так и рухнул прямо на мостовую, и лежит. Мы его в будку пока определили, она там рядом совсем, никто и не видал. Будочник его караулит, думали, пока светло-то — нехорошо его домой волочь, надо выждать, пока стемнеет. Так это вот... Вы уж сами распорядитесь, как нам дальше-то.

Квартальный надзиратель Васюков принадлежал как раз к тому небольшому числу людей, которым было прекрасно известно о тяжелых запоях и буйном нраве старшего сына Гнедичей. Щедрые финансовые подарки Аполлинарии Феоктистовны сделали Васюкова верным помощником, умеющим хранить чужие секреты. Если бы мать разрешила Григорию брать экипаж, то ничего подобного сегодняшнему не происходило бы: экипаж въезжал бы в ворота и, даже если Григорий был бы в стельку пьян, этого не видел бы никто, кроме прислуги, кучера и дворника. Но именно из-за того, что Аполлинария Феоктистовна велела ни под каким предлогом не закладывать лошадей для старшего сына, если он соберется куда-либо один, без матери, брата или сестры, Григорий, если уж находил возможность удрать, возвращался на извозчике, причем сойти старался, не доезжая до собственных ворот, и заканчивалось это нередко именно так, как и сейчас.

Павел достал деньги, сунул в руку Васюкову.

— Спасибо, голубчик. Как стемнеет — пришлю Прохора с Афоней, сынком его, а ты будочнику вели, чтобы помог. Втроем дотащат.

— Рады стараться, ваш-бродь. — Квартальный попытался молодцевато щелкнуть каблуками, но вышло одно только неловкое движение закоченевших на морозе ног.

Павел стоял на крыльце, глядя вслед уходящему полицейскому, и прикидывал, как бы устроить так, чтобы не тревожить маменьку. Она и без того нездорова, а узнав, что вытворил Григорий, может совсем слечь. Надо бы поберечь ее... Что ж, придется, видно, снова поместить старшего брата в холодный флигель, где его никто не увидит и где он проспится. Маменька почти не встает, так что и не узнает, что сына нет в его комнате.

Он вернулся в дом, позвал Прохора, доверенного и преданного крепостного, много лет прислуживавшего в доме Гнедичей.

— Проверь комнату во флигеле, — приказал князь. — Натопи там, а как стемнеет — возьми сына и идите в будку, что возле дома Трошина. Что делать — сам знаешь. Будочник вам поможет. И смотри, чтобы княгиня ни о чем не догадалась.

— Так знамо дело, — кивнул Прохор. — Не впервой. Не извольте беспокоиться, барин Павел Николаевич, все сделаем.

Раевский остался у Гнедичей на ужин, после чего откланялся, Варенька ушла к себе, а Павел вновь вернулся в кабинет, чтобы продолжить чтение книги генерал-майора Бутурлина о войнах России с Турцией в период царствования Екатерины Второй и Александра Первого. Забавно, что книга переведена с французского... Автор — русский офицер, история описывается российская, а вот поди ж ты — написано на французском.

Было уже совсем поздно, когда в кабинет вошла Прасковья, горничная Аполлинарии Феоктистовны, в кружевной наколке и в белоснежном фартуке с карманом поверх темного простого платья. Несмотря на наличие мужа и сына, она по-прежнему носила волосы заплетенными в длинную косу, как полагалось незамужним девушкам: таково было требование княгини.

— Ваше сиятельство, их сиятельство барыня просят пожаловать.

— Разве княгиня не спит еще? — удивился Павел. — Ведь за полночь.

Запахнув шлафор поплотнее и туго подпоясавшись кушаком с длинными кистями, он отправился на другую половину дома, где находились комнаты матери и сестры.

Спальня княгини со стенами, обитыми по последней моде французским ситцем с пасторальными сценами, напоминала новенькую шкатулку, в которую небрежно свалили старый хлам. Кровать под балдахином знавала, кажется, еще времена императора Павла, а вдоль стен стояли беспорядочно расставленные старые сундуки, покрытые коврами, вперемешку с витринами для драгоценностей и шифоньерами для белья. Все свободное пространство было заполнено оттоманкой, креслами и пуфами с изрядно потертой обивкой.

Аполлинария Феоктистовна лежала в постели, лицо ее было нездорово-красным и каким-то отечным.

— Что ж не заходишь? — недовольным голосом спросила она. — За весь вечер никто не заглянул, так и лежу тут одна.

— Маман, вы же сами не велели беспокоить. Вы и к ужину не вышли, стало быть, никого не хотите видеть. Никто и не осмелился нарушить ваш приказ.

— Да мало ли что я велела! Пусть я и велела, так что ж? Вы должны все равно приходить и обо всем мне докладывать. Или хоть о здоровье моем справляться.

Павел покорно склонил голову. Ничего нового, все это бывало уже не раз. Характер у Аполлинарии Феоктистовны трудный, это все знают, и нрав крутой.

— Мы беспокоимся, маменька, только тревожить вас не хотели.

— Ладно, — вздохнула княгиня. — Что в доме? Прасковья сказала, Раевский допоздна сидел.

— Он уехал в приличное время, маменька, беспокоиться не о чем.

— И ты с ними до конца был? — с вполне понятной материнской подозрительностью допрашивала она. — Одних не оставлял?

— Ни на минуту, маменька.

— А Григорий что? Не выходил? Никакого скандала в присутствии Раевского не сделалось?

— Маменька, — улыбнулся Павел, — если б что и случилось, прислуга давно уж вам донесла бы. От вашего взора в доме ничто не укроется, это всем известно.

Он лукавил. Он лгал. Но ведь делал это из самых лучших побуждений.

— Ужин Григорию подали в его комнату, он прислал извинения, что не сможет присоединиться к нам, нездоров.

— Ишь как! — недобро усмехнулась княгиня. — Как мать захворала — так и он занедужил. Понятное дело, за общим столом, да еще в присутствии сестры и ее жениха, сильно-то не напьешься. А одному в комнате — милое дело: никто не видит, никто не указывает. Он, поди, боялся, что я тоже за стол сяду. Лакей его, Митька, таскает ему из трактира лакриму эту бутылками, знаю.

«Надо же, — подумал Павел, — маменька даже название итальянского вина «лакрима-кристи», которое Митька приносит, знает. Ничто от ее внимания не укроется».

— Ладно, Павел, ступай, устала я. Варе скажи, чтоб утром зашла ко мне. Если доживу до утра, — сварливым голосом добавила она.

Павел взял ее увитую толстыми венами руку, поднес к губам.

— Не гневите Бога, маменька, болезнь пройдет, и все станет, как прежде. Думайте о скорой свадьбе Вареньки, радуйтесь за нее.

— И то сказать, — согласилась мать неожиданно мирным тоном. — Ты прав. К слову, не было ли сегодня письма от Лизаньки?

— Письмо было третьего дня, я вам говорил.

— Третьего дня! И это все? — возмутилась княгиня. — Невеста должна писать жениху каждый день! Коль уже два дня нет писем, то это дурной знак.

— Маман, — твердо проговорил Павел, — для ваших сомнений нет ровно никаких оснований. Варенька выйдет замуж за графа Раевского, я обвенчаюсь с Лизой Шуваловой, как только здоровье ее матушки позволит им вернуться из-за границы. А вам нужно соблюдать душевное спокойствие, ни о чем не волноваться и поправляться. Вы позволите навестить вас завтра утром?

— Не надо, — ворчливо отозвалась Аполлинария Феоктистовна, — завтра пусть Варя придет, ты на службу рано уходишь, я еще спать буду. Иди с Богом.

Выйдя из покоев матери, Павел почувствовал неясное беспокойство. Надо бы проверить, как там Григорий...

— Прохор! — позвал он, оказавшись в передней. Из лакейской высунулась заспанная физиономия.

— Тут я, барин. Чего изволите?

— Одевайся, возьми свечи, пойдем во флигель.

— Надобность какая или просто поглядеть-проведать?

— Проведать.

— Так это я и сам могу, зачем вам, ваше сиятельство, беспокоиться.

— Вместе пойдем, — решительно сказал Павел. — Ключ не забудь.

Прохор подал барину шубу и подсвечник-шандал с горящей свечой, сам накинул суконный зипун, взял другую свечу, и они направились через темный двор к стоящему наособицу двухэтажному флигелю, где хранилась всякая утварь для хозяйства, а во втором этаже была выделена комната для Григория на те случаи, когда держать его в доме становилось опасно. Для верности входную дверь флигеля запирали на замок, чтобы Григорий не мог выйти, пока не протрезвеет до приемлемого состояния.

Отперев дверь, они медленно, глядя под ноги и переступая через беспорядочно расставленные и разбросанные ковши, ведра, ухваты, пришедшие в негодность щетки, старые плевательницы, исключенную из употребления медную посуду и прочие предметы, прошли к лестнице и стали подниматься. Из комнаты на втором этаже доносился громкий храп, перемежающийся стонами и всхлипываниями. Комната была небольшой, весьма скудно обставленной: кровать, стол и два стула, да еще тумба с ящиками возле кровати. Григорий Гнедич спал прямо в верхнем платье, в том виде, в каком его доставили из будки. Лисья шуба распахнута, пришитые под борт кожаные петли частью повреждены; отделанные басонным шнурком палочки, заменяющие пуговицы, болтаются, вот-вот готовые оторваться, а некоторые и вовсе отсутствуют. Шерстяные клетчатые брюки измяты и грязны, на жилете, виднеющемся из-под расстегнутого сюртука, заметны многочисленные пятна от пролитого вина и размазанного сигарного пепла.

— Шубу снимать не стали, — шепотом пояснил Прохор, — не то замерзнет. Мы чуток подтопили перед тем, как за барином идти, а потом Афонька посидел с ним до ночи да и пошел в дом, а огонь загасил, а то ведь не ровен час...

Григорий пошевелился и вдруг отчетливо произнес:

— Убью, каналья... Наливай тотчас же, не то выпороть велю...

Прохор опасливо приблизился к нему, поднес свечу к самому лицу, потом отступил, удрученно качая головой.

— Выпороть... Это он с Митькой в бреду разговаривает. Надо бы и вправду Митьку этого выпороть розгами да в деревню обратно отправить. Вы уж не серчайте, барин Павел Николаевич, не мое это дело, не должно дворовым про такие материи рассуждать, а только я скажу: портит он барина Григория Николаевича. Люди, которые с их сиятельством из Вершинского приехали, сказывают, что барин Григорий Николаевич Митьку прикормил, так Митька теперь за него в огонь и в воду, все выполняет, что прикажут, барыню-матушку не слушает, делает, только как его барин велит. Гнать его надо, ваше сиятельство Павел Николаевич, гнать отсюдова, пока больших бед не наделал. Барину Григорию Николаевичу строгий пригляд надобен.

Они аккуратно притворили дверь и спустились вниз. На крыльце флигеля Прохор сунул в карман ключ от замка и снова заговорил негромко:

— Вы, ваше сиятельство, барыню-матушку тревожить не велите, это я понимаю, а только надо бы ей знать, что Митька барина Григория Николаевича портит. Пусть кто другой их сиятельству Григорию Николаевичу прислуживает, кто порядок понимает и соблюдает.

— Кто ж, например? — спросил Павел, примерно догадываясь уже, к чему идет разговор.

Аполлинария Феоктистовна прекрасно знает про Митьку, но никаких приказаний на его счет не дает. Значит, у нее есть свои резоны, и обсуждать их с младшим сыном она не намерена. Прохор же полагает, что всякая разумная мать должна бы уже принять меры, а коль не принимает, стало быть, находится в неведении. Вот и хлопочет, чтобы довести до барыни, а там, глядишь, и ненавистного Митьку назад в Вершинское отошлют, а на его место другого дворового приставят. Павел был уверен, что речь зайдет о сыне Прохора. Что ж, каждый заботится о своей выгоде, и нельзя ставить это Прохору в вину.

— Да вот хоть Афонька мой! Чем плох?

— Так он молод еще, — засомневался князь.

— Да как же молод? Пятнадцать ему, здоровый мужик, сами знаете, силищей Бог наградил изрядной, все равно ж не Митька барина Григория Николаевича на себе таскает, а Афонька мой. Зато он верный, смекалистый и не болтун, и наказы все выполнять станет, как велено. Своевольничать-то я его с малолетства отучил, порол, не жалеючи.

Павел знал, что Прохор, хоть и крепостной, находится в доме на особом положении и своей верной службой и преданностью хозяевам давно завоевал право разговаривать так, как другим крепостным не дозволялось. Был он, бесспорно, умен, наблюдателен и обладал каким-то невероятным чувством собственного достоинства, которое делало возможным для него честно служить, не чувствуя себя униженным, и в то же время быть с хозяевами искренним, не переходя установленных границ. Надо ли удивляться тому, что и женился он не на ком-нибудь, а именно на Прасковье, горничной княгини — такой же, как он сам: честной в работе и независимой по духу. Оба они, и Прохор, и Прасковья, оказались приближены к хозяевам и обласканы, их ценили, им доверяли, им делали подарки, младшего сына Афанасия разрешили забрать из деревни и привезти в Москву, отдали в школу. Может, и прав Прохор, пора смену растить. А если Афанасий, обученный грамоте и счету, хорошо себя покажет, то сможет надеяться и вольную получить.

— Я поговорю с княгиней, — пообещал Павел.

— Благодарствуйте, батюшка-барин.

Павел невольно остановился. «Батюшка-барин» — так крепостные обращались только к его отцу, а после смерти отца — к Григорию, старшему сыну, считавшемуся главой семьи. Павел был просто «барином» или «барином Павлом Николаевичем», и это ни у кого не вызывало удивления, ибо считалось правильным. И вот сейчас, несколько мгновений назад, крепостной Прохор Антипов по собственному разумению назвал его батюшкой-барином. «Выслуживается, — подумал Павел, улыбнувшись в душе. — Подлизаться хочет, чтобы я перед маменькой за его сына похлопотал».

Спустя несколько дней он вдруг вспомнил этот разговор и похолодел от ужаса. Откуда Прохор мог знать? Неужели предчувствовал?

* * *

Жизнь частного пристава никто не назвал бы легкой и приятной: двери его дома должны быть открыты круглосуточно, чтобы жители подведомственной ему части могли в любое время дня и ночи обратиться с жалобами, уведомлениями и сообщениями о преступлениях или каких других непорядках, нарушающих благочиние. А в семь утра, даже если ночь выдавалась бессонной, частный пристав уже принимал доклады квартальных о происшествиях за минувшие сутки. Пристав Лефортовской части подполковник Сунцов к тяготам службы относился спокойно, ибо все хлопоты и неудобства сторицей окупались подношениями и взятками. С ним можно было договориться о чем угодно, это был всего лишь вопрос цены.

— Да верно ли, что он согласится? — с тревогой спрашивала Аполлинария Феоктистовна, устраивая грузное свое тело в экипаже, поставленном по случаю зимы на полозки. — Не напрасно ли едем?

— Не извольте сомневаться, ваше сиятельство, — заверил ее квартальный надзиратель Васюков, забираясь на место возницы — кучера будить не стали, чтобы не посвящать в дело, экипаж заложил все тот же верный Прохор, от которого в семье секретов уже не осталось. — Деверь мой аккурат в Лефортовской части служит квартальным, он много чего про пристава порассказывал. Все сделаем. Там и роща Анненгофская есть, место подходящее. Мы сейчас за деверем-то заедем, подымем его и с собой возьмем, так оно вернее будет.

Павел, все еще чувствуя дрожь в ногах, уселся в карету рядом с матерью, не переставая поражаться ее самообладанию. Он не мог ответить сам себе, согласен ли с тем решением, которое приняла княгиня, хорошо она придумала или дурно, но не чувствовал в себе сил сопротивляться. Покорность родителям — вот первое, что воспитывали в нем, в Вареньке, да и вообще во всех детях. Если человек здоров душевно, то ослушаться старших не может ни при каких условиях.

Павел ожидал, что в доме частного пристава придется просить разбудить Сунцова, объяснять, что случилось, потом долго ждать, пока тот оденется и сойдет к посетителям, однако все вышло совсем иначе. Во втором часу ночи пристав еще не спал. Все окна в первом этаже дома светились: к Сунцову доставили правонарушителя, и пристав, как предписано, тут же начал составлять протокол и записывать показания самого виновного и свидетелей.

В комнате, где Гнедичей просили подождать, было жарко натоплено, и Павла невольно поклонило ко сну, однако едва он смежил веки, как его начал трясти сильный озноб. «Уж не заболел ли?» — с тревогой подумал он, посматривая на мать, которая, расстегнув короткий салоп и сняв накинутую поверх шляпки и завязанную под подбородком вуаль, о чем-то тихо переговаривалась с Васюковым и его девером, сонным и недовольным тем, что его подняли среди ночи и заставили идти в часть.

Наконец правонарушителя оформили по всем правилам и увели в арестантскую, и посетители были приглашены к Сунцову — худому жилистому мужчине лет сорока пяти с ехидно-насмешливым выражением лица и острыми глазами под кустистыми нависшими бровями. Павел полагал, что объяснение и изложение просьбы займет много времени, но Сунцов очень быстро все понял, и стало очевидным, что в просьбе такой нет для него ничего необычного.

— Анненгофская роща подойдет, — кивнул пристав. — Все сделаем, княгиня. Помочь вам — мой долг. У меня и человек на примете есть. Только в ответ мне от вас потребуется услуга.

— Ваша помощь не останется без должного вознаграждения, — тут же откликнулась Аполлинария Феоктистовна. — Могу вас заверить, что я ничего не пожалею, только бы решить дело.

По лицу Сунцова промелькнула удовлетворенная улыбка.

— Я не об том, ваше сиятельство. Мне нужны вещи. Немного и недорогие, каких не жалко. Но они должны неопровержимо указывать на своего владельца. Вещи эти вам потом вернут. Это условие не обязательное, но желательно его выполнить, так вернее будет.

— Вещи вам доставят, — кивнула княгиня.

— Городового с вами пошлю...

— Не стоит беспокойства, мы сами справимся, — быстро оборвала Сунцова Аполлинария Феоктистовна.

— Польщен, что мне выпала честь быть полезным князьям Гнедичам, — галантно распрощался с ними частный пристав.

Домой возвращались долго: днем дороги хорошо утрамбовались, и еще час назад экипаж мог проехать без всяких затруднений, а теперь повалил густой, мохнатыми хлопьями, снег, и пока они были у пристава, изрядно намело. Васюков и его родственник ехали на козлах, и княгиня могла свободно говорить с сыном, не боясь быть услышанной.

— Чего дрожишь? — недовольно спросила она. — Замерз?

— Да, кажется, — неуверенно пробормотал Павел.

— Терпи, — строгим голосом велела мать. — Ночь трудная и долгая, держи себя в руках. Надо сегодня сделать все как следует, зато потом уж никаких хлопот не будет. Ох, встанет мне это...

Она вздохнула и покачала головой.

— Васюкову заплатить надо, родственнику его — надо, приставу надо, причем много, чтоб доволен остался. И Прохора с Афоней не обидеть. Одни расходы! Потом похороны, поминки... Свадьба Варенькина. Конечно, у нас траур, и свет не осудит, если свадьба будет скромная, но все равно расходы. Где столько денег взять?

Павел чувствовал не только озноб, но и внезапно подступившую тошноту. Да полно, маменька ли это? Немолодая болезненная женщина, которую он привык почитать, слушаться и бояться, как привито сызмальства, вдруг показалась ему каким-то демоном, существом без сердца и души. Сегодня умер ее старший сын, умер страшно и нелепо, она стояла рядом с бездыханным телом, своими глазами видела посиневшее лицо Григория с вывалившимся изо рта распухшим языком, побелевшая и омертвевшая от ужаса, но и часа не прошло, как она вполне овладела собой и начала давать распоряжения и приводить в исполнение свой чудовищный замысел. Единственным признаком того, что в княгине Гнедич что-то дрогнуло и переменилось, стало обращение к Павлу на «ты». До этого дня Аполлинария Феоктистовна обращалась на «ты» из всех троих детей только к дочери. Откуда в матери столько внутренней силы? И столько безжалостности...

В голове Павла снова и снова прокручивался разговор с матерью, состоявшийся перед тем, как она послала за Васюковым.

— Варю надо выдавать за Раевского, — говорила Аполлинария Феоктистовна Павлу, когда они вернулись в дом из флигеля, где обнаружили висящего в петле Григория, — тебе предстоит жениться на Лизе. Мы не можем допустить, чтобы в свете говорили: Григорий Гнедич — горький пьяница, который помешался умом и свел счеты с жизнью. Душевное нездоровье передается по наследству, стало быть, получено от кого-то из предков, а коль получил Григорий, то кто поручится, что не получили и другие дети. Раевский откажется от Вари, а Лиза — от тебя. И репутация наша пошатнется, а ведь теперь, после смерти моего дорогого супруга и вашего отца, мы лишились влияния, и единственное, чем нашей семье еще осталось дорожить, — это наше доброе имя. Если бы Григорий оставил подробное письмо, в котором объяснял бы, что как человек чести не может более жить и должен застрелиться, с этим можно было бы смириться. Стреляются многие, это, конечно, грех перед Господом, это не одобряется, но и не вызывает толков о душевном нездоровье. Но он даже этого не сделал! И дал всем право думать об умопомешательстве. Теперь у нас нет иного выхода, кроме как сделать вид, что Григория убили разбойники. Ограбили и повесили в лесу.

— Матушка, я мог бы сам написать такое письмо... — робко предложил Павел. — Я напишу, а вы скажете всем, что это Григорий оставил.

— И думать забудь! — прикрикнула на него Аполлинария Феоктистовна. — Или ты не помнишь, сколько долговых расписок он написал за свою жизнь? Да его почерк пол-Москвы знает. Письмо придется приставу нашей части показывать, без этого не обойтись, а уж через его руки столько расписок Григория прошло — и не перечесть. И все они у него хранятся, потому что должники взыскания требовали и расписки эти и векселя к заявлениям прикладывали. Ему сличить документы ничего не стоит. И что ты можешь написать в таком письме? Что задолжал штабс-капитану такому-то или не можешь карточный долг отдать? Тут имена надобно называть, а ну как кто проверит? Щелкопер какой-нибудь начнет раскапывать, ведь написать статейку про князя-самоубийцу многие захотят, вот и вскроется обман. Только хуже будет.

Она пожевала губами, словно что-то прикидывая, потом кивнула каким-то своим мыслям.

— Иди посылай Прохора к Васюкову, пусть разбудит его и сюда приведет. Васюков — человек верный, он поможет. Стены вымыл? Ничего там не осталось?

— Ничего, матушка. Грязь только.

Впавший в безумие от длительного запоя Григорий перед смертью писал углем на стене комнаты во флигеле, где находился со вчерашнего дня. Слова его предсмертной записки были обрывочны и бестолковы и с очевидностью свидетельствовали о горячке и болезненном состоянии ума. Аполлинария Феоктистовна понимала, что, если не удастся договориться с приставом, городового придется привести туда, где лежит тело, и не хотела, чтобы он видел еще одно доказательство душевной болезни сына. Да и мало ли кого еще понадобится привести во второй этаж «холодного» флигеля. Как ни была она раздавлена случившимся, но сыну не преминула указать на необходимость стереть надпись, пока никто из прислуги не увидел. Не хватало еще, чтобы дворня начала шептаться: молодой барин одержим бесами. Одно дело — спьяну руки на себя наложил, и совсем другое — ежели умом тронулся и бесы одолели.

— Слава Богу, что мне в ум пришло самой во флигель наведаться и Гришку проверить, — неожиданно заявила княгиня. — Не то пошел бы ты, как обычно, с Прохором. Чуяло мое сердце, чуяло, что не надо сегодня слуг брать с собой. Вот и не обмануло материнское сердце-то. Ты вот смотришь на меня, Павел Николаевич, да думаешь, поди, что я сына своего не любила. Ведь думаешь? Признавайся!

— Нет, матушка. Я думаю только о том, сколько в вас силы и мужества, и боюсь, чтоб вы снова не расхворались от такого удара.

— Молод ты еще, — вздохнула она. — Молод и глуп. А потому слушайся мать и делай, как она велит. И не смотри на меня так. В обмороках валяться — девичья забота, а моя забота — семью оберегать и репутацию блюсти. Зови Прохора, а как Васюков придет — сюда веди. Ступай, Павел, я одна побыть хочу.

* * *

Васюков пришел неожиданно быстро, оказалось, Прохор встретил его на улице неподалеку от дома Гнедичей. И вот миновало всего два часа с небольшим — а они уже едут обратно, и дело, кажется, решено вполне.

Трясясь от нервического озноба в холодной карете и слушая, как мать деловито перечисляет предстоящие неотложные дела, Павел Гнедич был уверен, что худшей минуты в его жизни уже не будет. Перед глазами стояло изуродованное смертью от удушья лицо брата, его висящее в петле тело, кажущееся отчего-то жалким и беспомощным... Руки до сих пор ощущали шершавость тряпки, которой он мыл исписанную углем стену, в ноздрях стоял кислый запах, обыкновенно присущий помещениям, в которых долго и много пили. Надо пережить эту ночь, пережить, перетерпеть, выполнить все, что велит матушка, а дальше все как-нибудь пойдет само собой...

Чтобы не разбудить дворника, остановили карету саженях в двадцати от ворот дома. Васюков с деверем тихо и быстро прошли во флигель и вскоре вынесли завернутое в мешковину тело Григория, чтобы в той же карете увезти в оговоренное место — Анненгофскую рощу. Аполлинария Феоктистовна велела сыну пойти в комнату Григория и взять вещи, о которых просил частный пристав Сунцов.

— Да побыстрее, — поторопила она, — Васюкову отдай, он отнесет, куда нужно.

Руки у Павла дрожали так, что он несколько раз чуть не выронил свечу, осматривая комнату брата. Чувствуя, что плохо понимает происходящее, открыл стоящую на столике шкатулку, взял оттуда перстень с черным камнем и часы на цепочке. Оба предмета были совсем небольшой ценности, зато имели монограмму «ГГ» — Григорий Гнедич.

Отдав их Васюкову, топтавшемуся на крыльце, Павел вернулся в дом и поднялся к себе. Ему хотелось лечь и закрыть глаза и одновременно хотелось что-то делать, куда-то идти, с кем-то говорить, чтобы избавиться от ощущения навалившегося на него кошмара. Павла лихорадило. Верный Прохор, так и не прилегший с того момента, как его послали за квартальным надзирателем, принес горячие грелки, спросил, не приготовить ли самовар и не подать ли чаю, предложил послать за доктором.

— Не надо доктора, — слабым голосом отказался Павел. — И чаю не надо. Душно мне... И холодно...

Он переоделся и лег в постель, так и не сняв халата. Сон то наваливался на него, то уходил, внезапным ледяным толчком заставляя сердце колотиться где-то в горле. Слова, написанные Григорием перед смертью, звучали в ушах, словно кем-то произнесенные, и от этого неизвестного голоса, от этих последних слов брата весь воздух в комнате, казалось, начинал вибрировать и утекать куда-то. Павел задыхался.

И вдруг в какой-то момент понял: он знает, что нужно сделать. Откинув одеяло, зажег свечу, прошел босиком, не чувствуя ледяного пола, к бюро, открыл крышку, обмакнул перо в чернильницу и принялся записывать врезавшиеся в память слова:

«Демоны окружили меня...

Душу мою требуют...

Все мы — рабы своих грехов, и нет у нас будущего...

Петуху голову отрубили...

Я не хочу смотреть...

Но я должен...»

Уже дописав последние слова, Павел понял, что многоточия проставлял автоматически: в том, что было написано углем на стенах комнаты во флигеле, никаких знаков препинания не стояло, просто обрывки фраз. Словно в предсмертные слова брата он внес часть себя, своего сознания, своей души.

Зачем, зачем он сделал это?! Почему?

И неизвестно откуда в голову пришла отстраненная мысль: «Я ни на что не гожусь, кроме как быть послушным орудием в чужих руках. Я не смею перечить матушке. Я не смог заставить Григория прекратить бесчинства. Чиновное послушание и дисциплина так крепко въелись в меня, что даже сейчас, пребывая в аду, рука моя твердо владеет пером, почерк ровен и четок, и даже знаки препинания я расставляю как положено. Именно про таких, как я, справедливо говорят: бумажная крыса».

Но ему действительно стало легче. Мучивший его голос перестал звучать в ушах, и Павлу Гнедичу удалось наконец забыться тяжелым, лихорадочным сном.

* * *

Он и в самом деле слег и четыре дня не вставал с постели. За эти четыре дня пришло известие о том, что Григорий Гнедич найден в Анненгофской роще повешенным на дереве и ограбленным. Варенька рыдала, Аполлинария Феоктистовна проявляла невиданную стойкость и выдержку. Вызванный к Павлу доктор Лейхсфельд, много лет пользовавший всю семью Гнедичей, удрученно качал головой, прописывал микстуры и компрессы, пригласил для консультации известного в Москве хирурга и, в конце концов, настоятельно посоветовал испросить отпуск и съездить на воды или хотя бы провести несколько недель в деревне.

Но на пятый день Павел поднялся и сошел в гостиную, а на шестой градский сержант, состоящий при частном приставе для выполнения поручений, привез официальное письмо, в котором подполковник Сунцов просил прибыть в Лефортовский частный дом для опознания вещей, изъятых у одного из членов пойманной накануне шайки беглых крепостных, промышлявших разбоями. Павел предложил матери не ехать, но она воспротивилась:

— Поеду. Как тебя одного отпускать? Ты еле на ногах держишься. Да и дело важное, тут осмотрительность нужна, никакой ошибки быть не должно. Хочу сама убедиться.

Велели закладывать экипаж. В дороге Павлу снова стало хуже, хотя с утра казалось, что он пошел на поправку. В частном доме им предъявили перстень и часы с монограммой, и княгиня и князь Гнедичи уверенно подтвердили, что сии предметы принадлежали их сыну и брату. Впрочем, уверенность демонстрировала только княгиня, молодой князь испытывал сильнейшую слабость и дурноту, перед глазами у него все плыло и двоилось. Сидящий в сторонке за отдельным столом письмоводитель записывал всю процедуру в протокол.

— Могу я увидеть этого разбойника? — спросила Аполлинария Феоктистовна.

— Разумеется, ваше сиятельство, — кивнул подполковник. — Сейчас велю привести.

Вызвав звонком сержанта, Сунцов приказал доставить арестованного в специальную комнату с выходящим в коридор окошком, через которое можно было рассмотреть преступника.

— Что же, много людей ограбили эти душегубы? — поинтересовалась княгиня.

— Изрядно, ваше сиятельство. С месяц примерно промышляли. Вот, Господь сподобил, сыскали их наконец.

— И они во всем сознались?

— Не во всем, — тонко улыбнулся пристав. — Но к чему нам их сознание, когда есть неопровержимые доказательства? На пожизненную каторгу все пойдут.

В дверь заглянул служитель, сообщивший, что арестованный доставлен и можно идти смотреть на него. Павел с трудом поднялся, испытывая сильное головокружение. Он не мог понять, зачем матери это понадобилось. Неужели недостаточно, что они опознали вещи Григория? К чему еще и это испытание? Впрочем, в ту минуту все его силы были направлены только на то, чтобы удержаться на ногах и не пошатнуться, ведя мать под руку. Впоследствии он никак не мог вспомнить все в подробностях, словно пелена какая-то завесила сознание, окутала его, не давая страшной действительности прорваться и обрушиться всей тяжестью на душу. Он не понимал и не помнил, как довел мать до окошка, и обратный путь домой тоже не помнил. А вот мужика того, за окошком, помнил очень хорошо. Его лицо, грубое, в крупных рытвинах от оспы, с пустыми непонимающими глазами, было единственным, что сознание впустило в себя и удержало на долгие годы.

— Значит, говорите, пожизненная каторга? — послышался голос Аполлинарии Феоктистовны.

— Никак не меньше, ваше сиятельство, — ответил подполковник. — Была бы моя воля, я б повесил его, но закон не дозволяет, у нас смертная казнь только за политические преступления разрешена. Но и в каторжных работах ему сладко не придется, будьте покойны. А вещи вам вернут, как только все бумаги окончательно оформим.

— Спасибо, голубчик, — сдержанно поблагодарила княгиня. — Ваше служебное рвение будет должным образом оценено.

1843 год, январь — февраль

На период траура не полагалось участвовать в увеселениях, ездить с визитами и посещать театры, и Павел Гнедич стал допоздна задерживаться на службе в Московском главном архиве Министерства иностранных дел, снова и снова переписывая документы, оттачивая формулировки и добиваясь того, что принято было именовать «хорошим слогом»: вся бумага должна быть написана одним предложением, сколько угодно длинным, хоть на три страницы, но одним. Добившись гладкости текста, он начинал раз за разом переписывать его до тех пор, пока не оставался полностью удовлетворен красотой и изяществом почерка. С недавнего времени из Англии стали привозить стальные перья, однако Гнедич предпочитал пользоваться гусиными: стальное перо на рыхлой бумаге не давало возможности выводить чистые правильные линии и изысканные завитки. Подготовка перьев к работе тоже требовала времени и кропотливого внимания: в продажу поступали связки неочиненных перьев и изготовление из такого полуфабриката орудия для письма было настоящим искусством.

Тем январским вечером Павел явился домой, справился о матушке и сестре, услыхал, что Аполлинария Феоктистовна утомилась, принимая траурные визиты (был четверг — день, когда у Гнедичей принимали), и ушла в свою комнату отдохнуть, княжна же Варвара Николаевна — в гостиной с рукодельем. Заглянув в гостиную и поцеловав сестру, князь поднялся к себе, велев подать ужин через полчаса.

В комнате было нестерпимо холодно, хотя топить начинали вовремя, ледяная струя воздуха тянулась из окна, которое, как оказалось, было неплотно притворено. «Вот же бездельники, — сердито подумал он. — Каждый раз одно и то же: вроде все сделают, а что-нибудь да недоделают. Натопили, а окно не закрыли как следует после того, как подушки выбили. Велеть высечь, что ли? Да все равно толку не будет...»

Часа через два, закончив трапезу, он поднял крышку бюро, собираясь написать письмо, выдвинул ящик, в котором держал шкатулку, чтобы привычно удостовериться, все ли на месте. Однако ящик оказался пуст. Гнедич зажмурился, потряс головой, открыл глаза — ничего не изменилось, шкатулки по-прежнему не было. Возможно, он ее переложил куда-то и забыл? Но как ни напрягал Павел память — ничего не вспомнил.

Обливаясь холодным потом, он перевернул вверх дном всю комнату, проверив каждый ящичек, каждую полку, каждый уголок. Шкатулки нигде не было. Шкатулки, в которой лежали часы и перстень покойного брата, а также записка, написанная Павлом по памяти в ту страшную ночь...

Стараясь держать себя в руках, он прошел по коридору до комнаты Аполлинарии Феоктистовны. Перед дверью на стульчике подремывала горничная Прасковья, ожидая, когда барыня кликнет раздеваться и соберется отходить ко сну.

— Спроси барыню, можно ли к ней зайти, — приказал Павел.

Прасковья скрылась за дверью и через короткое время вышла.

— Пожалуйте, барин.

Аполлинария Феоктистовна, в просторном шлафоре из черного плиса (иные цвета в период глубокого траура не допускались даже дома), полулежала на оттоманке. Протянув сыну руку для поцелуя, окинула его внимательным цепким взглядом и спросила:

— Случилось что? Ты так бледен... Не заболел ли?

— Я здоров. Впрочем... Не уверен. Маменька, не могу найти шкатулку. Вчера еще была на месте, и третьего дня тоже, да я каждый день ее проверяю, уже в привычку вошло. А сегодня найти не могу. Вот думаю, может, и вправду я болен, память теряю? Сам перепрятал куда-то, да и запамятовал. Я вам не говорил ничего про это? Или, возможно, вам отдал?

Лицо княгини приобрело нездоровый краснолиловый оттенок от прилива крови к голове. Она резко спустила ноги на пол.

— Помоги встать, — велела она. — Я в кресло пересяду. И окно открой, душно мне.

Усевшись в кресле, Аполлинария Феоктистовна сделала несколько глубоких вдохов и разрешила окно закрыть. Ей стало лучше.

— Мне ты ничего не передавал, — негромко и сосредоточенно проговорила она. — И ничего не говорил про то, что в другом месте спрятал. Значит, шкатулку кто-то взял.

— Кто, маменька? Кому она нужна? Ценность невелика, если только для дворни, но они все проверенные. Варя?

— С ума сошел! — замахала руками княгиня. — Ей-то зачем? Да она девица хорошо воспитанная, никогда в чужую комнату без спроса даже не войдет, не то чтобы взять что-то и вынести.

— Тогда кто же? Кто сегодня был с визитами?

— Графиня Толстая, — принялась перечислять Аполлинария Феоктистовна, — барон Шиммельхоф с супругой, Коковницыны всем семейством...

— Всем семейством? — переспросил Павел. — Что же, и Петр был? Из полка прибыл?

— Был, был, — кивнула княгиня. — Послан в Москву с каким-то поручением от командира, так вместе со всеми зашел соболезнования выразить. И Петр был, и сестра его, и даже малютка Михаил. Ну и граф Аристарх Васильевич с графиней, само собой. Они с гулянья возвращались, потому и младший сын с ними был. Неужто на Петра думаешь? Он, конечно, задира и фрондер, выпить любит и подраться, но чтобы такое... Немыслимо, Павел! Каков бы ни был Петр Коковницын, но он дворянин.

Гнедич задумчиво смотрел на мать, потом попросил ее позвать Прасковью.

— Пусть Прохор сюда придет, — приказал он, — только тихо, лишнего шуму не надо. Он, поди, дремлет, как обычно, так ты разбуди осторожно, чтоб никто не слыхал.

Прохор, обладавший способностью засыпать мгновенно, крепко и в любом положении, действительно использовал каждую возможность, чтобы закрыть глаза, но зато и просыпался легко, быстро и всегда с ясной головой. В отличие от большинства людей, понятие «спросонок» было ему неведомо.

Он и в самом деле появился довольно скоро, и по его виду никак нельзя было сказать, что он только что спал глубоким и крепким сном.

— Сегодня Коковницыны были с визитом, — начал Павел. — Помнишь ли, как дело было?

— Ну как... — Прохор развел руками. — Известное дело, Архипка дверь им открыл, шубы и шапки принял, они всей толпой и вошли в гостиную: их сиятельство старый граф с их сиятельством графиней, их сиятельство Петр Аристархович, их сиятельство Елена Аристарховна и младшенький сынок, их сиятельство Михаил Аристархович, с ним дядька его, Матвей, да служанка. Служанка, понятное дело, в гостиную не вошла, у дверей на сундуке сидела, а Матвей вместе с барчуком пошел. Потом барчуку, видать, скучно стало, он и вышел из гостиной, и Матвей за ним следом. Я их проводил в бальную залу, там хоть и нетоплено, но зато места много, барчуку побегать-то... с Матвеем поиграть...

— И что, они все время в бальной зале были? — требовательно спросила Аполлинария Феоктистовна.

— Не поклянусь, — честно ответил Прохор. — Стали другие гости приезжать, надо было самовар все время ставить, чай подавать, посуду убирать, следить, чтобы в буфетной порядок был, закуски там, сладкое... Мог и упустить. А только, помнится, вышел я в переднюю, гляжу — Матвей этот с нашей Глафирой языком чешет, да поглядывает на нее, как кот на сметану. Ну, я цыкнул на Глашку-то, над Матвеем у меня власти нет, он коковницынский человек, а Глашке я всыпал по первое число. Так я вот сейчас думаю: если Матвей с Глашкой в передней крутился, то где ж в это время маленький барчук был?

— И в самом деле, — нехорошо усмехнулась княгиня, — где был в это время Мишенька Коковницын? Как узнать?

— Я узнаю, барыня-матушка, не сомневайтесь, — твердо пообещал Прохор. — Прислуги в доме много, непременно кто-нибудь что-нибудь да видел. Дайте только срок, к завтрему все вызнаю. А может, и раньше. Сей же час Афоньку своего подниму, он глазастый да сноровистый, все сделаем, не извольте беспокоиться.

Прохор ушел, а княгиня сделала сыну знак остаться с ней.

— Что делать будем? — спросила она строго. — Или ничего? Чтобы в дворянском доме воры завелись — дело неслыханное, кроме мальчишки Коковницына и думать больше не на кого, он ведь без пригляда оставался бог весть сколько времени, а матушка его, графиня Ольга Федоровна, помнится, жаловалась на него, дескать, неслух, справиться с ним никто не может, точная копия своего старшего братца Петра. Ах, кабы не записка твоя, так можно было бы и вовсе не беспокоиться! Пусть бы у самого Мишеньки совесть нечиста, а нам каяться не в чем.

Лицо ее, одутловатое и рыхлое, вдруг осветилось надеждой.

— Да и записка нам не страшна, мало ли, кто что написал... Может, для памяти... Или набросок какой... Конечно, шкатулка — память о Григории, его вещи, его слова, надо бы вернуть.

Павел чувствовал, что земля уходит из-под ног. Вернуть надо — но как? Не пойдешь же к Коковницыным с обвинениями ребенка в краже...

— С другой стороны, — продолжала задумчиво Аполлинария Феоктистовна, — дитя ежели прочтет записку, так и не поймет ничего, а вот ежели кому из взрослых покажет, так могут подумать, что Григорием писано. И лежит записка вместе с памятными его вещами, стало быть, от него именно осталась. Умер-то он для всех от разбойничьей руки, это само собой, а только записка без всяких экивоков покажет, что он умом тронулся, а это уж нехорошо выйдет. Разговоры начнутся, и обернется в конце концов как раз тем, чего мы так стремились избегнуть. Нет, ничего не поделаешь, надобно ехать вызволять шкатулку, да чем скорее — тем лучше, покуда записку никто не прочел.

В дверь осторожно поскреблись, просунулась озабоченная физиономия Прохора.

— Барыня-матушка, барин, ваши сиятельства, Афонька мой шкатулку нашел, в снегу под окнами брошена была.

— Слава Богу! — громко выдохнула княгиня.

— Только пустая она, — виноватым голосом продолжал Прохор. — Уж не знаю, что в ней было, а теперь уж ничего нету.

— Где ж нашел? — спросил Павел.

— Аккурат под окнами вашей комнаты, барин. Видать, тот, кто взял, шкатулочку-то выбросил, чтоб в руках не носить, а что внутри было — в карман сунул. Да мальчонка это коковницынский, я точно вызнал, видали его на втором этаже, бегал туда-сюда, во все двери заглядывал.

Павел вспомнил неплотно притворенное окно в своей комнате. Да, пожалуй, Прохор прав. Так все и было. И что же теперь делать?

До глубокой ночи просидел он в покоях матери. Оба понимали, что назавтра надо будет ехать к Коковницыным, и предлагали то один, то другой план: как построить разговор, чтобы и искомое получить, и отношения с добрыми знакомыми не испортить. Никакого ясного плана, однако, не вышло, и чем дольше мать и сын разговаривали, тем более запутанной и безвыходной казалась им ситуация.

В конце концов, разошлись спать с уговором: Павел отбудет время на службе с утра и до обеда, затем вернется домой, и они вместе поедут к Коковницыным. Раньше четырех пополудни приезжать с визитами все равно неприлично. Княжну Варвару, разумеется, ни во что посвящать не стали.

* * *

У Коковницыных их встретили с нескрываемым изумлением: делать визиты в период глубокого траура считалось нарушением приличий.

— Аполлинария Феоктистовна, голубушка, уж не случилось ли какого несчастья? — участливо спросила графиня Ольга Федоровна, едва одетые во все черное князь и княгиня Гнедичи появились в гостиной.

Хозяйка дома быстрым цепким взглядом окинула черную бомбазиновую ротонду Аполлинарии Феоктистовны и ее шляпку, украшенную цветами из гагата, словно оценивала, насколько прилично быть в столь изысканном наряде в период траура по сыну.

— Мы не позволили бы себе нарушить приличия, если бы не чрезвычайные обстоятельства, — негромко произнесла княгиня. — Право, не знаю, как и начать... Дело весьма щекотливое, даже интимное... Граф простит нас, если мы попросим дозволения переговорить с графиней наедине?

Граф Аристарх Васильевич не только не возражал, но даже и удивления такой просьбой не выказал. Он производил впечатление человека, который мало понимает суть происходящего, а если и понимает, то ему все глубоко безразлично. Как и полагалось, он был одет к приему визитеров в однобортный сюртук; брюки в мелкую бежево-коричневую клеточку свидетельствовали о том, что хозяин дома не чужд веяниям моды, однако все знакомые знали, что старик почти совсем глух, а даже если что и расслышит, так уж не поймет. Еще десять лет назад граф был полон жизни и энергии, но болезнь превратила его в полную развалину.

Ольга Федоровна ласково улыбнулась и сделала княгине и ее сыну приглашающий жест. Войдя в будуар, графиня предложила визитерам располагаться на диванах, сама же заняла место в кресле и придала лицу приличествующее случаю выражение внимания и готовности сочувствовать.

С первых же слов Аполлинарии Феоктистовны стало понятно, что никакой идеи, никакого плана у нее так и не появилось, и княгиня, вероятно, рассчитывала на «авось»: на удачу или внезапно пришедшее озарение. Разговор она начала неловко, даже, на взгляд Павла, грубо, сразу перейдя к делу.

Возмущению графини не было предела. Она настолько потеряла самообладание, что вскочила со своего места и выбежала из будуара, громко призывая домашних в свидетели нанесенного ее семейству оскорбления. Скандал разразился мгновенно и бурно, и уже через несколько минут Петр Коковницын произнес, обращаясь к Гнедичу:

— Вы нанесли оскорбление моему несовершеннолетнему брату, заподозрив его в воровстве. Как его полноправный заместитель я требую сатисфакции.

Аполлинария Феоктистовна замерла: она совершенно не брала в расчет присутствие задиры Петра, когда задумывала свое предприятие.

Павел коротко кивнул.

— Я пришлю к вам своих секундантов, — ответил он.

Домой Гнедичи возвращались в гнетущем молчании. Сбросив на руки лакею подбитый мехом салоп, княгиня сделала Павлу знак следовать за нею. В своих покоях Аполлинария Феоктистовна наконец заговорила, предварительно плотно притворив дверь. Говорила она несвойственным ей в обычных обстоятельствах тихим голосом, который, однако же, оставался, как всегда, твердым.

— Дела мы не решили. Ошибку я сделала, не так разговор повела. Не все предусмотрела. Не так рассчитала. От тебя про это ничего слышать не хочу, сама все знаю. Про Петра не подумала, теперь вот стреляться тебе с ним. Делай что хочешь, Павел, но ты должен остаться жив. Если для этого надобно унизиться — унижайся, прощения просить — проси, письма писать — пиши. Что хочешь делай, но второго сына потерять я не могу.

— Но дворянская честь...

— Молчи! — шепотом прикрикнула мать. — Дворянская честь и ее соблюдение от первого до последнего слова в дуэльном кодексе прописана. Или забыл? Так я и напомнить могу: секунданты обязаны приложить все свои старания к тому, чтобы уладить дело, если только возможно, мирным путем, без ущерба для чести какой-либо из сторон. От тебя зависит, кого в секунданты попросишь, так выбирай людей миролюбивых, умеющих уступать, разумных. А то, что после про тебя станут говорить, будто ты стреляться побоялся и миром дело решил, — про то забудь! Вызывают сотнями каждый день, а стреляются единицы, это мне доподлинно известно. Тот же Петр Коковницын — дня не проходит, чтоб не вызвал кого-нибудь, как в Москву приедет — так непременно дуэль затевает, но ведь не убил пока никого. А знаешь, почему?

Павел пожал плечами.

— Потому что не убил. Почему же еще?

— Да не потому! А потому лишь, что ему убивать-то нужды нет, ему покуражиться хочется, страху нагнать, себя показать. Вот и пусть покажет, ты ему не препятствуй. С условиями спорь, если жестки будут, не соглашайся, пусть видит, что жизнью дорожишь и убитым быть не хочешь. И секундантов своих, кого выберешь, сразу предвари, мол, готов принести извинения, чтобы дать сатисфакцию.

Заметив колебания сына, Аполлинария Феоктистовна слегка возвысила голос:

— Трусишь, что ли? Не трусь! Чести твоей как дворянина урона не сделается, если дашь сатисфакцию извинениями, тебе ж не перед самим Коковницыным прощения просить, а только лишь в присутствии секундантов. А то, что представитель князей Гнедичей будет перед этим фрондером виниться, нехорошо, конечно, понимаю, но переживешь. Да, вот еще что: Петру скоро в полк возвращаться, так пусть твои секунданты переговоры затягивают под любым благовидным предлогом. Даже если Коковницын решит непременно драться, у него не должно оставаться на это времени, тогда он и извинения примет.

Из покоев матери Павел Гнедич вышел в смятении. Убивать молодого офицера на дуэли он, разумеется, не хотел. Но и приносить извинения за оскорбление, нанесенное семье Коковницыных, не хотел тоже. Во-первых, он был твердо убежден, что обвинение в воровстве обоснованно и справедливо, и подтверждение своей правоты он увидел в испуганных глазах Мишеньки и в его кривой улыбке, когда родители призвали младшего сына и потребовали ответа. Разумеется, мальчик все отрицал, но голос его сказал Павлу о многом.

А во-вторых, Павлу Гнедичу не хотелось жить. И погибнуть на дуэли он считал для себя наилучшим выходом. Можно не приносить никаких извинений, можно согласиться на любые, даже самые жесткие, условия, предложенные оскорбленной стороной. Жаль, что тот, кто нанес оскорбление, не имеет права предлагать условия более суровые, чем выдвигает оскорбленная сторона, в противном случае Гнедич предложил бы стреляться с пятнадцати шагов. Более того, он готов был бы предложить оскорбленному пользоваться его собственными пистолетами, поскольку это допускалось дуэльным кодексом при оскорблениях третьего рода, к которым относится и обвинение в воровстве. Павел хотел бы сделать все, чтобы не выйти живым с места дуэли.

Но маменька требует иного. Еще года не прошло, как она похоронила мужа, потом, меньше двух месяцев назад, старшего сына. Она хочет, чтобы ее младший сын не пострадал, в противном случае в семье не останется мужчин. Желание матери свято. Он, Павел Гнедич, послушный сын и сделает все, как велит Аполлинария Феоктистовна. Он продолжит жить в своем собственном аду, заплатив унижением за эту сомнительную радость.

* * *

Прошла неделя, и молодой граф Петр Аристархович Коковницын вернулся в полк, увозя с собой составленный секундантами обеих сторон протокол о принесении князем Павлом Николаевичем Гнедичем извинений.

— Вы удовлетворены, княгиня? — устало спросил измученный недельными переговорами и спорами Павел. — Дуэли я избежал. Но дело-то ведь так и не решено, пропажу мы не вернули.

— Теперь уже можно не беспокоиться, — усмехнулась в ответ Аполлинария Феоктистовна. — Мишенька даже если и сообразит что-то, так смолчит, в противном случае ему придется объяснять, откуда он взял вещи и записку. И выйдет, что твои обвинения были справедливы. Кому нужен такой позор? Все будут молчать. А Мишенька Коковницын — вор и подлец, и это хорошо.

— Хорошо? Почему?

— Потому что подлецы всегда трусливы. Он же видел, какой шум поднялся, и ни за что не посмеет признаться. Если Петр узнает правду — Мишеньке житья не станет, он хоть и мал, но уж это-то понимает. Украденное спрячет хорошенько, чтоб никто не сыскал, а то и выбросит от греха подальше. Иди отдыхать, Павел Николаевич, тебе выспаться надо. А с завтрашнего дня начнем думать о свадьбе Вареньки, Раевский предложение когда еще сделал, а из-за печальных наших обстоятельств мы с датой свадьбы никак определиться не могли. Я думаю, на Красную Горку и венчание назначить, до Масленицы уже не успеем. Хорошо бы побыстрее, конечно, но в Великий пост не положено.

— Зачем побыстрее? — не понял Павел. — Для чего? Месяцем раньше — месяцем позже, разве это так важно?

— Ты не понимаешь. — Княгиня посмотрела на сына серьезно и печально. — Мне недолго осталось, я чувствую. Мне надо непременно успеть Вареньку замуж выдать, тогда я уйду со спокойной душой. Хорошо бы и твоей женитьбы дождаться, но не знаю, доживу ли до возвращения Лизаньки. Что она пишет? Как здоровье ее матушки? Скоро ли воротятся?

— Пишет, что пока рано об этом говорить, матушка ее поправляется, но чрезвычайно медленно, и доктора настаивают на продолжении курса лечения хотя бы до осени.

Аполлинария Феоктистовна как в воду глядела: Владимир Раевский и Варенька Гнедич на Красную горку обвенчались, состоялась скромная свадьба, а в августе княгиня скончалась.

Пропавшие вещи — часы, перстень и записка — так и не обнаружились, и Павел начал думать, что мать, по-видимому, была права: беспокоиться больше не о чем.

1844 год, июнь

— Еще раз благодарю судьбу за то, что вы с матушкой дали мне Вершинское в приданое, — говорила Варвара Раевская брату Павлу, идя рядом с ним по уютной лесной тропинке. — Мне здесь так хорошо! Удивительно, отчего матушка так не любила здесь бывать? Она ведь и нас сюда не привозила, только наш бедный Жорж здесь пожил, да и то недолго.

— Я рад, Варенька, — ласково ответил Павел, — душевно рад, что тебе здесь нравится и что твой муж с удовольствием занимается делами поместья. Мне бы хотелось, чтобы ваши дети росли не в нужде.

Молодая графиня остановилась и осторожно тронула брата за руку.

— Поль, ты всегда говоришь только о наших детях, но отчего ты ни разу не заговорил о своих? У тебя ведь они тоже будут. Ты отдал мне поместье, нет-нет, не спорь. — Она сделала рукой властный жест, так напомнивший Павлу их недавно скончавшуюся мать, Аполлинарию Феоктистовну. — Я знаю точно, что это было именно твое решение, а не ваше с матушкой общее. Я хоть и глупа, но ясно видела, что душевное здоровье матушки ослабело после смерти папа́, а после гибели Жоржа оказалось и вовсе расстроенным, и всеми делами занимался только ты один. Когда ты подыщешь себе новую невесту, тебе достанется наш московский дом. Он, конечно, не дешев, но ведь дохода не дает, в отличие от имения. Отчего ты совсем не думаешь о своем будущем?

Гнедич подал сестре руку, показывая, что намерен идти дальше. Но Варвара была не робкого десятка и не менее упряма, чем ее мать и брат.

— Поль, пора нам поговорить серьезно, — твердо заявила она. — Лизанька Шувалова разорвала вашу помолвку, но в обществе то тут, то там поговаривают, что вы с ней что-то скрываете. Причина, которую она указала, вполне убедительна, но я в нее не верю. И прошу тебя наконец объяснить мне, что происходит.

— Душа моя Барбара, — рассмеялся Павел, — не пристало мужчинам обсуждать подобные сюжеты с молоденькими женщинами, это не комильфо. Давай оставим это.

— Но вы же так любили друг друга!

— Помолвка расторгнута, — строго произнес Гнедич. — И говорить об этом незачем.

— Ну хорошо, — не отступала Варвара, — пусть ты не женишься на Лизе, но ведь ты молод, красив, образован, служишь на хорошей должности, отчего бы тебе не найти другую невесту? Причина, о которой ты не хочешь со мной говорить, не может стать препятствием к другому браку, и тебе это отлично известно. Она всего лишь уважительный повод отказаться от бракосочетания, но никак не причина. Разве нет вокруг нас молодых очаровательных вдовушек с детьми? Почему ты решил отказаться навсегда от своего счастья? Между прочим, тобой очень интересуется Эжени Тверская, с которой ты танцевал на балу по случаю свадьбы твоего друга Мишеля. Ты помнишь ее?

— Разумеется, помню, — улыбнулся Павел. — Настоящая красавица и, как мне показалось, весьма неглупа.

— Так почему бы не обратить на нее внимание? Она из хорошей семьи и благосклонна к тебе. Я уверена, что твое предложение будет принято Тверскими без колебаний. Мне не пристало говорить об этом, но Тверские дают за Эжени достойное приданое.

— Мне нечего предложить своей будущей жене, кроме титула и московского дома, от которого, как ты верно заметила, душа моя, нет никакого дохода. Кроме того, моя должность в Министерстве иностранных дел не даст ни мне, ни моей семье никаких выгод.

— Почему?

— Потому что я намерен отказаться от нее и поступить в университет. Мне прискучило быть чиновником, перебирающим бумаги. Я хочу получить настоящее образование.

Варвара прижала ладони к губам, словно пытаясь удержать крик. Но быстро овладела собой, тревожная морщинка между бровей разгладилась, в глазах блеснула радость догадки.

— Ты хочешь изучать математику? Чтобы получить назначение на должность криптографа?

Павел лукаво улыбнулся и снова протянул ей руку.

— Не угадала. Скажу, если мы пойдем дальше. Если же ты предпочитаешь стоять на этой опушке среди одуванчиков и кормить комаров, то останешься без разгадки моих секретов.

Он любовался прелестным личиком сестры, ее внимательными серыми глазами и круто завитыми рыжеватыми локонами. Даже черное траурное платье не могло притушить свет, словно льющийся от всего ее облика. Их мать родила восьмерых детей, двое не дожили и до года, еще трое умерли в возрасте до шести лет. Выжили лишь Григорий, Павел и Варенька. Григорий погиб, так и не женившись. Он, Павел, великий грешник, не имеющий права перед божиим судом ни вступать в брак, ни заводить детей. Осталась одна лишь Варенька, и только в ее детях и внуках еще будет жить кровь Гнедичей. Надо ли удивляться тому, что поместье Вершинское теперь принадлежит ее семье! Самому Павлу уже ничего не нужно.

— Хорошо, — рука Вареньки, затянутая в кружевную черную, по законам траура, перчатку, легла на сгиб его локтя, — пойдем. Я выполнила твое условие, пришла пора тебе выполнить обещание.

— Я хочу поступить на юридический факультет. Разумеется, лучше было бы получить образование в Императорском училище правоведения, но туда меня не примут из-за возраста. В Училище поступают в гимназические годы, а я уже стар.

Молодая женщина остановилась от неожиданности и отняла руку.

— Ты хочешь сделать карьеру по Министерству юстиции? — спросила она, снова нахмурившись. — Но чем же она лучше карьеры по твоему нынешнему месту службы? В Министерстве иностранных дел у тебя есть возможность рано или поздно стать посланником или представителем и уехать за границу, за такую службу положено хорошее жалованье. А кем ты станешь, если получишь образование юриста? В МИДе помнят нашего батюшку, сам вице-канцлер Нессельроде ему благоволил, да и ты на хорошем счету, начальство тебя любит, тебя поддержат и чинами не обойдут. А в Министерстве юстиции ты начнешь все с нижних должностей, самых ничтожных, и жалованье будет копеечным. Там тебя никто не поддержит. Зачем, Поль? Для чего такие перемены? Во имя какой цели? Ты что-то скрываешь от меня?

Павел рассмеялся.

— Успокойся, душа моя, у меня нет от тебя никаких секретов. Я всегда мечтал о карьере на юридическом поприще, но не считал для себя возможным идти против воли отца и против желаний матушки. Теперь же, когда оба они нас покинули, я вижу для себя некоторую свободу заняться тем, к чему меня влечет. Вот и все. Я рад, что наша матушка дожила до твоего венчания и ушла на небеса успокоенной. Но теперь... Теперь — изволь, душа моя, я займусь тем, чего давно желаю.

Тропинка сделала крутой поворот, сразу за которым они увидели приближающегося верхом мужа Вареньки, Владимира Раевского, излишне полного для своих лет молодого мужчину с необыкновенно добрым лицом и мягким взглядом. Соскочив с лошади, Владимир поцеловал руку жене и приветливо улыбнулся шурину.

— Вот вы где! Самовар готов, пора собираться к чаю.

Павел был рад, что разговор оборвался.

— Вы позволите взять вашу лошадь? — обратился он к Раевскому.

— Сделайте одолжение, — кивнул граф. — Но не уезжайте далеко, мы ждем вас к чаю.

Павел легко вскочил в седло и почувствовал, что стремя для него коротковато: муж сестры был заметно ниже ростом. Ничего, усадьба совсем близко, можно и так доехать.

— Я буду дома раньше вас, — улыбнулся он. — Простите мне эту маленькую хитрость, но должны же молодожены прогуляться без третьих лиц.

Варенька залилась краской смущения, а муж ее посмотрел на Павла с благодарностью.

Гнедич не сомневался, что сестра немедленно поделится с мужем новостью: брат собрался оставить службу в Министерстве иностранных дел и заняться юриспруденцией. И, конечно же, Владимир поднимет этот вопрос в самое ближайшее время. Поймет ли он резоны Павла? Или они покажутся ему пустыми и не достойными внимания? И сможет ли Павел Гнедич объяснить родственнику то, что так гнетет его самого и не дает покоя?

Он был взращен хорошим сыном, что автоматически означало — сыном послушным, не противящимся воле родителей. Служить по ведомству иностранных дел Павел никогда не хотел, но такова была воля отца. Гнедич отчетливо, словно это происходило лишь вчера, помнил тот день, когда судьба его была решена князем Николаем Павловичем...

* * *

— ...Смотри же, говори с ним только по-французски, а если будешь по имени называть, то говори правильно, не ошибись. Петр Корнилиевич не любит, если его называют Петром Корниловичем, запомнил? — говорил отец, в сотый, наверное, раз за всю дорогу повторяя наставления. — И не вздумай засмеяться, когда услышишь его речь. Держи выражение лица серьезным и почтительным.

— Отчего же я должен непременно засмеяться? — недоумевал мальчик. — И что за странное отчество «Корнилиевич»? От какого же это имени?

— Корнелиус. Так звали отца господина Сухтелена. А сам он урожденный Иоганн Петерс, поэтому в первое время, когда он только прибыл ко двору императрицы Екатерины Второй, его именовали Иваном. А уж после он взял имя Петр. Петр Корнилиевич на службе императорского двора еще с тех времен, а по-русски все же с акцентом говорит и шепелявит немного. Нам несказанно повезло, что он соблаговолил дать аудиенцию, ведь он давно уже в Швеции проживает постоянно, в Петербург приезжает крайне редко. Виданое ли дело: четверть века на дипломатической службе в одной и той же стране! Никому доселе такое не удавалось. Год-другой — и отзывают посланника или представителя, меняют на нового. Петр Корнилиевич теперь уж в почтенных годах, совсем старик, а все служит Государю и Отечеству. Мне намекнули, что и меня могут в Швецию отослать, Петр Корнилиевич в скором времени отойдет от дел, и надобно не упустить случай порасспросить его о разных тонкостях в политике и в обстановке шведского двора...

Павел слушал отца вполуха, ему куда интереснее было смотреть в окно кареты, хотя и видно-то почти ничего не было: зимой в Петербурге темнеет рано, да и стекло инеем подернулось, приходилось прикладывать губы и дышать, чтобы протаять маленькую дырку. Мороз стоял трескучий, всюду горели костры, возле которых маячили фигуры будочников, извозчиков, ожидающих ездоков, и просто замерзающих прохожих, остановившихся погреться. А отец все продолжал говорить, и слова его с трудом доносились сквозь оглушительный грохот колес мчавшихся по Невскому проспекту экипажей. Павел с удивлением отмечал, что пешеходов на тротуарах было совсем немного. Как же так? Самая «парадная» улица столицы — и народу нет никого?

— Папенька Николай Павлович, — спросил он, не дослушав очередное наставление, — отчего же народу нет на улице?

Князь неодобрительно посмотрел на сына.

— Старших перебивать не годится, — строго ответил он. — А народу нет оттого, что в Петербурге вечером ходить пешком по Невскому — это моветон, мой друг. Все порядочные люди ввечеру в экипажах ездят.

Наконец, подъехали к Михайловскому замку. Из легкого экипажа, шедшего позади барской кареты, вышли два лакея и гувернер Павла.

Граф Сухтелен, маленький морщинистый румяный старичок, не вызвал у Павла ни благоговения, ни страха. Глаза подростка моментально впились в многочисленные тома в книжных шкафах, стоящих вдоль стен кабинета, и все прочее сразу перестало иметь значение и вообще существовать. Сказав положенные по этикету несколько фраз на французском и постаравшись не ошибиться в произнесении непривычного слова «Корнилиевич», мальчик мечтал только об одном: чтобы ему разрешили брать книги и оставили в покое.

— Вижу, юный князь до чтения охоч. — Старый дипломат внезапно перешел на русский. Говорил он, как и предупреждал отец, с акцентом и заметно шепелявил, однако ничего смешного в звуках его речи для Павла не было. — Сие похвально. Я велю Карлу проводить вас в библиотеку, здесь, в кабинете, лишь малая часть моих сокровищ. В моем собрании более семидесяти тысяч томов, да будет вам известно, и среди них есть редчайшие, раритетнейшие экземпляры!

В голосе старика звенело совершенно детское желание похвастаться своими богатствами.

— Если вы, молодой человек, интересуетесь нумизматикой, то я мог бы предложить вашему вниманию мою коллекцию в двенадцать тысяч монет, — продолжал Петр Корнилиевич. — А в моем собрании полотен есть и Тициан, и Микеланджело, и Рубенс, и ван Дейк.

Но ни монеты, ни живопись мальчика не интересовали. Он любил книги.

Все остальное время, пока длилась беседа князя Гнедича с графом Сухтеленом, Павел под бдительным оком своего гувернера наслаждался тем, что взбирался по лесенке к самым верхним полкам и, сидя на ступеньке, листал привлекшие его внимание толстые старинные книги. Свободно мальчик читал только на немецком и французском, здесь же было великое множество книг и на других языках, которыми Павел Гнедич не владел. Но сам вид фолианта, одно только прикосновение к переплету его завораживали...

Как быстро, однако, пролетело отведенное на аудиенцию время! Павлу казалось, что и четверти часа не прошло, когда в библиотеке появился лакей Сухтелена по имени Карл и объявил:

— Их сиятельство князь Николай Павлович просят ваше сиятельство пожаловать для прощания с их сиятельством графом Петром Корнилиевичем.

Как? Уже? Так скоро... Огорчению мальчика не было предела.

На обратном пути из Михайловского замка в дом графа Толстого, где остановились приехавшие из Москвы отец и сын Гнедичи, Николай Павлович вдруг сказал:

— Тебе выпала большая честь быть отмеченным таким великим человеком, как граф Петр Корнилиевич Сухтелен. Ты должен оправдать надежды.

— Какие надежды, батюшка? — удивился Павел.

— Петр Корнилиевич приметил твою любовь к знаниям и к книгам, твою способность к наукам и непринужденность в беседе. Он полагает, что такой юноша, как ты, сможет сделать на дипломатическом поприще карьеру не менее, а возможно, и более блистательную, чем карьера самого графа Сухтелена, — торжественно заявил князь Гнедич. — Трудись на ниве постижения наук, сын мой; трудись старательно и самоотверженно, через несколько лет я представлю тебя в Министерство иностранных дел.

— Но как же, батюшка? Я думал, стану офицером... — растерянно отозвался мальчик. — Как Григорий. Вы говорили, я в один с ним полк записан.

— Григорию другого пути служить царю и Отечеству нет, — резко оборвал его отец. — Только на военной ниве ему и быть. Он к гражданской службе не способен: не усидчив, не старателен. Ты — другое дело. Ты прославишь всю нашу семью и имя Гнедичей, запомни это. Завтра же снесусь со знающими людьми, наймем для тебя другого гувернера, этот только в языках хорош, да в других науках смыслит мало.

— А какие еще науки мне нужны?

— История, география, математика, астрономия. Без математики ты в фортификации ничего не разберешь. А без астрономии с картографией не справишься.

— Да зачем же мне фортификация? — недоумевал Павел, которому вовсе не нравилась перспектива заниматься с другим гувернером, да еще и математикой. История и география — другое дело, ему и самому это интересно, а вот математика... Новый гувернер, наверное, не станет, как нынешний, разрешать Павлу так много читать, к тому же по собственному выбору мальчика. В доме Гнедичей библиотека невелика, но гувернер Павла всегда приносит откуда-то интересные книги для своего подопечного: то описания путешествий в разные далекие страны, то историю военных походов, то мрачный роман на немецком, то переведенную на французский книгу английского автора...

— Затем, что, если ты хочешь сделаться не хуже графа Сухтелена, ты должен быть готов к участию в военных действиях и командованию военными операциями.

Мальчик понурился и замолчал. Вот уже отец сказал: «если ты хочешь», будто бы сам Павел выразил желание стать похожим на старого графа. А разве он этого хочет? Не хочет он. К тому, чтобы стать офицером, Павел был давно готов, никакого иного пути, как и большинство дворянских детей, он не представлял. Не сказать, чтобы служба в полку была для него желанна, но она принималась его душой как некая неизбежность, с которой он смирился. По крайней мере, у него впереди было еще несколько лет до поступления в полк, и эти годы можно было безраздельно посвятить чтению. Но судьба чиновника в Министерстве иностранных дел — это совсем иное...

* * *

Вечером, в одиннадцатом часу, отужинав, мужчины, как обычно, направились в кабинет Владимира Раевского, привезшего в Вершинское из Москвы свою коллекцию трубок и табака. Хрустальный штоф искрился под пляшущими огоньками свечей, комната вскоре наполнилась ароматным дымом, однако Павел с удивлением ощущал, что привычное чувство покоя и расслабленности, всегда охватывавшее его в такие минуты, сегодня не приходило. Бросив взгляд на мужа сестры, он вдруг понял: причина в Раевском. Владимир напряжен и как будто бы даже смущен...

— Вас что-то тревожит? — спросил Гнедич участливо.

— Только перспектива утратить ваше доброе расположение, — со вздохом ответил Раевский. — Но коль вы сами спросили — скажу без обиняков: Варенька поведала мне о вашем желании оставить службу и поступить в университет.

— Я... — начал было Павел, но граф остановил его движением руки.

Живя в имении и увлеченно занимаясь хозяйственными делами, Раевский обычно был одет просто и удобно, однако теперь на нем, согласно городской моде, красовался отлично сшитый двубортный фрак из синего сукна, в котором Владимир выглядел не только стройнее, но и выше ростом. Благодаря этому нарядному фраку решимость, появившаяся на лице Варенькиного мужа, придала всему облику некоторую торжественность.

— Позвольте мне докончить, князь. Вы отдали мне имение, и сегодня я отчетливо вижу, как смогу распорядиться хозяйством, переустроить его и сделать прибыльным. Никогда более и нигде я не повторю этого вслух, говорю только вам, ибо вы сами знаете — в свете неприлично рассуждать о доходах и прибылях, если ты дворянин. Я нанял нового управляющего, голландца, весьма сведущего в агрономии и скотоводстве и получившего хорошее образование в Германии, и у нас уже составлен интересный план хозяйствования, который ранее я успешно опробовал на двух своих имениях, полученных в наследство. Вершинское в скором времени, через три-четыре года, станет приносить очень хороший доход, в этом нет никаких сомнений. Уверен, что, если бы вы по-прежнему владели Вершинским, вы сумели бы извлечь доход ничуть не меньший. Но вы остались с огромным московским домом, требующим постоянных затрат, и со службой, приносящей такое жалованье, на которое невозможно прожить, даже голодая. У вас есть определенные средства, полученные после кончины ваших родителей, но они достаточно скромны. Учиться же в университете вы сможете только на правах своекоштного студента, не так ли?

— Это правда, — усмехнулся Гнедич. — Казенное место мне никак не положено.

— Поэтому я прошу вас... нет, — перебил сам себя Раевский, — я настаиваю, чтобы вы разделили со мной будущие доходы от Вершинского. Это позволит вам получить столь желаемое вами образование и вести достойный образ жизни. Я настаиваю, — твердо повторил он. — И отказ ваш расценю как знак того, что утратил ваше расположение.

Гнедич с трудом справился с нахлынувшим волнением и набежавшими на глаза слезами. Разумеется, как дворянин, князь, он должен отказаться. Но он грешник, великий грешник, не имеющий права ни на личное счастье, ни на то, чтобы считаться человеком, обладающим честью и достоинством. То, что он сделал, не позволяет ему, Павлу Гнедичу, жить с высоко поднятой головой — так какая разница, примет он деньги от мужа Вареньки или нет? Честь его от этого не пострадает, ибо чести этой у него все равно уже нет.

Он сглотнул стоящий в горле ком и проговорил негромко:

— Друг мой, мое расположение к вам умрет только вместе со мной. Равно как и моя благодарность вам.

— Значит, вы согласны?! — обрадованно воскликнул Раевский с видимым облегчением.

— Я не нахожу в себе должного мужества, чтобы отказаться от столь заманчивого предложения, — улыбнулся князь. — Более того, если глядеть на будущее, то я надеюсь стать воспреемником ваших детей, которые после моей смерти получат все мое имущество. Обещаю жить скромно, не тратить лишнего и бережно сохранять все средства, которые вы мне выделите, чтобы наследство мои будущие крестники получили весомое.

Владимир нахмурился и с тревогой посмотрел на него.

— Почему вы так уверены, что не захотите вступить в брак, в котором у вас родятся дети? — спросил он. — Не станете же вы лишать их наследства ради племянников...

— Будет так, как я сказал, — мягко и негромко ответил Павел. — И прошу вас, друг мой, больше этот вопрос не обсуждать ни со мной, ни с моей сестрой. Дело решенное.

Раевский и Гнедич провели приятный вечер за трубками, вишневой наливкой и спокойной беседой. Но сердце Павла ныло привычной болью, не отпускавшей его с того самого дня, когда он решительно объяснился со своей невестой.

* * *

...Это был один из многочисленных балов в последнюю Масленичную неделю перед Великим постом. Светские мероприятия, на которые званы были и Гнедичи, и Шуваловы, шли ежедневно одно за другим, а Павел, встречаясь на них с Лизой, все не мог набраться душевных сил, чтобы сказать ей то, что собирался. И вот в последний день Масленицы, накануне Поста, он осознал, что тянуть далее невозможно. После вальса он пригласил Лизу прогуляться в оранжерею. Девушка тревожно смотрела на жениха, усадившего ее на козетку и нервно прохаживавшегося взад-вперед.

— Что-то случилось, Поль? — наконец прервала она молчание. — Вы в последнее время грустны и будто чем-то озабочены. Я понимаю, вы в короткий срок потеряли сначала батюшку, затем брата, затем матушку, это тяжелые удары, и я не жду, что вы будете веселы, как прежде, но...

— Елизавета Васильевна, — решительно прервал ее Павел, — я должен сказать вам... Впрочем, нет, не с того я начал.

Он снова помолчал, мысли метались в голове, слова наталкивались друг на друга, не желая становиться в стройный четкий ряд.

— Я хочу просить вас о двух вещах, — наконец проговорил он.

Лиза Шувалова ободряюще улыбнулась ему.

— Какова же первая?

— Я прошу, чтобы вы верили мне. Я не люблю никого, кроме вас, и не полюблю уж никогда никого другого до самой могилы.

Напряженный и настороженный взгляд девушки смягчился.

— А вторая? — спросила она почти весело.

«Она не ждет от меня этого удара, — с отчаянием подумал Павел. — Какой же я подлец! Но выбора у меня нет».

— Я прошу вас расторгнуть нашу помолвку.

Лицо Лизы резко побледнело и даже посерело, в какое-то мгновение Павлу почудилось, что она сейчас лишится чувств, но юная графиня справилась с собой, лишь глубоко вздохнула, крепко стиснула обеими руками веер и сжала губы.

— Я видела, что вы переменились ко мне, — медленно и негромко проговорила она. — Я давно это видела. Что с вами, Поль? Вы любите другую?

— Да нет же! — горячо возразил Гнедич.

Он опустился на колени перед Лизой и накрыл ее руки своими.

— Я люблю вас и только вас! Прошу вас верить мне! Но есть обстоятельства, не позволяющие мне связать свою жизнь... Нет, снова не то, не так...

Он вскочил, сделал еще несколько нервных шагов, потом повернулся к Лизе.

— Вы, Лиза, именно вы не можете и не должны связывать свою жизнь с моей. Я конченый человек, я грешник, я поступил непозволительно, и Господь никогда не простит мне моей вины. Он обрушит наказание не только на меня, но и на вас, и на наших детей. Поверьте мне, грех мой велик и непростителен. Да, я раскаиваюсь, и раскаяние мое искренно и глубоко, но вреда, нанесенного моим проступком, оно никак не исправит. А это означает, что наказание неизбежно. И я просто не имею права подвергать этой опасности вас и наших будущих детей. Я не смогу с чистым сердцем стоять рука об руку с вами перед алтарем. Я не имею права становиться отцом и воспитывать потомство. Поэтому я прошу вас расторгнуть нашу помолвку. Откажите мне. Пусть все думают, что это именно ваше решение, а не мое. Тогда это не помешает вам стать невестой, а потом и женой человека более достойного, нежели я.

Девушка сидела, не поднимая глаз от расписанного незабудками веера, стиснутого в лежащих на коленях руках. Такие же незабудки, только матерчатые, сделанные искусными мастерицами-цветочницами, украшали прическу Лизы. Павел смотрел на свою невесту и ждал ответа. Все внутри его словно замерло в каком-то вязком отупении.

— Что ж, — наконец произнесла она, по-прежнему не поднимая глаз, — вам, Павел Николаевич, мои обстоятельства известны. Вы знаете, что ко мне сватался барон фон Гольбах, вдовец с двумя детьми, который казался и до сих пор кажется моим родителям партией весьма привлекательной. Его состояние велико настолько, что примиряет их с утратой мною права именоваться графиней. Мы оба с вами знаем, что чувства вступающих в брак никого в свете не интересуют. Мои родители согласились отдать вам мою руку, потому что вы — князь и ваш титул выше моего. Если я не выйду за вас, меня немедля отдадут за фон Гольбаха. Либо титул, либо деньги. Любовь никем в расчет не принимается. Я со смирением приму ваше решение, князь, и не стану ни в чем вас разубеждать. Но в ответ у меня тоже будут к вам две просьбы.

— Все, что захотите! — с готовностью откликнулся Гнедич, еще не понимая, радоваться ему или приходить в еще большее отчаяние.

— Первая просьба: назовите сами причину, по которой я должна буду официально расторгнуть нашу помолвку. Я не приучена ко лжи, и у меня плохо получится... придумывать ее.

К этому вопросу он был готов.

— Что ж, если вы не против, скажите, что мои средства расстроены. Это не столь уж далеко от истины, поскольку имение Вершинское я отдал сестре в приданое.

— Хорошо. — Лиза согласно кивнула и внезапно резко подняла голову и посмотрела Павлу прямо в глаза. — И вторая просьба. Нет, князь, это не просьба, это условие: вы немедля расскажете мне, в чем ваша вина и ваш грех, не дозволяющие вам вступить со мной в брак и иметь от этого брака детей. Обещаю вам, что сохраню вашу тайну, какой бы она ни была.

— Это невозможно!

— Тогда вам придется самому расторгнуть нашу помолвку, — твердо ответила Лиза Шувалова. — И испытать на себе все негодование светского общества.

— Но я не могу на это пойти, Елизавета Васильевна! Это же нанесет непоправимый урон вашей репутации! Какую причину я могу привести в оправдание отказа от женитьбы на вас, чтобы не повредить вам же самой? Моя репутация меня ни в малой степени не волнует, но ваша...

— Тогда, если вам столь дорога моя репутация и мое доброе имя, выполните мое условие. Я готова принести требуемую вами жертву, но я должна понимать, во имя чего я ее приношу.

Гнедич собрался было снова возразить, но от двери, соединяющей оранжерею с бальной залой, послышался голос графини Шуваловой:

— Лиза! Павел Николаевич! Вот вы где! Идите танцевать немедля, до полуночи осталось не больше двух танцев.

Ровно в полночь музыка затихала и бал прекращался, даже если очередной танец был в разгаре: наступало священное время Великого поста, в течение которого не допускались никакие развлечения и увеселения.

— Сейчас идем, маман! — громко отозвалась Лиза.

— Итак, Павел Николаевич, у нас совсем мало времени, — обратилась она к Гнедичу тихо, но решительно. — Или вы рассказываете мне всю правду, или урон моей репутации останется на вашей совести. Я еще раз подтверждаю свое обещание никому не передавать того, что услышу от вас.

«Она имеет право знать, — пронеслось в голове у Павла. — Я требую от нее невозможного: отказаться от брака со мной, расторгнуть помолвку, идя единственно на поводу у моей просьбы и не зная, что за этой просьбой таится. Мы не успели обвенчаться вскоре после помолвки, потому что в то время уже был назначен отъезд Лизы с матерью за границу для лечения графини. Но мы дали друг другу слово. И вот Лиза вернулась, она ждет, а все молчу... Теперь уж тянуть далее невозможно: видано ли дело, чтобы помолвка состоялась, а венчания все не назначают. Я поставил Лизаньку в унизительное положение. И теперь отказываюсь объяснять, чем вызвана такая моя просьба. Господи, какой же я подлец!»

Говорить было трудно, но он успел в самой сжатой форме поведать Лизе то, что тяжким гнетом лежало на его душе. Успел до того, как распорядитель объявил очередной танец, которому суждено было, по-видимому, оказаться последним на этом балу.

Услышав звуки вступления, Лиза поднялась и протянула Гнедичу пухлую ручку, затянутую в нежно-голубую, в цвет атласного бального платья, перчатку.

— Я буду молиться за вас, Павел Николаевич. Буду молиться каждый день Поста, до самой Пасхи. Я сделаю, как вы просите. А теперь пойдемте. У нас есть право на танец, пока я не объявила о расторжении помолвки.

В ее глазах заблестели слезы. Павел схватил ее руку, прижал к губам и прошептал:

— Простите меня. Простите, если можете. Я всегда буду любить вас.

Он до той поры и не подозревал, сколько силы и мужества в этой очаровательной и умной девушке, которую он так мечтал назвать своей женой...

Глава 2
1866 год, декабрь

Павел Николаевич Гнедич, профессор Московского университета, украдкой кинул взгляд на карточку обеда, где на лицевой стороне перечислены были подаваемые блюда, а на оборотной — порядок речей и тостов: осталась всего одна речь и после нее тост, нужно вытерпеть эту обязательную скуку в честь юбиляра, и можно будет свободно ходить меж гостями, подбирая себе наиболее приятных и знающих собеседников. Впрочем, ему грех жаловаться: устроители обеда, знающие о давнем знакомстве Гнедича с юбиляром, председателем Московского столичного мирового съезда, постарались усадить профессора так, чтобы он не скучал. Князь Гнедич — знатный холостяк, посему справа и слева от него были посажены супружеские пары, имевшие дочерей на выданье, — статские советники с женами. Увы, правила этикета требовали, чтобы рядом с кавалером сидели дамы, посему поддерживать беседу с мужчинами было не так легко, и Павел Николаевич, мило болтая с соседками по столу, с трудом сдерживал нетерпение, ожидая окончания речей и тостов. Утка под рыжиками, поданная в третьей перемене блюд, оказалась не вполне удачной, и Гнедич оставил свою порцию почти нетронутой, зато куропатки в четвертой перемене порадовали сочностью мяса и нежностью соуса.

— Не могу решить, у кого лучше шить обувь: у Пироне или у Цармана, — сетовала нарядно одетая супруга чиновника, сидевшая справа от Гнедича. — С одной стороны, у Пироне мастерская на Тверской, от нашего дома так близко, что можно и коляску не закладывать, а к Царману на Кузнецкий идти дальше. Но я, знаете, как-то больше доверяю семейному ремеслу, когда мастерство от отца к сыну передается и вся семья коммерцией занята, как у Царманов. С другой стороны, однако же, Пироне шьет быстрее, хотя и дороже. А вы, господин профессор, у кого обувь шьете?

— У Брюно, — ответил Гнедич. — На Кузнецком.

Дама отчего-то обрадовалась этим словам и оживленно подхватила:

— Я знала, знала, сердцем чувствовала, что надо все-таки обуваться на Кузнецком! И пусть, что медленнее шьют, зато носиться будет долго. Вы согласны, князь?

— Разумеется, согласен. — Павел Николаевич всем своим видом выражал одобрение и восхищение столь разумными рассуждениями. Хотя и не видел такой уж большой разницы между башмачниками наследственными и мастерами первого поколения, ибо в каждом случае бывали и безрукие уродцы, и великие самородки. А уж аргумент о расстоянии от Тверской улицы до Кузнецкого моста казался ему и вовсе смехотворным.

Соседка же слева, тощая дама с удивительно моложавым приятным лицом, следовала невесть откуда взявшемуся, однако укрепившемуся в умах убеждению, что в светской беседе следует непременно говорить с человеком о его профессии, словно никаких других интересов у него быть не может. Центром ее вопросов и замечаний стало громкое дело почетной гражданки Марии Мазуриной, разбиравшееся в мировом суде три месяца тому назад, в сентябре 1866 года. С юридической стороны дело, безусловно, было любопытным, и Павел Николаевич с огромным удовольствием подискутировал бы о правовых тонкостях со знающим человеком и порассуждал бы, в какой мере издаваемые на местах циркуляры могут расширять законные установления вышестоящих инстанций. Однако даму слева интересовала лишь фактическая сторона вопроса: как полиция посмела вламываться в частный дом и разбивать при этом окно и имела ли право хозяйка дома, госпожа Мазурина, спускать во дворе собак, дабы воспрепятствовать приходу полиции. Вести обсуждение на подобном уровне Гнедичу было откровенно скучно, но правила хорошего тона никто пока не отменял...

Он окинул глазами присутствующих в поисках тех, с кем непременно хотел бы пообщаться. Журналисты и литераторы, освещающие в прессе судебные вопросы, председатели съездов мировых судей, прокурорские... Взгляд его остановился на знакомом лице с резкими глубокими носогубными складками и аккуратной бородкой: Владимир Данилович Спасович, петербургский адвокат. Неужели приехал специально на торжество? Или оказался в Москве по случаю, выступая в судебном процессе? Спасович моложе Павла Николаевича лет на 8—10, а уже написал замечательный учебник по уголовному праву. Правда, говорят, и пострадал из-за него: император усмотрел в учебнике некое «противублагочиние» и запретил Спасовичу занимать кафедру в Казанском университете. Да, многим студентам и профессорам сломали карьеру студенческие волнения 1861 года, из-за которых позакрывали университеты. Спасович вынужден был перейти в Императорское училище правоведения, затем, после неудачи в Казанском университете, вступил в адвокатуру. Сам же Павел Гнедич, в связи с закрытием Московского университета, других должностей не искал, а занялся докторской диссертацией, которую как раз успел закончить к тому моменту, когда занятия возобновились, что и позволило ему после успешной защиты получить должность ординарного профессора. Однако, несмотря на собственное благополучие, Павел Николаевич порой с грустью вспоминал студентов, успешно сдавших вступительные экзамены в приснопамятном 1861 году и через несколько месяцев отчисленных. Лишь немногие из них повторили попытку через год, когда университет снова открылся. Как знать, сколько талантливых юристов потеряла Россия в тот год...

Ну, вот и конец, отзвучал последний тост, сверкнули в огоньках ламп наполненные бокалы. Едва начали подниматься из-за стола — и уж гости сгруппировались в многочисленные кружки. Гнедич неторопливо шел по зале, высматривая Спасовича, с которым хотел непременно обсудить ход слушания одного громкого дела, и одновременно примечая, где и с кем стоят те самые статские советники — отцы невест, чтобы, упаси Господь, не попасться в руки им или их милейшим супругам. Ведь как дело будет — уже сейчас известно: легкий приватный разговор даст повод нанести визит, а в ближайшее время — Рождество и Новый год, значит, поздравительные визиты неизбежны. Они нанесут визит князю Гнедичу, и не отдать визит станет неприличным, а там и дочь на выданье, девицу представят, придется быть вежливым и разговаривать с ней. Нет, князь, конечно, к светской жизни приучен сызмальства и беседу с любым человеком поддержит легко, но... Скучно ему это.

— Павел Николаевич! — окликнул его знакомый голос.

Гнедич остановился, обернулся: к нему спешил товарищ прокурора Московской судебной палаты Верстов, известный своими славянофильскими убеждениями.

— Князь, разрешите наш спор, — с улыбкой попросил Верстов, — а то как бы мы не передрались. Никак не можем прийти к единому мнению по вопросам подсудности незаконных действий полиции мировому суду. Не откажите в любезности высказать просвещенное мнение чистого теоретика уголовного права.

— С удовольствием! — с готовностью отозвался Гнедич.

Вопрос был действительно животрепещущим и требовавшим строгого юридического разрешения. В дореформенной России любые действия полиции априори считались обывателями правильными и законными, даже если таковыми и не всегда являлись. Теперь же, после реформы, граждане стали вдруг помнить о том, что полиция имеет право далеко не на любые действия, и подавать на городовых, квартальных надзирателей и частных приставов судебные иски превратилось даже не в моду, а просто-таки в поветрие. С точки зрения общечеловеческой, это было, разумеется, очень хорошо. Но за этим следовали бесконечные тяжбы и волокита, связанные с тем, что никак не могли твердо и четко разрешить вопросы о подсудности таких дел. На сей раз предметом самого живого обсуждения гостями стало рассмотренное месяц назад мировым судом дело по обвинению надзирателя 6-го квартала Хамовнической части Ильинского в оскорблении и причинении насилия мещанину Пастухову, корреспонденту «Русских ведомостей». Главным камнем «юридического» преткновения оказался вопрос о том, в качестве кого в момент конфликта выступал квартальный надзиратель:

в качестве полицейского или в качестве частного лица. В первом случае обвинение в его адрес должно рассматриваться окружным судом, во втором — мировым. Фактически же конфликт имел место через несколько минут после окончания служебного времени, когда надзиратель только-только вошел в свою квартиру, расположенную рядом с конторой участка, в этом же доме, но мундир снять еще не успел, хотя две-три пуговицы уже расстегнул. Само время и место конфликта, а также вполне «домашний» вид полицейского давали защитнику корреспондента основания полагать, что Ильинский в данный момент не находился на службе, товарищ же прокурора на суде утверждал, что сам повод для обращения Пастухова к квартальному надзирателю свидетельствует о том, что Ильинский в данной ситуации рассматривался именно как лицо, состоящее при должности, и, следовательно, мировому суду данное дело неподсудно, а уже вынесенное мировым судьей решение должно быть отменено.

— Этот Пастухов — та еще птица! — горячо говорил, размахивая руками, Верстов. — Знаю я эту породу правдоискателей! Это ведь не первое дело, которое он возбуждает. И будет таких дел еще немало, он ни один служебный промах полиции не упустит. Отвратительная личность! А как преступления открывать, ежели руки связаны? Как покой граждан оберегать, если уж совсем ничего нельзя?

— Согласен, Пастухов — человечишко препротивный, — отозвался другой участник беседы, о котором Гнедич понял только, что он из литераторов и фамилия его — Фукс. — Но и полиция у нас небезупречна. Неужто им все с рук спускать?

Спор так увлек Гнедича, что он на какое-то время даже забыл о своем намерении непременно побеседовать с Владимиром Даниловичем Спасовичем. И когда литератор внезапно сменил тему, Павел Николаевич с удовольствием погрузился в обсуждение нового вопроса.

— Господа, вы читали недавнюю статью господина Каткова? — спросил литератор, задорно сверкнув стеклами пенсне.

— О, — оживленно откликнулся князь, — господин Катков у нас известный защитник идеи суда присяжных! Какие аргументы он подобрал нынче? Что-то новенькое? Или все то же?

Литератор махнул рукой, выражая некое чувство между скукой и безнадежностью.

— Ах, все то же. Суд присяжных — лучшая гарантия личной свободы; суд, отправляемый публично и при участии присяжных, будет живой общественной силой, а идея законности и права станет могучим деятелем народной жизни. Ну и снова про положительное влияние, дескать, суд присяжных возвысит и облагородит общественную среду, и сей возвышенный и благородный характер мало-помалу сообщится всем проявлениям народной жизни. Одним словом, господин Катков считает введение суда присяжных великим преобразованием!

Тонкое подвижное лицо товарища прокурора выразило неподдельное возмущение.

— В ваших словах, господин Фукс, слышится, однако, скепсис. Высказывания господина Каткова вызывают у вас недоверие? Не изволите ли разъяснить, почему?

Фукс незамедлительно и с видимым удовольствием пустился в рассуждения, и Павел Николаевич понял, что литератор оседлал любимого конька.

— Я полагаю, что о живой общественной силе и влиянии на народную жизнь мы были бы вправе рассуждать, если б могли быть полностью уверены в справедливости вердиктов, выносимых присяжными.

— Как я понимаю, господин Катков в справедливости полностью уверен, — заметил Гнедич.

— А я полностью разделяю мнение «Московских ведомостей» и их главного редактора господина Каткова, — заявил Верстов. — Народная мудрость есть величайшая сила. Присяжные в своей совокупности и при честном обсуждении вопроса никогда не могут ошибиться.

Литератор Фукс при этих словах скроил весьма выразительную мину, словно хотел сказать: «Вы что, всерьез так думаете? Не могу поверить!»

— Да помилуйте! В списки присяжных попадают все подряд, без различия происхождения, чинов и образованности, единственные цензы — имущественный, возрастной и некоторые виды занятий. Но сословного ценза нет. А кто на самом деле приходит на заседания? Одни крестьяне и работники! Стоит попасть в список присяжных какому-нибудь мало-мальски образованному человеку, так он уж справочку от доктора несет, дескать, болеет тяжело и исполнять долг присяжного никак не может, а сам просиживает ночи в театрах или за картами в клубах. Ежели чиновник — может еще документ о командировке принести, чтобы штраф за неявку не платить. Недостающих назначают из запасных, и снова та же история: крестьяне и работники являются к заседанию, остальные манкируют. Вот и получается, что преступления, совершенные человеком образованным и живущим в городе, судят те, кто не имеет ни образования, ни опыта городской жизни, а стало быть, не может уразуметь ни чувствований подсудимого, ни хода его мысли, ни истинных причин, толкнувших его на преступление, ни городских нравов и обычаев. Я уже не говорю о той ненависти, которую испокон века испытывают крестьяне к представителям высших сословий. Пока существовало крепостное право, крестьяне вынуждены были любить своих хозяев — но только искренне ли? Вот в этом у меня большие сомнения, господа! Из-под кнута и палки они кого хочешь любить будут, а как крепостное право отменили и дали им свободу, вот тут их истинное отношение к высшему сословию и обнаружилось. Да они даже просто из мести могут вынести обвинительный вердикт, хотя, по справедливости, подсудимого следовало бы оправдать. Возьмите хоть дело Суворина! Мыслимо ли это: за книгу очерков, где выведен герой-нигилист, признать писателя виновным в пропаганде социалистических и материалистических теорий! А ведь признали, и три месяца тюрьмы присудили! Вот вам и справедливость. Нет, господа, как хотите, а до тех пор, пока не наступит нравственное обновление всего народа, о справедливости суда присяжных и мечтать нечего!

— Позволю себе добавить, — вмешался Гнедич, — Суворина осудили за книгу очерков, которая не была издана и которую никто не читал, кроме цензоров. Ну, тут уж господину Суворину просто не повезло, его рукопись попала в цензуру четвертого апреля, в тот самый день, когда Каракозов стрелял в Императора. Понятно, что умонастроения в те дни были совершенно определенными. И несправедливость сия была исправлена спустя некоторое время: судебная палата при повторном рассмотрении дела заменила три месяца тюрьмы тремя неделями.

— Вот видите! — обрадовался Верстов, усмотрев в словах Гнедича поддержку своей позиции. — Не зря я пригласил господина профессора присоединиться к нашему обсуждению, ведь всем известна его рассудительность и объективный взгляд на предмет. А я приведу вам другой пример, дело Пыпина и Жуковского. За статью «Вопрос молодого поколения», напечатанную в «Современнике», их предали суду по обвинению в оскорблении чести и достоинства всего дворянского сословия. И защитником у них, к слову, был все тот же господин Арсеньев, который и Суворина защищал на суде. Повод тот же, защитник тот же, обвинение схоже, а результат прямо противоположный — оправдательный вердикт! Так что народная мудрость все же торжествует! И позицию господина Каткова я поддерживаю полностью!

— Однако, господин Верстов, не видится ли вам в этом некая неразумность? — возразил Павел Николаевич. — Повод тот же, обвинение схоже, даже защитник тот же, а результат прямо противоположный. Не говорит ли это о случайности и необоснованности вердиктов? Не говорит ли это о том, что не существует строгого и понятного механизма, который с уверенностью приводил бы присяжных к истинно справедливому решению?

Верстов, кажется, растерялся, поняв, что напрасно рассчитывал на полную поддержку профессора, а литератор Фукс одарил присутствующих торжествующей улыбкой.

— С радостью поддержу вас, господин Гнедич, — сказал он, — суд присяжных не должен быть крестьянским или, как любят выражаться, народным. Суд должен быть представлен в равной мере всеми слоями общества, по преимуществу — людьми образованными, думающими. Нашим законодателям следует создать такой порядок отбора в присяжные, при котором в зале заседаний будут присутствовать и дворяне, и мещане, и купцы, и заводчики, и люди свободных профессий — художники, писатели, артисты. А уж то, что их невозможно заставить присутствовать на заседаниях и исполнять свой гражданский долг, — это и вовсе не аргумент. Этот вопрос должен быть решен на государственном уровне. До тех же пор, пока он не решен и пока общество наше не возродилось нравственно, я буду отдавать свой голос против суда присяжных.

— Увы, господин Фукс, — улыбнулся Гнедич, — мы не можем протестовать против уже принятого закона, ибо он принят и вступил в действие, и наша обязанность — считаться с этим, каким бы несовершенным данный закон нам ни казался. Я готов согласиться с тем, что оправдание Пыпина и Жуковского было более чем справедливым, но посмотрите, к какому результату это привело! Наш министр внутренних дел господин Валуев воспринял оправдательный вердикт крайне негативно и сделал в своем раздражении все возможное, чтобы провести некоторые законодательные новеллы.

Итог — теперь все дела о печати больше не будут рассматриваться судом присяжных. Отныне подобные дела будут рассматриваться сразу Судебной палатой как первой инстанцией. И вероятность справедливого приговора становится еще меньше, чем была доселе.

Фукс недовольно нахмурился.

— Так каково же ваше мнение, князь, в конечном итоге? Вы поддерживаете то меня, то господина товарища прокурора и возражаете по очереди каждому из нас, а ваша позиция нам так и осталась неизвестной. Соблаговолите прояснить ее, сделайте любезность.

— Моя позиция, — со вздохом ответил Гнедич, — состоит в том, что нет ничего однозначно дурного и однозначно положительного. Все, что нас окружает, многогранно и многообразно. Засим, господа, позволю себе вас покинуть.

«Я был трусом и остался трусом, — с внезапно накатившей тоской думал Павел Николаевич, пробираясь в противоположный конец залы, где увидел Спасовича. — Стоило мне заметить на обеде Владимира Даниловича, как меня одолели мысли о том, что единожды произнесенное неверное слово может стоить мне карьеры. Владимир Данилович не побоялся издать учебник, который Император впоследствии запретил, а я боюсь высказать свое мнение в разговоре с теми, кто не составляет мой близкий круг. Отчего я так слаб?»

Со Спасовичем, чье умело сшитое платье ловко скрывало тяжелое, рыхлое, нескладное тело с заметно выступающим вперед животом, они направились в курительную комнату в надежде побеседовать в тишине, однако у самого выхода из залы их перехватил все тот же вездесущий Верстов, рядом с которым Гнедич увидел молодого человека, показавшегося ему знакомым. Где же он встречал этого господина? Откуда знает?

— Господа, — обратился к ним товарищ прокурора, — господин профессор Спасович, господин профессор князь Гнедич, позвольте представить вам молодого сотрудника окружного суда князя Урусова. Александр Иванович этим годом успешно вышел из Московского университета и принят кандидатом на судебные должности, показал себя столь примерно, что ему, несмотря на кандидатство и малый опыт, доверено осуществлять защиту по весьма серьезному делу. От души рекомендую!

Князь Урусов! Ну конечно! Павел Николаевич вспомнил, откуда знает его. Молодой князь был как раз одним из тех немногих студентов, которые, поступив в Московский университет и будучи отчисленными в связи с закрытием из-за беспорядков, предприняли на следующий год новую попытку и вновь сдавали экзамены. Именно к этим студентам у профессора Гнедича всегда было особое внимание: он считал, что если молодой человек проявляет такое упорство в получении определенного образования, то из него непременно выйдет толк. Урусов блестяще учился и прекрасно выдержал выпускные экзамены.

— Рад, душевно рад! — Гнедич с чувством пожал руку молодого юриста. — Хорошо помню вас студентом и высоко ценю ваши успехи и прилежание в учебе.

Юноша весело улыбнулся, не скрывая удовольствия. Глядя на его лицо, Гнедич отчетливо вспомнил, как любовался на занятиях студентом Урусовым, который, казалось, получал наслаждение от каждой прожитой минуты, отвечал с неизменной улыбкой, и в голосе его всегда звучала какая-то непонятная, но явственная радость. Даже уголки губ его были постоянно изогнуты вверх, словно он улыбался своим мыслям.

— Благодарю вас, господин профессор! Позвольте и мне выразить свое восхищение тем, как вы читали нам курс уголовного права. Если мною в окружном суде довольны, то исключительно благодаря той науке, которую вы столь мастерски и терпеливо вкладывали в наши бестолковые головы.

Верстов меж тем ретировался, посчитав, вероятно, свою функцию выполненной, а Урусов вместе с профессорами вышел в бильярдную, которую во время приемов назначали в качестве «курительной».

— Так вам поручено серьезное дело? — вежливо осведомился Спасович, которого молодой юрист, судя по всему, нимало не занимал, однако просто прекратить разговор и перестать обращать внимание на собеседника было бы невежливым.

— Да, — кивнул Урусов, — по назначению, ведь мой кандидатский стаж еще совсем короток. Но так как подсудимая не имеет средств для приглашения защиты, то меня и назначили.

— Что же, подсудимая из неимущих? — поинтересовался Павел Николаевич.

— Крестьянка. Дело назначено к слушанию в феврале, времени впереди много, но у меня нет даже сколько-нибудь примерного представления о линии защиты, — признался Урусов. — Если позволите, я бы обрисовал вам факты...

«Так вот в чем дело, — мысленно усмехнулся Гнедич. — Ему нужен совет. Что ж, похвально. Надеюсь, Владимир Данилович не откажется проконсультировать молодого коллегу. Возможно, и я что-то подскажу».

Муж и жена Волоховы, Алексей и Мавра, жили тяжело, бедно. А муж еще и пил, постоянно и помногу. Мавра ругала его, называла каторжником и жуликом, но терпела. Соседи Мавру не любили, считали ее злой и даже жестокой и во время следствия показывали, что женщина только и ждала любой возможности, чтобы избавиться от мужа. Более того, она и верна ему не была, все время с кем-то изменяла, и пьющий нелюбимый муж являлся для Мавры только обузой, а никак не подспорьем в тяжелой крестьянской жизни.

Четыре месяца тому назад труп Алексея Волохова, разрубленный пополам, был найден в погребе их дома. На теле обнаружено множество ран, нанесенных разными орудиями. Подозрение сразу пало на жену, и во всем протяжении следствия никаких других подозреваемых не появилось. Мавра, однако, все отрицала и в совершении убийства мужа не сознавалась.

— Если вы уверены в невиновности подзащитной, то я бы посоветовал вам глубоко вникнуть в ее мысли, в ее характер, чувства и доказать присяжным, что Мавра Волохова не только не хотела убивать мужа, но и вообще не способна на тяжкое насилие, — произнес Спасович, выслушав изложенные Урусовым обстоятельства дела.

— А если не уверен? — спросил Александр Иванович. — Может ли случиться так, что я влезу в глубины ее души, а там одна дьявольская чернота? Что мне с этим делать? Лгать перед присяжными? Ведь может же случиться, что я обнаружу и способность к насилию вообще, и страстное стремление избавиться от пьяницы-мужа в частности?

— Может, — с улыбкой согласился Павел Николаевич. — Тогда ваш путь — опровергать доказательства, представленные стороной обвинения. У вас как у защитника только два пути: или доказывать, что подзащитный не причастен к преступлению, или ставить под сомнение доказательства виновности. Или «не совершал», или «не доказано», других путей не существует, если подсудимый не сознался.

Урусов лукаво улыбнулся, излучая всем своим видом задор и кураж.

— Что ж, — ответил он, — тогда придется идти вслед за обвинителем и искать аргументы против каждого его слова. Не можешь выстроить защиту — разбивай обвинение, ведь так?

Гнедич искренне симпатизировал молодому князю и желал ему удачи в судебной карьере, а вот глаза Владимира Даниловича Спасовича сделались вдруг холодными и злыми. «Сейчас последует строгая отповедь, — подумал Павел Николаевич. — Со Спасовичем так нельзя, он в деле защиты подсудимого шуток не приемлет».

— Уважаемый коллега, — начал Спасович, слегка запинаясь, как бывало всегда, когда он начинал судебную или любую другую длинную речь, — не рекомендую вам проявлять столь прискорбное легкомыслие в осуществлении защиты. Дар свободного слова предоставлен адвокату для облегчения участи подсудимого, а не для глумления над процессуальным противником. Вы так надеетесь на то, что представитель прокуратуры непременно допустит ряд логических и фактических ошибок, — а что, ежели он их не допустит? Что, ежели подготовка к процессу окажется тщательной, а доводы обвинения — безупречными? На чем тогда вы станете строить свою защиту? А ведь может статься и так, что ошибки у обвинения будут, да вы по невнимательности их пропустите, не заметите. К примеру, голова у вас разболится или живот, начнете отвлекаться, внимание ослабеет. И вы готовы поставить дело защиты подсудимого и дальнейшую судьбу того, кто вам доверился, в зависимость от таких случайностей? Я бы взял на себя смелость предостеречь вас от этого. Вам следует помочь суду заглянуть в тайны души подсудимого, исследовать ее изгибы и самые сокрытые от внешнего взора уголки, вам следует произнести вслух в оправдание своего, пусть даже виновного, подзащитного все то, что он сам, по недостатку ли ума или по застенчивости натуры, произнести не сможет. Вам следует сделать глубокий анализ не только души и мышления подсудимого, но и среды, в которой он рос, воспитывался и жил, всех личностей, которые его окружали, и всех обстоятельств его жизни. Среда, окружение и обстоятельства суть источники искушения для любой души, и ваша задача на суде — показать механику того, как данные источники взаимодействовали с данной душой и данным умом, как искушали их и что из этого вышло. Вот так и только так вижу я одну из главных задач защиты.

По тому, как дрогнули губы Урусова, сложившись в упрямую складку, Гнедич ясно понял, что молодой юрист от своей линии не отойдет и будет действовать так, как и собирался: ловить каждое ошибочное слово прокурора, каждую неуверенность, каждое сомнение, чтобы немедля обратить в свою пользу. Точно так же студент Урусов действовал и на университетских занятиях, внимательно слушая доклады и выступления своих товарищей и, когда ему предоставляли слово, блестяще и остроумно критикуя их. Профессора любили Александра Урусова именно за то, что своей манерой, своей яркой полемичностью он заметно оживлял скучную академическую аудиторию, придавая занятиям остроту и занимательность, а потому на экзаменах не придирались к нему слишком заметно и ставили высший балл, едва только их любимец открывал рот и произносил две-три первые фразы. Это отнюдь не означало, что князь Урусов манкировал глубокой подготовкой по предметам, нет, это означало лишь то, что Александр Иванович крепко уверился в действенности избранного метода и к другим методам прибегать не намерен.

Гнедич захотел сгладить ситуацию, а заодно и прекратить разговор втроем: скоро придет пора гостям разъезжаться, а он так и не обсудил со Спасовичем то дело, которое занимало его ум.

— Я бы полагал, — миролюбиво начал он, — что вы, уважаемый Владимир Данилович, безусловно, правы, но невозможно ждать от молодого человека полного понимания всего того, что вы описали.

Для этого, согласитесь, требуются и жизненный опыт, и мудрость, которые приходят лишь с годами. Подобное ведение защиты под силу вам — профессору, автору учебника, человеку, хорошо знающему жизнь и людей, но никак не юному кандидату на судебную должность. А ведь кто-то же должен защищать на суде несчастную женщину, у которой нет средств, чтобы нанять себе такого адвоката, как вы. Адвокаты по назначению всегда молоды и малоопытны, маститых юристов на такие дела не ставят. Посему, я полагаю, было бы вполне дозволительно господину Урусову осуществлять защиту теми средствами, какие ему под силу. А уж то, что именно эти средства для него привычны и любимы, я вам достоверно подтверждаю как его бывший преподаватель. Александр Иванович еще в бытность студентом демонстрировал задатки блестящего полемиста.

Гул голосов в курительной становился все сильнее, ароматный дым от трубок и сигар — все гуще, и Павел Николаевич с досадой чувствовал нарастающую головную боль. Князь Урусов откланялся, горячо поблагодарив профессоров законоведения за полезные советы, и Гнедичу наконец удалось поговорить со Спасовичем и прояснить все беспокоившие его вопросы.

При разъезде князь предложил Владимиру Даниловичу место в своем экипаже. Тот с благодарностью согласился, взгромоздил неловкое тело на сиденье и накрылся меховой полой.

— Славный молодой человек этот князь Урусов, — сказал он неожиданно, — в нем видны богатые задатки, но, боюсь, не удержится он. Сорвется.

Кем бы он ни сделался, присяжным поверенным или частным, ему придется выступать на публике. От присутствия же публики успех делается многократно сильнее. Но и каждый промах по этой же причине может обернуться катастрофой. Подготовка адвоката к процессу — дело тайное, сокрытое, а вот результат этой подготовки — дело всегда публичное, и тут уж ничего не скроешь. Если в человеке нет тщательности и предусмотрительности, ему крайне трудно будет жить в нашей профессии. А в молодом князе я этих качеств не увидал. Увы. К слову, как поживает ваш племянник, Павел Николаевич? В Училище правоведения он был хорошим студентом, как мне помнится. По крайности, по моему предмету у графа Раевского нареканий не было. Он был мне весьма симпатичен, хотя...

— Прошу вас, продолжайте, — с тревогой в голосе попросил Гнедич.

Сейчас он услышит что-то нелицеприятное о своем племяннике Николае, старшем сыне сестры Вареньки. Николенька всегда был веселым, открытым, добрым мальчиком, импульсивным и живым, но как знать, какие еще черты характера, не замеченные пока близкими, сформировались в строгих условиях пансиона за долгие годы обучения в Училище.

— Я отметил у Николая, как бы это выразиться... — Спасович пожевал губами, будто подыскивая наиболее верные слова, — быструю утомляемость интересов, если вы понимаете, что я хочу сказать. Он легко вспыхивает, загорается, когда что-то кажется ему интересным, увлекательным, но так же скоро остывает. Вы наблюдали подобное?

— Да, — признался Гнедич, — мой племянник, к сожалению, именно таков с детства. Но я всегда льстил себя надеждой, что это не скажется на его усердии и прилежании как в учебе, так и в службе. У него развито чувство ответственности.

— Могу согласиться с этим, — кивнул Владимир Данилович. — Где он сейчас? Какое назначение получил?

— Он теперь товарищ прокурора в Калужской губернии, там же, где имение Раевских.

— Намерены хлопотать о переводе его в Москву?

— Что вы, Владимир Данилович! — от души рассмеялся Гнедич. — Если уж хлопотать, то только ради перевода в Петербург, в столицу. Нет-нет, я способствовать карьере племянника не собираюсь, пусть набирается опыта, взрослеет, пусть сам пробивается, чтобы никто не мог попрекнуть его тем, что его успех не заслужен в полной мере. Разумеется, я глубоко привязан к Николаю, он мне как сын, ведь у меня нет своих детей, я скучаю по нему и, конечно, желал бы, чтобы он жил со мною и теперь в нашем московском доме, женился, обзавелся детьми, которые росли бы рядом со мной... Но это все мечты. Сбудутся ли они — неизвестно, это уж как Господь управит.

Экипаж подъехал к дому Федотова на Никольской, где профессору Спасовичу, на время пребывания в Москве, была нанята квартира в бельэтаже. Однако Владимир Данилович не спешил выходить из экипажа, все лицо его выражало задумчивость и будто бы желание о чем-то сказать. Гнедич видел это и не торопил его, сидел молча.

— Павел Николаевич, я вот о чем подумал... — начал наконец Спасович. — Этот юноша, князь Урусов, покоя мне не дает, из головы не идет. Ведь умный молодой человек, образованный, держится прекрасно, речь искренняя и живая, он мог бы стать блестящим адвокатом. И будет жаль, если не состоится. А ведь вы могли бы помочь таким, как он, молодым юристам, выпускающимся из университета кандидатами, да даже и студентам, пока они еще учатся.

Гнедич ушам своим не поверил.

— Вы предлагаете мне организовать научное общество? — изумленно переспросил он. — Или я неверно вас понял, Владимир Данилович?

— Да, нечто вроде кружка, — кивнул Спасович. — Или курс экстраординарно читать. Не знаю, я никудышный администратор, формы организации предлагать не могу, но суть... Вы не можете отрицать, что люди вроде вас, широко образованные и опытные, могли бы принести огромную пользу в подготовке юристов для работы в адвокатуре. Суд присяжных еще молод, ему всего два года, выступление перед присяжными — дело особенное, мало изученное. Адвокатура для России явление новое, никто защитников толком не обучает. Мне кажется, вы могли бы... а впрочем, что это я... Не мое дело советы вам давать. — Спасович как будто даже рассердился внезапно.

Он начал неуклюже вылезать из кареты, Гнедич вышел следом, чтобы проводить его до ворот дома. «Сколько времени еще у меня достанет средств, чтобы содержать экипаж, лошадей, конюха и кучера? — в который раз уже задал себе вопрос Павел

Николаевич. — Дорого это стало, ох, дорого, а я ведь обещал Владимиру лишнего не тратить, когда соглашался принять его помощь. Надобно, наверное, отказаться от привычки ездить в собственной карете, все-таки экономия выйдет. Извозчики ничем не хуже».

Распрощавшись с профессором из Петербурга, Павел Николаевич сперва велел кучеру ехать домой, потом передумал и, несмотря на поздний час, отправился к молодой вдове, которую навещал обыкновенно два-три раза в месяц. Сегодня от нее принесли записку, в которой очаровательная Ирина Антоновна справлялась о его здоровье, беспокоилась, все ли у него в порядке, и писала, что скучает. Ну, коль скучает, так отчего ж не навестить? Из сообщения в записке следовало, что Ирина нынче вечером собиралась в театр, стало быть, должна уже вернуться, но еще не спит.

После расторжения помолвки с Елизаветой Шуваловой других невест у князя Гнедича не было, но женщины, разумеется, были. Связь с почетной гражданкой (что приравнивалось к личному дворянству), вдовой чиновника канцелярии обер-полицеймейстера была необременительной, приятной и уже давней. Ирина обладала легким характером, дети ее учились в хороших пансионах, выходить второй раз замуж вдова не стремилась, ибо ее покойный супруг, обладая нравом ревнивым и зловредным, составил духовную таким образом, что новое замужество весьма заметно ограничит ее в средствах, полученных в наследство. Разумеется, сватовство человека чрезвычайно состоятельного свело бы эти резоны «на нет», но Павел Гнедич в качестве подобного жениха рассматриваться никак не мог.

Ирину он нашел в будуаре, уже переодетую в домашнее платье из белого льна с лиловыми лентами. Она писала письмо. Услышав шаги, обернулась и, не вставая, подставила губы для поцелуя.

— Как хорошо, что вы зашли, мой друг! — радостно улыбнулась она. — Я уж было стала подумывать, не забыли ли вы свою несчастную Ирину. Вы подождете несколько минут? Я закончу письмо, чтобы завтра же утром отослать, обещала Мэри поделиться впечатлениями о спектакле, чтобы она смогла решить, принимать ли ей приглашение на завтрашний вечер к Ставским в музыкальный салон или лучше в театр поехать.

— Пишите-пишите, милая, — устало отозвался Гнедич, — я посижу тихонько, вечер был утомительным. Велите только чаю мне принести.

До замужества Ирина Антоновна была гувернанткой в семье графа Беллинга, воспитывала Марию, их младшую девочку, на долгие годы сохранившую к своей учительнице уважение и глубокую привязанность. Дружба Ирины с Марией Беллинг продолжалась и по сей день, и бывшая воспитанница то и дело заезжала в гости, а также постоянно, по детской еще привычке, спрашивала у Ирины советов о том, какую книгу прочесть, какой спектакль посмотреть или как повести себя в сложной ситуации.

Горничная принесла чай, а заодно и забрала уже дописанное и запечатанное письмо вместе со строгим наказом «послать Макара к Беллингам сразу же с утра, как рассветет». Гнедич снял фрак, расстегнул жилет, ослабил узел белого шелкового галстука и прилег на кушетку, положив голову на колени Ирины.

— Вы чем-то расстроены, — негромко проговорила она. — Хотите поделиться со мной? Или хотите, чтобы я вас развлекла рассказами о театре?

Павел Николаевич поймал ее руку, поцеловал пальцы.

— Нет уж, душа моя, я провинился, заставил вас скучать непозволительно долго, так что сегодня вы приказывайте. Чем я могу исправить свою вину?

— Вы знаете! — обрадованно воскликнула Ирина. — Больше всего на свете я люблю слушать ваши рассказы о судебных делах.

Интерес Ирины Антоновны к преступлениям и преступникам был неискореним. Павел Николаевич достоверно знал, что интерес этот проявлялся и тогда, когда жив еще был ее супруг, регулярно баловавший жену повествованиями из полицейской практики. Гнедичу нравилось такое внимание Ирины к предметам, занимавшим его более всего в жизни, и положа руку на сердце он мог бы сознаться самому себе, что именно этот интерес и удерживает его возле очаровательной молодой женщины. С ней можно говорить о том, что ему важно, и знать при этом, что она не скучает и не терпит его рассказы из обыкновенной вежливости. Да, многих юридических тонкостей она не знает и уразуметь, вероятно, не в силах, но для подобных вопросов у Гнедича есть другие собеседники. А вот личность преступника, характер, поступки и все те обстоятельства, о которых говорил Спасович, — как раз тот предмет, о котором он с удовольствием порассуждал бы именно с Ириной.

— Ну что ж, милая моя Ирина Антоновна... — Гнедич призадумался на мгновение: что бы такое рассказать, чем развлечь даму. — Поведаю я вам о частном приставе Реброве. Хотите послушать?

— О Реброве? — встрепенулась Ирина Антоновна. — О том самом Реброве, из нашей Арбатской части? О нем такие слухи ходят... право, даже и не знаю, можно ли им верить.

— В этом и дело, — со вздохом подтвердил Павел Николаевич. — Темная он личность. Ну, я вам факты приведу, они точные, судом установлены, а уж вы сами судите по ним о характере вашего частного пристава. Начать с того, что господин Ребров, заняв должность пристава Арбатской части и обосновавшись в частном доме, тут же принял на должность письмоводителя своего племянника.

— Зачем? — не поняла Ирина. — Разве письмоводитель — такая уж высокая должность? И жалованье мизерное, должно быть...

— Должность-то незнатная, — согласился князь, — да Реброву весьма необходимая. Ведь судят-то не по сказанному слову, а по записанному. Итак, частный пристав Ребров приступил к исправлению должности, и в обязанности его входит, помимо прочего, вскрытие преступлений, совершенных в Арбатской части, и розыск преступников. Для этого ему нужны свои люди повсюду, главным же образом — в той среде, где сомнительного поведения личности больше всего времени проводят. И вот на недавних судебных процессах открылось, каким именно способом частный пристав предпочитал исправлять свою должность.

Рассказывал Гнедич обстоятельно, не в том хаотичном порядке, в каком истина проявлялась постепенно во время судебного слушания, а последовательно, как это происходило в действительности.

...Полковник Ребров быстро сообразил, что собирать информацию удобнее всего «изнутри», и начал вербовать себе «сыщиков на общественных началах». Делалось это чрезвычайно просто: высматривался человек, ранее бывший под судом, желательно — неоднократно, и выпущенный на свободу либо по отбытии наказания, либо с оставлением под подозрением. Человека арестовывали, за что — не говорили, но держали несколько дней в секретной части. Потом давали ему возможность случайно в коридоре или через окошко поговорить с другим человеком, ранее знакомым, который сообщал арестованному: «Если сидишь ни за что и хочешь на волю — покажи по такому-то делу, как тебя Ребров научит, и я все устрою». Второй вариацией такого подхода было: «Тебя выпустят на волю, если пообещаешь отыскать преступника». Под словом «отыскать», конечно же, ни в коем случае не имелось в виду найти истинного виновного, нет. Подразумевалось, что отпущенный «сыщик» найдет подходящую кандидатуру, на которую можно будет списать преступление, и потом даст показания о том, что этот несчастный якобы рассказывал «сыщику» о своем деянии. Как правило, полковник использовал оба метода в комбинации: сперва налаживал «правильно арестованного» на розыски «преступника», а после ареста последнего подсылал к нему того, кто обещал дать нужные показания, сославшись на разговор с тем, кого назначили «в жертвы». Были у Реброва и постоянные «сыщики», и «разовые», используемые только для одного дела. Самым тонким моментом в этой деятельности были нужные слова, произнесенные в нужном месте и в нужное время, а уж письмоводитель запишет все в лучшем виде.

— Вот только один пример, — рассказывал Павел Николаевич. — Нужно раскрыть убийство двух человек, их зарубили топором и ограбили в собственном доме. Следствие тянется долго и ни к какому результату не приходит. Полковник Ребров вызывает к себе одного из постоянных «сыщиков», некоего Михайлова, спрашивает, не знает ли он чего об этом случае, и тот отвечает, что не знает. Проходит еще некоторое время, и снова Ребров спрашивает у Михайлова про то убийство, но при этом добавляет: «Это дело нам нужно как-нибудь вскрыть». Михайлов до этого уже судился за кражу, так что намек понимает вполне определенно, а тут, как нарочно, привозят пьяных, учинивших какое-то буйство в кабаке, и среди них он видит своего знакомого Вавилова, имеющего куда более богатый криминальный опыт и гораздо более обширные знакомства в интересующей Реброва среде. И говорит наш дружок Михайлов Вавилову: «Я могу попросить Реброва отпустить тебя, если ты поможешь вскрыть убийство». Вот оно и сладилось. Вавилова выпустили из частного дома, и отправились они с Михайловым на Хитровку. По дороге Вавилов объяснил, что есть у него на примете пара человек из крестьян, которых вполне можно под это дело подставить, если хорошо напоить и уболтать, главное — найти их на Хитровке, потому как где их искать, если не в кабаке, он не знает. Приехав на Хитровку, вольнонаемные «сыщики» долго разгуливали между рядами, спрашивая, не видел ли кто тех, кто был им нужен. И, наконец, обнаружили одного из них в трактире в обществе еще каких-то людей. Техника была давно отработана, совместное угощение повлекло за собой разговор об убийстве с точным обозначением адреса, орудия убийства и размера похищенного, причем все эти детали обсуждались достаточно громко и именно в тот момент, когда рядом со столом оказывался половой. А потом в трактир вошла полиция и арестовала всех участников застолья. Надо ли пояснять, что половые были призваны в свидетели, доставлены в частный дом и их показания были нужным образом записаны тем самым письмоводителем. Половой говорит: «Да, я слыхал, что называли такой-то адрес и говорили про топор, но больше ничего не знаю», а в протоколе пишется: «Арестованный рассказывал собутыльникам о том, что совершил убийство по такому-то адресу при помощи топора».

— Боже мой! — Ирина Антоновна в ужасе прижала ладони к щекам. — Неужели такой вот фальшивки достаточно, чтобы осудить человека за убийство? Это же пожизненная каторга!

Слова давались Гнедичу все с большим и большим трудом. Он специально выбрал рассказать Ирине именно о Реброве, хотя среди дел, стенограммы которых ему удавалось прочесть, можно было найти истории куда более занимательные и по интриге, и по яркости персонажей. Он говорил о Реброве, а перед глазами стоял пристав Лефортовской части Сунцов, его острые глазки под кустистыми бровями и ехидная улыбочка, словно говорящая: «Ну что, господа титулованные дворяне, не можете обойтись без Сунцова? Не можете выстроить свою благородную жизнь чистенько и нравственно?» Это его, Павла Гнедича, наказание, это его личная пожизненная каторга. Сегодня на обеде он уличил себя в трусости, а теперь, рядом с милой и уютной Ириной, Павел Николаевич подсознательно, а возможно, и вполне осознанно пытался довести эту боль до предела, до того невыносимого края, за которым либо настанет прощение и облегчение, либо не будет больше ничего.

— Да нет, — слабо усмехнулся он, — полковник Ребров не так прост, он старается по возможности обставиться со всех сторон. Знаете, что он дальше делает?

— Ну конечно, не знаю. — В голосе Ирины зазвучало нетерпение. — Рассказывайте же, не мучьте меня!

Она шутливо дернула его за ухо, и Гнедич, несмотря на душевную боль, не смог не улыбнуться. Ах, Ирина, Ирина! Истории из чужих жизней она всегда воспринимает как интереснейшую книгу, которую непременно нужно дочитать и уж во всяком случае нельзя останавливаться в самой середине интриги.

— Наш бравый полковник арестовывает человека. Но не абы какого, не первого попавшегося, а совершенно определенного, который должен отвечать двум условиям. Первое: этот человек должен был ранее привлекаться к суду, то есть иметь заведомо преступное прошлое. И второе: он должен быть знаком, хотя бы шапочно, с кем-нибудь из тех двоих, с Михайловым или с Вавиловым.

— Зачем? — озадаченно спросила Ирина.

— А вот сейчас и узнаете. Такой человек нашелся, фамилия его Батурин, и полковник Ребров отдает приказ арестовать его и поместить в «секретную», так называются в частных домах камеры для подследственных. За что арестовали — не объясняют. Держат день, держат два, неделя проходит, бедный Батурин уже извелся весь. Наконец приводят его к Реброву. «За что меня арестовали?» — спрашивает Батурин. И полковник ему отвечает: «А это уж мое дело, тебе знать не положено». Возвращается Батурин в свою «секретную», весь в недоумении, смотрит с тоской в окошко. А мимо окошка как раз проходят Михайлов и Вавилов. Увидели Батурина, руками замахали, спрашивают, за что сидит. Услышав, что он и сам не знает, говорят ему: «Мы можем устроить так, что Ребров тебя выпустит, да еще и водкой угостит, и денег даст. Ты только покажи следователю, как он тебя научит. Хочешь на волю?» Ну а кто ж не хочет? Разумеется, Батурин согласился. Через короткое время Ребров его вызвал, подробно рассказал, какие показания от него требуются, и отвел в комнату, куда предварительно привели того крестьянина, арестованного на Хитровке. Батурин, как его научили, завел разговор об убийстве, крестьянин только плечами пожимал и отвечал, что ничего не знает, а Батурин знай свое гнет: «А я слыхал, что это твоих рук дело». Тут же следователя пригласили, Батурина вывели и допросили под протокол, письмоводитель, само собой, все записал как нужно, даже если Батурин где-то сбивался и говорил не так. Следователь своими глазами видел, как Батурина выводили из комнаты, где он разговаривал с арестованным крестьянином, поэтому все словесные пассажи вроде «он мне сам сказал» принимал за чистую монету. Нет, о полковнике Реброве можно много дурного сказать, но то, что психолог он отменный, сомнений нет.

— А дальше, дальше-то что?

— Дело пошло в суд, а на суде все и открылось, как только начали допрашивать Вавилова и Батурина. Они все рассказали, как было. Лгать-то перед судом не осмелились, ведь присягу давали. Подсудимого оправдали. Но знаете, милая моя Ирина Антоновна, что в этой истории самое забавное?

— Что же?

— Полная уверенность частного пристава в том, что ему все дозволено и никто никогда не посмеет усомниться в исправности его службы. Он — человек дореформенный, служить в полиции начал давно, вот и привык за много лет, что ни контроля, ни управы на полицейского нет, кроме его собственного начальства, и потому можно творить все, что угодно, никто и не проверит. И не накажет. В обвинительном акте Михайлов и Вавилов названы «служащими у пристава Арбатской части полковника Реброва». Служащими! А на деле что? Председатель суда спрашивает Вавилова в заседании: «На какой службе вы находились у частного пристава?» И Вавилов, не поморщившись, отвечает: «Ходил только к нему... Что он спросит в случае... Каких делов не знаешь ли...» То есть Ребров даже не побоялся такого поворота событий, хотя, если в обвинительном акте указано имя свидетеля, то почти наверняка он будет вызван в суд для дачи показаний. Новая судебная процедура существует не так давно, только-

только два года как введена, и многие полицейские чины, служащие много лет и привыкшие к старым порядкам, никак не освоятся и не научатся принимать во внимание, что теперь все иначе.

— Боже мой, боже мой, — качала головой Ирина. — А второй что же? Тоже так говорил?

— Михайлов? Нет, с Михайловым все еще занимательнее. Он на суд вообще не явился, хотя заседание переносилось из-за неявки свидетелей, в том числе и Михайлова. Было дано указание на розыск, но и ко второму заседанию его не нашли, и к третьему, поэтому дело слушали без него. Вот и спросить бы теперь у полковника Реброва: как это так, что он полгода не знает, где находится человек, который в официальном документе назван «служащим у пристава Арбатской части». Но, однако ж, никто у Реброва этого не спросил. И его, по видимости, сей факт нимало не смущал, ибо он преспокойно явился в судебное заседание, так как был вызван стороной обвинения в качестве свидетеля.

— Ну же! — Голос Ирины Антоновны дрожал от возбуждения. — Продолжайте, друг мой, сейчас должно быть самое интересное: как нашего частного пристава разоблачали в суде и как ему было осрамительно отвечать на вопросы.

— Увы, — с улыбкой вздохнул Гнедич. — Вынужден вас разочаровать, моя любезная Ирина Антоновна.

— Как?! — ахнула она. — Что вы хотите сказать?

— Только то, что сторона защиты допустила ошибку, и благодаря этой ошибке полковник Ребров допрошен не был. Его отпустили домой.

— Но как же это может быть? — недоумевала Ирина.

— Здесь есть процедурные тонкости, которые защитник, молодой присяжный поверенный, по неопытности не учел. Не стану докучать вам изгибами нашей юридической науки, просто знайте, что есть правило, согласно которому каждая сторона может отказаться от допроса в заседании свидетеля, которого сама же вызвала, и при этом противная сторона ничего не может с этим поделать, даже если очень хотела бы его допросить. Настаивать на допросе свидетеля можно только в том случае, если ты сам его вызвал, а полковника Реброва вызвал прокурор, а не адвокат. Обвинитель отказался допрашивать частного пристава, и защитник ничего не мог этому противопоставить.

— Но почему же защитник сам его не вызвал?

— Вот в этом и состояла ошибка поверенного, совершенная им по неопытности. Он увидел фамилию Реброва в списке вызываемых прокуратурой свидетелей и решил, что этого достаточно, Ребров явится в заседание, и можно будет задать ему все необходимые вопросы. Защитнику и в голову не приходило, что возможен такой оборот и что товарищ прокурора заявит отказ от допроса. Чтобы это предусмотреть, надобно либо знать законы наизусть, либо иметь большой опыт судебных тяжб. Достаточного же опыта сегодня ни у кого нет, ведь гласное судопроизводство, как я уже упоминал, существует в России только два года.

— Подождите, Павел, подождите, я не понимаю... А если бы несчастного крестьянина того признали виновным? — с тревогой спросила Ирина. — Если бы так сложилось, что без допроса Реброва присяжные не поверили бы в невиновность подсудимого?

— Да, такое могло случиться, — согласился Гнедич.

— Тогда выходит, что ошибка защитника обернулась бы каторгой для безвинного?

— Именно так.

Затылок сдавило раскаленным обручем, в глазах начало темнеть, душевная боль стала в этот момент невыносимой, и Павел Николаевич с неожиданным облегчением подумал, что сейчас умрет. Он умрет, и все закончится. Прекратятся эти постоянные муки, эта внутренняя гулкая чернота, в которую, как в космическую бездну, улетает без следа все то хорошее и доброе, что могло бы быть в его жизни.

— И как тот присяжный поверенный смог бы дальше жить с такой тяжестью на совести? — Голос Ирины проникал в сознание князя будто сквозь плотный туман.

Нет, он не умер. Он все еще жив и может слышать доносящийся откуда-то издалека голос женщины, с которой его связывают некие отношения, вряд ли имеющие право называться истинно любовными. Он приходит к этой женщине каждые две недели, иногда чуть чаще, иногда чуть реже, он радуется ее милому личику, ее пухленькому упругому телу, ее неподдельному вкусу к жизни, ее живому интересу ко всему, что происходит, ее нежному теплу. Он бывает с ней в театрах, в ресторанах, проводит долгие часы в душевных уютных беседах. Но... он ее не любит. Нет в нем того всепоглощающего глубокого чувства, какое было к Лизаньке Шуваловой. Было и осталось. Зачем он здесь? Для чего? Зачем он живет? Зачем не умер? Господи...

— Вы меня слышите, князь? — Голос Ирины Антоновны настойчиво прорывался к нему через кокон привычной боли.

— Да-да... Простите. Тот поверенный... Не знаю. Вероятно, страдал бы, чувствуя свою вину. Подавал бы апелляцию, потом кассацию. Боролся бы за своего подзащитного всеми доступными способами. До Сената дошел бы. Всегда есть возможность исправить ошибку, допущенную в суде первой инстанции. А возможно, махнул бы рукой, сказав: «Что ж, всего не предусмотришь, да и не жаль его: обычный крестьянин, приехал на заработки в город, спит в ночлежке, вечерами сидит в кабаке, пьет водку — что с него толку? Их миллионы по всей России, одним больше на воле, одним меньше — какая разница? Пусть идет на каторгу».

— Но если вдруг так случилось бы, что даже в Сенате ошибку не исправили бы? Как этому человеку потом жить?

— Не знаю, — ответил Павел Николаевич.

А про себя подумал: «Снова я лгу. Я знаю, как бы жил потом этот человек. И знаю, что жизнью это вряд ли можно было бы назвать. Это ежедневное и ежечасное пребывание в аду, только не в том, где жаркий пламень мгновенно выжигает все, а в сыром и смрадном аду, где только гниль и медленное многолетнее разложение».

Он взял руку Ирины, такую мягкую и приятно прохладную, поцеловал ладонь и положил себе на лоб. Нигде нет для него полного покоя, нигде, даже здесь...

1870 год, февраль

В остывшем за ночь кабинете было сыро и холодно, камин только недавно разожгли, пальцы, сжимавшие перо, отчаянно мерзли, но Павел Николаевич продолжал записывать пришедшие ему накануне вечером соображения к лекции для студентов четвертого курса. Он любил работать по утрам, когда мысли текли в голове неспешным, но очень ясным, прозрачным потоком. Ведь велел же Афанасию начинать топить в кабинете часов в шесть утра, чтобы к девяти становилось тепло! Опять проспал, мерзавец...

Дверь открылась, вошла горничная с серебряным подносиком для писем в руках.

— Барин, к вам дама пришедши, письмо передала.

Гнедич с неудовольствием взял письмо и, не распечатывая, бросил на стол: отрываться от работы над лекцией ему не хотелось. Но горничная отчего-то не уходила, стояла в дверях.

— Барин, ваше сиятельство, что им сказать? Ответ будет? А то они ждут там, в передней.

Пришлось вскрыть письмо, написанное по-французски. Что за срочность, право! В такое время приличные люди визиты не наносят, значит, дама — никакая не дама, а просто хорошо одетая служанка, доставившая письмо от хозяев. Однако Гнедич ошибся в своих предположениях, письмо оказалось именно от незнакомой барышни, явившейся в столь ранний час. Из письма следовало, что подательница его, графиня Штосс, католического вероисповедания, подала в мировой суд Боровского уезда Калужской губернии прошение о привлечении почтмейстера Потоцкого к ответственности за оскорбление. Потоцкий, в свою очередь, тоже подал прошение о взыскании с графини материального ущерба. Со стороны прокуратуры дело поручено товарищу прокурора Раевскому, и графиня Штосс, зная о близких и доверительных отношениях графа Раевского с профессором законоведения князем Гнедичем, нижайше просит выслушать ее и помочь советом.

Упоминание в письме имени племянника Николая заставило Гнедича вздрогнуть. Что там случилось? Что неладно? Николай в последнее время стал писать дядюшке заметно реже, и письма его сделались короче, но сестра Варвара ни о чем тревожном не сообщала, а ведь она, должно быть, видится с сыном и его семьей довольно часто, несмотря на то что Николай после женитьбы окончательно поселился в городской квартире в Калуге, где в бытность холостяком живал по три-четыре дня и на следующие несколько дней уезжал к родителям в имение Вершинское. Что же стряслось? Почему эта графиня Штосс решила обратиться к родственнику товарища прокурора?

В раздражении бросив письмо, Павел Николаевич поднялся.

— Скажи Афанасию, чтобы нес одеваться, — приказал он. — Даму проводи в гостиную, проси подождать, я приму ее.

Афанасий, крепкий краснощекий мужичок, из бывших дворовых крепостных, так и оставшийся после освобождения в услужении в барском доме, подал Гнедичу платье и, скроив виноватую мину, заботливо проговорил:

— Не зазябнуть бы вам, барин, мороз-то сегодня какой! Может, велеть подать вам и гостье завтрак в столовую, там хорошо натоплено, а в гостиной-то холодно... Все равно ж вам завтракать время, вот и дамочку угостите заодно, и погреетесь.

— Шельма ты, Афанасий, — строго выговорил ему князь. — Встал бы вовремя, развел бы огонь пораньше, так и не было бы холодно. Гляди, в другой раз накажу.

— Накажите, батюшка-барин, накажите, — с деланой покорностью согласился лакей. — Виноват, признаю, прощения просим. Розгами сечь теперь не положено, так вы уж штраф с меня снимите, копейки полторы, и довольно будет.

Гнедич невольно улыбнулся. Хоть и шельма Афанасий, а человек неглупый и преданный, каким и Прохор, его отец, был. Что ж делать, если сон у него крепкий! Да, не проснется вовремя иной раз, запоздает топить, но ведь во всем остальном такого слугу еще поискать. Расторопен, сообразителен, с посторонними не болтлив, да и барина своего любит от души. Лишней прислуги Гнедич не держит, после отмены крепостного права оставил половину — только тех, без кого невозможно обойтись: кухарку, конюха, кучера, лакея, горничную, дворника, да еще человека три, для прочих же нужд нанимал приходящих работников, а недавно и конюха с кучером рассчитал. Павел Николаевич по-прежнему получал от Владимира Раевского ежемесячное вспомоществование и, выполняя данное когда-то обещание, старался лишнего не тратить и жить скромно, без ненужной роскоши.

В гостиной и впрямь было весьма прохладно, но гостья, соблюдая этикет, оставила верхнюю одежду в передней и сидела в кресле перед камином в одном платье, закутавшись в шаль, по виду — вовсе не теплую и довольно ветхую. При появлении хозяина она быстро встала и сделала шаг ему навстречу.

— Благодарю вас, ваше сиятельство, что соблаговолили уделить мне время в такой неурочный час, — быстро и взволнованно заговорила она. — Еще раз прошу простить меня за ранний визит и за беспокойство. Но обстоятельства вынуждают меня торопиться.

Она говорила по-русски безупречно правильно, но с характерным для поляков акцентом, по-особенному произнося звук «л», который делался похожим больше на нечто среднее между «в» и «у». Лицо графини выглядело изможденным, цвет лица казался болезненным, и по тому, как блеснули ее глаза, когда Гнедич предложил разделить с ним трапезу, Павел Николаевич догадался, что она голодна и, вероятно, часто недоедает. Что ж, надо признать, что число обедневших дворян, главным образом — беспоместных, и до реформы было велико, а уж после отмены крепостного права обнищание даже и поместного дворянства приобрело характер повального. Не изучавшие и не считавшие нужным изучать хотя бы основы экономики, не умеющие самостоятельно управлять хозяйством, мало смыслящие в агрономии, презрительно пожимающие плечами при слове «коммерция», владельцы имений поспешно и с радостью закладывали свои поместья или сдавали земли в аренду под строительство дач, а полученные деньги немедленно проживали в увеселениях и проматывали за границей. Графу Раевскому удалось счастливо избежать такой судьбы, он в делах хозяйственных всегда проявлял тщательность и вдумчивость, не уставал учиться и перенимать опыт, и освобождение крепостных сказалось на делах имения лишь в лучшую сторону: крестьяне и работники из Вершинского не уходили, жили зажиточно и приносили своему хозяину все возрастающий доход. А вот расположенное по соседству имение Коковницыных, с такими же плодородными землями и хорошими угодьями, давным-давно пошло с молотка.

За завтраком в хорошо протопленной столовой лицо графини слегка порозовело. История же, рассказанная ею, была столь же обыкновенна, сколь и печальна. Лишенная средств к существованию, потерявшая всех родных, она нанялась гувернанткой к почтмейстеру Потоцкому, тоже католику польских кровей и человеку весьма стесненному в средствах, вдовцу, растившему единственную дочь Агнессу. Графине думалось, что два человека одного происхождения и вероисповедания скорее поймут друг друга и, уж во всяком случае, не обидят. Потоцкий при найме объявил, что платить гувернантке сможет только по пяти рублей ежемесячно, но, сознавая, что этой суммы никак не достаточно для приличного существования, не станет препятствовать ей иметь других домашних учеников и давать уроки, обещая, что при правильно поставленном деле она сможет заработать этим до пятиста рублей в год. Одновременно в договор внесли обязательство гувернантки следовать за своим нанимателем в любое место, куда ему сделается надобность переезжать, а наниматель, со своей стороны, пообещался не делать своей гувернантке никаких неприятностей и дерзостей.

Своего бедственного положения графиня не скрывала ни от Потоцкого, ни от Гнедича.

— Да, я бедна, — со сдержанным достоинством негромко говорила она. — Я влачила нищенское существование, это правда. Мне нужна была хотя какая-нибудь работа, и когда меня свели с господином Потоцким, я расценила это как помощь Божию, потому и согласилась на пять рублей в месяц. Я бедна, — повторила она с некоторым нажимом. — Но я никогда не была жалкою. И материальную помощь от господина Потоцкого я принимала только ввиду необходимости, не желая быть нахлебницей, но полагая в будущем заработать частными уроками достаточно, чтобы вернуть ему долг.

В момент найма у графини было всего одно платье, палас, маленькая подушечка, набитая шерстью, книги, ноты, распятие и три портрета: покойного отца, покойной тетушки, которая в 1831 году командовала польским полком, и брата, повешенного за участие в мятеже 1863 года. Потоцкий выразил готовность по прибытии в Боровск выдать ей жалованье за полгода вперед, чтобы графиня могла купить себе одежду. Знакомство графини Штосс с почтмейстером Потоцким произошло в Петербурге, в Калужскую губернию направлялись через Москву, и в Москве графиня призналась, что едет без рубашки и от этого у нее на теле завелась нечистота. Потоцкий немедленно отправился в магазины и купил вещи, необходимые гувернантке на первое время. У себя в доме, по прибытии на место, отвел графиню в «закут», где ей отныне предстояло жить, и принялся приискивать ей учеников, а спустя короткое время купил рояль, чтобы гувернантка могла и сама музицировать, и подопечную свою, Агнессу, музыке учить. Разумеется, предполагалось, что все траты на одежду и музыкальный инструмент гувернантка впоследствии возместит из своих заработков.

Одним словом, начиналось все весьма благостно. Закончилось же пошло и грязно: почтмейстер Потоцкий подал прошение о взыскании с графини Штосс 150 рублей, потраченных им на приобретение одежды, вещей и рояля. К своему прошению он приложил двадцатистраничное объяснение, в котором подробно и с удовольствием расписывал нищету гувернантки в момент найма и перечислял предметы, которые появились у нее благодаря доброте и щедрости хозяина. Не счел зазорным для себя упомянуть и о «нечистоте на теле, образовавшейся вследствие крайней нищеты и отсутствия чистого белья».

— Рассказать такое о женщине, пусть даже бедной, это низко, — твердо говорила графиня, сжимая побелевшими от напряжения тоненькими пальчиками чайную ложечку. — Это низко. Это недостойно. Пусть у меня нет средств, но я дворянка и я женщина, и подобное публичное обсуждение интимных сторон моей жизни не могу воспринять иначе, как глубоко оскорбительное. Более того, за несколько дней до первого слушания дела по иску господина Потоцкого по его просьбе по всему городу были развешаны афиши, извещающие о времени и месте судебного заседания и о предмете слушаний. В заседание пришло столько народу! И все они слышали те отвратительные мерзости, которые не поцеремонился рассказывать мой бывший хозяин. Меня поставили этим в унизительное положение, я потеряла почти всех своих учеников и утратила источник средств к существованию. Поэтому я со своей стороны тоже подала прошение в мировой суд, чтобы господина Потоцкого привлекли к ответственности за оскорбление.

— Я глубоко сочувствую вам, графиня, но чем же могу быть вам полезен?

Та вздохнула и отвела глаза, потом вновь посмотрела на Гнедича, и во взгляде ее виделось упрямство и даже какая-то дерзость.

— Я хочу просить вас, ваше сиятельство, оказать поддержку графу Раевскому, который в данной судебной тяжбе стоит на стороне обвинения и, таким образом, представляет мои интересы как стороны пострадавшей. Разумеется, у меня есть поверенный, но мне дали понять, что от мнения товарища прокурора в данном деле зависит многое. А граф Раевский... простите, Павел Николаевич, но мне кажется, что Николай Владимирович Раевский не желает или не может вникнуть в существо моего дела.

— Отчего же у вас сложилось такое впечатление? — поинтересовался Гнедич.

— Весь город знает, что графу сейчас не до службы. Об этом судачат все без исключения. Немудрено, что он не находит в себе достаточно сил, чтобы вникать в жалобы обывателей.

Гнедич недовольно сдвинул брови.

— И о чем же судачат, позвольте вас спросить?

— О жене Николая Владимировича. И о самом графе тоже.

Вот, значит, отчего Николай стал реже писать! Стало быть, предупреждения родителей и дядюшки оказались не пустыми, все трое усиленно оттоваривали Николая от женитьбы на девице, в которую молодой Раевский влюбился страстно и безоглядно, со всем пылом горячего сердца двадцатитрехлетнего мужчины. Мать считала, что с женитьбой Николай поторопился, невесту выбрал не самую подходящую, да и денежный вопрос беспокоил: младший брат Николая, Игнатий, только-только закончивший Императорскую медико-хирургическую академию, тоже сделал предложение своей избраннице, и две свадьбы почти одновременно — довольно разорительно для семейного бюджета. Дядя же, памятуя о быстро наступающей «усталости интересов», по выражению профессора Спасовича, опасался, что романтическое чувство племянника быстро охладеет и потеряет остроту и на его место придет новая влюбленность, которая поставит под угрозу честное имя Раевских и Гнедичей, среди которых разводов доселе не бывало. Но Николай ничего не желал слышать, и венчание состоялось. Прибывший для участия в венчании и свадебном бале князь Гнедич в полной мере оценил броскую красоту и невыразимую женственность невесты и признал, что не увлечься ею было крайне затруднительно. Девушка, дочь земского чиновника, выслужившего личное дворянство, бросала на всех мужчин такие заинтересованные взгляды и кокетничала столь откровенно, что Варвара Николаевна удрученно заметила брату:

— Не любит она Николеньку. Ей деньги нужны и титул. А он влюблен без памяти. Боюсь, не принесет этот брак добра. То ли дело Игнатий! Они с Надеждой словно рождены друг для друга.

В первый после свадьбы год Павел Николаевич получал от племянника письма, исполненные восторгов и дышащие счастьем. Но вот уже несколько месяцев, как письма стали суше, короче и реже. Гнедич списывал эти обстоятельства на заботы по службе и на хлопоты, неизбежные с появлением в семье первого ребенка, дочери, которой юная супруга не замедлила одарить молодого графа Раевского.

Оказалось же, что все намного хуже, чем предполагал Павел Николаевич. Надо незамедлительно ехать в Калугу к племяннику. Пусть ему не нужны профессиональные советы Гнедича, но моральная поддержка опытного старшего родственника излишней не будет. Да и в Вершинское к сестре и ее мужу надо заехать. Если Варвара знает о том, что происходит в семье ее старшего сына, то и ей потребуются слова утешения. Слава богу, с младшим племянником, Игнатием, никаких тревог нет, у него родился сын Александр, а жена Надежда, дочь остзейского барона фон Гольма, — тихая, милая, уютная женщина, с удовольствием вьющая семейное гнездо и заботящаяся о муже и младенце.

Стряхнув с себя тревожные мысли о семье, Павел Николаевич вернулся к разговору с гостьей.

— И как вы предполагаете мое участие в вашем деле, графиня? Прошу иметь в виду, что я никаким образом не стану вмешиваться в служебные соображения моего племянника.

— Я просила бы вас быть рядом с ним, — мягко ответила женщина. — Граф растерян, подавлен, он нуждается в дружеском участии, какого никто не в силах ему оказать, ибо граф скрывает ото всех прискорбное положение дел. От вас он скрывать не станет, я знаю, мне говорили, что вы вырастили его рядом с собою и он был вам как сын, к вам Николай Владимирович много ближе, чем к родителям и друзьям. Вы всегда были его первым и главнейшим наставником. Будьте же им и сейчас. Если граф успокоится и возьмет себя в руки, то и на мое дело сможет наконец взглянуть внимательно и беспристрастно, холодным строгим взором профессионала, а не мятущимися отчаявшимися глазами обманутого мужа.

Так вот оно что! Гнедича внезапно осенило. Ну конечно! Пан Потоцкий сделал гувернантку своей любовницей. А потом что-то случилось, то ли она встретила кого-то, за кого собралась замуж или просто сошлась, то ли по другой причине перестала отвечать на притязания хозяина, но Потоцкий рассердился и потребовал возмещения материальных затрат. И об этой пикантной стороне истории тоже, по всей видимости, знает весь город. А если и не весь город, то, по крайней мере, товарищ прокурора Раевский. Вот почему графиню Штосс так беспокоят «отчаявшиеся мятущиеся глаза обманутого мужа». Ну что ж, в ее рассуждениях есть здравое зерно. Обманутый муж может и не испытывать сочувствия к женщине, оставившей любовника.

— Хорошо, — решительно ответил Павел Николаевич, — я поеду в Калугу. Когда назначен суд по вашему делу?

— На будущей неделе, в среду.

— Мне нужно решить кое-какие вопросы в университете, я не могу просто так, не согласовав с инспектором, оставить кафедру и уехать. Но я обещаю вам быть в Калуге так скоро, как смогу. А теперь, графиня, вы позволите предложить вам помощь?

Я велю позвать извозчика и заплатить ему, и он доставит вас, куда пожелаете.

Она с беспокойством бросила взгляд на часы, стоящие на каминной полке.

— Мне нужно на заставу, тарантас до Калуги отойдет через полтора-два часа, если я опоздаю, мне придется искать ночлег в Москве, потому что на другой тарантас пассажиры сегодня вряд ли наберутся, а нанимать целиком самой мне накладно.

Значит, графиня приехала еще вчера и вынуждена была где-то ночевать. При ее стесненных средствах маловероятно, чтобы это была приличная гостиница. Скорее всего, она провела ночь в дешевых грязных номерах, да даже и такая трата больно ударила ее по карману. Платить за еще один ночлег в Москве для нее — непозволительная роскошь.

Проводив гостью, он вернулся в кабинет, собрался было продолжить работу над лекцией, но взгляд его как магнитом тянуло к окну, за которым вяло колыхался серый мрачный московский февраль. Все мысли князя Гнедича обращены были к племянникам, на которых он щедро обрушивал весь запас нерастраченной отцовской любви...

... Первым у Вареньки родился Николай, через год с небольшим после него — Игнатий, а после, в течение следующих десяти лет, еще три девочки и мальчик, не проживший и двух месяцев. Девочки росли с родителями в имении, после чего были отправлены в хорошие пансионы, мальчиков же Гнедич упросил сестру отправить к нему в Москву, пообещав дать им настоящее мужское воспитание, нанять хороших гувернеров и подготовить к поступлению в классическую гимназию. Для Вареньки принять такое решение было непросто, но она все же уступила брату, тем более что и ее муж Гнедича поддержал. Как только Павел Николаевич вышел из университета, защитил магистерскую диссертацию и получил должность, мальчики — Николай и Игнатий — перевезены были в Москву вместе с няньками и дядьками. И в следующие несколько лет князь Гнедич был счастлив, как никогда ранее. Он много занимался с племянниками, следил за их обучением, рассказывал им занимательные истории, приучал к чтению. И с неослабевающим интересом наблюдал за тем, как они росли и менялись. Старший, Николай, живой и активный, увлекающийся, быстрый и взрывной, постоянно тянул за собой более медлительного, но зато основательного и усидчивого Игнатия.

Однажды Павел Николаевич рассказал мальчикам историю монаха-букиниста дона Винсенте, убившего одиннадцать своих покупателей, потому что не мог расстаться со своими любимыми инкунабулами, которые сам же выставлял на продажу. Человеческая жизнь в его глазах имела ценность несравнимо меньшую, нежели старинные книги, существовавшие всего в нескольких экземплярах.

— Разве то, что дон Винсенте так любил книги, не смягчает его вину? — спросил Николенька. — Он же не ради денег убивал и не из низменных побуждений. Любовь к книгам достойна уважения.

Гнедич подробно и обстоятельно ответил на вопрос. Старший племянник, уже зараженный любовью дядюшки к уголовному праву, твердо намеревался поступать в Императорское училище правоведения — самое элитное учебное заведение

России, готовящее юристов для работы в органах Министерства юстиции. Павел Николаевич и Игнатия желал бы видеть юристом, но мальчик больше интересовался биологией и мог часами рассматривать картинки в анатомическом атласе, который он выпросил себе в подарок на девятый день рождения.

— Ну а ты? — обратился Гнедич к Игнатию. — Что ж ничего не спрашиваешь? Тебе в этой истории все понятно?

— Мне непонятно, как определили, когда умерли все эти люди, — очень серьезно и с задумчивой неторопливостью произнес Игнатий. — Выходит, есть способ точно сказать, в котором часу они умерли? Именно в том часу, когда пошли из лавки дона Винсенте к себе домой, унося с собою только что купленную книгу? Даже если после смерти прошло изрядно времени?

Гнедич не мог не признать, что ум у младшего из мальчиков ничуть не уступает по остроте уму старшего, а по глубине даже и превосходит его. И в следующие полчаса давал племяннику разъяснения из области судебной медицины.

В приготовительные классы гимназии детей не отправляли, отдавая предпочтение домашнему образованию. В десятилетнем возрасте в классическую гимназию успешно поступил Николай, годом позже Игнатий — и сразу во второй класс, оказавшись за одной партой со старшим братом. С этой минуты не было у Николеньки Раевского более важной задачи, чем доказать, что он все-таки старше и умнее Игнатия, и задания выполняет быстрее и лучше, и в гимнастике успехи у него заметнее, и учителя его чаще хвалят. Игнатий, казалось, ничего этого вовсе не замечал и прилежно учился не для того, чтобы быть первым, а просто потому, что интересно. Ученик, закончивший учебный год «первым», то есть с самыми лучшими отметками, получал похвальный лист и книгу в подарок, закончившему «вторым» давали только похвальный лист. На всем протяжении совместной учебы, то есть до окончания четвертого гимназического класса, братья Раевские после сдачи переходных экзаменов приносили домой одну книгу и два похвальных листа на двоих. После окончания четвертого класса Гнедич отвез Николая в Санкт-Петербург сдавать вступительные экзамены в Училище правоведения, Игнатий же продолжил обучение в гимназии и в следующие четыре года исправно приносил домой книги, полученные в награду за прилежание и успехи в учебе.

Закончив в семнадцать лет гимназию, Игнатий легко и уверенно выдержал вступительные испытания в Медико-хирургическую академию, вышел кандидатом, женился на выпускнице Смольного института и спокойно и с удовольствием, так же, как и учился, занимался избранной профессией в Пензе, куда был направлен после получения диплома. Когда он объявил семье о намерении жениться, ни у кого не возникло ни малейшей тревоги, ибо все знали: поспешных и необдуманных решений Игнатий Раевский не принимает, и коль уж он сделал выбор, то выбор этот не случаен и глубоко обоснован.

С Николаем — не то. Павел Гнедич подозревал, что поспешная женитьба старшего племянника была отчасти (если не в значительной степени) продиктована нелепым детским стремлением не только не отстать от младшего брата, а непременно опередить его. Поэтому все увещевания Владимира и Варвары Раевских, все их просьбы не спешить с венчанием и свадьбой, потому что Игнатий тоже женится и расходы предстоят весьма обременительные, имели воздействие прямо противоположное. Николай заявлял, что если у родителей денег нет, то он сам достанет, но венчание откладывать не намерен. Впрочем, возможно, он и был отчаянно влюблен... Но даже если и так, то любовь быстро прошла, это при его характере неизбежно.

* * *

Посланный на Рогожскую заставу Афанасий вернулся с известием, что ямщик порядочный найден, только денег слишком много запрашивает за то, чтобы довезти барина до Калуги. Опять траты! Но ехать в тарантасе вместе с купцами и мещанами Павел Николаевич не желал, хотя обошлось бы это намного дешевле, всего рублей в восемь-десять.

— Надежный человек? — спросил он Афанасия.

— Так разве на глазок скажешь, ваше сиятельство! Но обещает часов за шестнадцать домчать, самое большее — за двадцать. И хозяева у него на примете есть приличные по тракту, останавливаться на постоялых дворах не придется. Эх, ваше сиятельство, барин Павел Николаевич, как хорошо было при старых-то порядках: велел кучеру запрягать да и поехал, куда надобно. А теперь вот ищи, как добраться да как вернуться...

Верный своему намерению жить экономно, Гнедич в прошлом году все-таки рассчитал и кучера, и конюха, которым после отмены крепостного права пришлось платить жалованье, продал лошадей и оставил только собственно экипаж, для дальних поездок в котором нанимались «вольные» лошади с ямщиком. Для поездок же по городу князь теперь пользовался услугами извозчиков.

Два дня спустя Павел Николаевич Гнедич в сопровождении верного Афанасия подъехал к ямской заставе Калуги. Нужно было найти кого-то, кто разъяснит дорогу до дома Николая Владимировича Раевского. Афанасий кликнул извозчика, от группы греющихся возле костра отделился солидного вида мужик, не спеша подошел к экипажу.

— Чего изволите, барин?

Услыхав название улицы, указанной Гнедичем, усмехнулся в бороду, быстро и толково объяснил ямщику дорогу и спросил:

— Уж не к господину ли прокурору в гости изволили прибыть?

— К нему, — отозвался Афанасий. — А тебе что ж, дом известен? Часто возить приходилось?

— Да уж приходилось, — хмыкнул тот. — Раньше господин прокурор квартиру нанимал в доме Островерхова, на той же улице, а теперь вишь — дом купил, аккурат перед Покровом переехал. Да только не помогло ничего, видать.

— Это ты о чем? — сурово вопросил Афанасий. — Чему не помогло?

— Так барыня-прокурорша все одно сбежала с писателем.

— Ты говори, да не заговаривайся! — прикрикнул на извозчика Афанасий. — Чего мелешь попусту? Не могло такого быть!

— Да как же не могло, когда весь город знает, — невозмутимо ответствовал возница. — Все говорят, и я говорю, что и все. Мое дело маленькое. Не велите сказывать — так я и замолчу.

— Вот и молчи, — проворчал верный лакей. — Их сиятельство господин граф не из таковских, чтоб их законные жены бросали.

Извозчик обиженно умолк и отошел назад к костру, а Гнедич, внимательно вслушивавшийся в перебранку, лишь вздохнул украдкой. Вот и объяснение и краткости писем Николая, и всему, что говорила бывшая гувернантка. Оправдались опасения сестры Варвары, да и его собственные.

Дом, в котором теперь жил племянник, произвел на Павла Николаевича впечатление заброшенности и почему-то раздражения, как будто все в нем мешало хозяевам, не нравилось им, однако по каким-то причинам не менялось, а лишь терпелось, но терпелось уже из последних сил. Картины, являвшиеся непревзойденным образцом дурновкусия, висели косо, багеты потускнели от времени и давно не чищены, обивка мебели, явно оставшаяся от прежних владельцев, никак не гармонировала со шторами, которые Гнедич помнил еще по прежней квартире Раевских. Заботливая рука не прикасалась к внутреннему убранству дома, здесь не вили гнездо, здесь не проводили тихие уютные вечера. Здесь не было семьи.

Предупрежденный о приезде дяди посланной накануне телеграммой, Раевский оставил прислуге все распоряжения и записку для родственника, в которой извинялся, что не встречает, ибо находится на слушаниях в суде, просил Гнедича чувствовать себя без стеснения и обещал прибыть домой не позднее семи часов пополудни, чтобы обнять «милого дядюшку Поля».

Гнедич не мог решить, как правильнее вести себя: дать ли понять, что ему известно о семейных обстоятельствах Николая, или делать вид, что ничего не знает. Впрочем, разве можно полагаться на то, что болтает извозчик? Нет, вперед надобно самому удостовериться, чтоб неловкости не вышло.

— Барыня дома ли? — пройдя в комнату, равнодушно спросил он худенького светловолосого лакея, помогавшего ему раздеться. — Доложи, что я приехал.

— Барыни дома нет, ваше сиятельство. Их сиятельство граф Николай Владимирович обещались быть к семи часам. Прикажете обед подавать? Или чаю?

— Афанасия моего пусть накормят, а мне чаю подай, обедать вместе с графом буду. И проводи меня в комнату, которую мне отвели, надо с дороги платье переменить.

Комната, которую приготовили для Павла Николаевича в доме племянника, оказалась тесной, но тщательно убранной, хотя и в ней заметны были следы все того же раздражения и неустроенности. Ловкий Афанасий быстро достал чистую одежду и помог хозяину переодеться.

Николай появился в восьмом часу, и Гнедич с горечью увидел, как осунулось и побледнело обычно такое живое и привлекательное лицо молодого Раевского.

— С приездом, дядя Поль. — Николай обнял его. — Вы по делам в Калугу? Или просто развеяться решили? Из вашей вчерашней телеграммы я понял только, что вы у меня погостите и в Вершинское поедете. Так ли?

— Дядя Поль! — с улыбкой отозвался Гнедич. — При твоих чинах пора уже называть меня по имени или хотя б по титулу, не мальчик ведь.

Николай слабо рассмеялся.

— Ну уж нет, вы для меня всегда были и навсегда останетесь милым любимым дядюшкой Полем, как с детства привычно. Пойдемте к столу, я голоден ужасно, весь день провел в мировом суде, три заседания подряд отговорил.

Они прошли в столовую и сели за стол, накрытый на двоих. Молча съели окорок и холодную рыбу с хреном. Все тот же худенький юноша-лакей стоял чуть поодаль слева от хозяина и ждал, когда наступит момент переменять приборы. После второй перемены блюд заговорили о новых назначениях в Министерстве юстиции и о статьях в журнале «Отечественные записки», начавшем выходить два года назад, с февраля 1868 года. Когда подали десерт, лакей сказал:

— Ваше сиятельство, Аграфена спрашивает, изволите ли вы поцеловать барышню Катерину Николаевну на ночь в детской или ее сюда привести.

— Пусть приведет девочку, — вмешался Гнедич, — хочу посмотреть на мою внучатую племянницу.

— Слушаю-с, ваше сиятельство.

Нянька Аграфена, молодая светловолосая женщина, по виду чуть старше лакея, но удивительно схожая с ним лицом, принесла маленькую Катеньку, спустила с рук, и девочка поковыляла в сторону отца, но, заметив незнакомого человека, испугалась, споткнулась, запутавшись ножкой в длинном платьице с оборками, упала и заплакала.

— Успокой ребенка, — невозмутимо обратился Николай к няньке.

Та подскочила к девочке, снова взяла ее на руки, принялась целовать в ушибленные ручки и коленки и приговаривать:

— У кошки боли, у собаки боли, у зайки боли, у лисички боли, у Катюши заживи...

Раевский поднялся из-за стола, подошел к няньке и дочери, поцеловал ребенка в лобик и отослал их назад в детскую. От Гнедича не укрылось, что племянник довольно холоден к малышке. Павел Николаевич хорошо помнил, с каким обожанием и трепетом относились Варенька и ее муж к своим детям, как не упускали ни малейшей возможности потетешкать их, обнять, поцеловать, поговорить с ними. И сколько нареканий за подобное обхождение с детьми выслушали граф и графиня Раевские от своих знакомых! Ведь детей в дворянских и помещичьих семьях принято воспитывать в строгости, с малолетства приучать к отсутствию излишеств, отводить детям самые убогие комнаты в мансарде или в антресолях, тесные, душные, с низенькими потолками и крошечными окошками у самого пола. Главной же целью порядочного воспитания полагалось отучить ребенка быть своевольным, упрямым и шаловливым. Родители вообще, как правило, видели своих отпрысков только утром и вечером, когда няньки-мамки-дядьки, а после — учителя и гувернеры приводили их к маменьке и папеньке «поцеловать ручку». Дети мешали светской жизни, им в ежедневных занятиях родителей просто не было места. Именно так росли Григорий, Павел и Варвара, и именно так должны были воспитываться дети Варвары и ее мужа Владимира Раевского. Раевские, равнодушные к светским увеселениям и любившие деревенскую жизнь, позволили себе пойти поперек установленных в свете обычаев, и хотя комнаты своим пятерым детям назначили, как и положено, в мансарде, и строгим наказаниям за провинности не препятствовали, все же считали для себя возможным открыто выражать любовь к сыновьям и дочерям и не скупиться на ласку.

Теперь же, наблюдая за племянником, Павел Николаевич Гнедич с грустью думал о том, что получивший сполна из чаши родительской любви Николай не испытывает никаких нежных чувств к своему ребенку. Отчего так? Впрочем, и неизвестно еще, хорошо это или плохо. Как знать...

Он понял, что пора переходить к главному, ради чего приехал в Калугу.

— Что ж, вижу, женской руки к дому не приложено, — сказал Гнедич как о чем-то само собой разумеющемся. — Даже извозчики в городе знают обо всем. Я было засомневался сперва, но теперь вижу: правда. Не спрашиваю, почему так случилось, не мое это дело. А только разве не разумнее было бы ребенку жить в Вершинском? Твоя матушка вырастила бы Катеньку в любви и заботе, как вырастила вас с Игнатием и ваших сестер. Понимаю, что возиться с оформлением развода ты не станешь, хлопотное это дело, но ты молод, Николай, тебе всего двадцать пять, и если ты собираешься оставить Катеньку при себе, тебе нужно найти другую женщину, которая станет тебе верной спутницей, а Катеньке — доброй матерью или хотя б наперсницей. Конечно, без оформления развода это получится то, что юридически именуется незаконным сожительством, но ведь так живут очень и очень многие, и общество теперь относится к такому сожительству вполне терпимо. Это было бы лучшим выходом для тебя в твоем нынешнем положении.

Николай спрятал лицо в ладонях, плечи его вздрогнули. Гнедич молча ждал ответа. Наконец, Николай поднял голову, в глазах его стояло глухое отчаяние.

— Да как же вы не понимаете, что это, в конце концов, невыносимо! — воскликнул он. — Весь город знает! Все перешептываются у меня за спиной. Хуже того: любое решение, какое я принимаю по службе, любое мое выступление в судебном заседании тут же разбирается по косточкам, дескать, известное дело, у него жена неверная, бросила его, рога ему наставила, сбежала с любовником, вот он и бесится, и всех ненавидит, и на всех зло срывает, особенно на женщинах. Город невелик, все друг у друга на виду, ничего не скроешь. Даже до Вершинского разговоры дошли, матушка в тревоге, письма пишет мне с вопросами, приехать хотела, да я просил повременить с гощением. Отец приезжал несколько раз, в деревню звал.

— Отчего же не едешь? Взял бы отпуск да поехал, от людских глаз скрылся, отдохнул бы душой.

— Не хочу. — Николай покачал головой. — Не хочу этих разговоров о том, как они были правы, отговаривая меня от столь поспешного брака, не хочу жалости их, не желаю в сотый раз слышать о том, какой я глупец. А потом что? Снова сюда возвращаться? И снова слушать все это? И взгляды ловить? Нет уж, увольте! Я прошение подал о переводе, влиятельным людям написал с просьбой походатайствовать за меня, мне обещали помочь.

— Куда перевода просишь? В Москву? Или в Петербург?

— Да хоть куда, дядя Поль, мне все едино, лишь бы отсюда...

— Я попробую тебе помочь, — со вздохом отозвался Гнедич. — Обещать ничего не могу, но попробую. Если получится — будем снова жить вместе, как прежде. Даю тебе слово дворянина: никаких неприятных и тягостных для тебя разговоров вести не стану.

— Не хочу вас стеснять, найму квартиру, если судьба смилостивится и перевод в Москву состоится.

— Да помилуй, дружок, какое ж тут стеснение? — рассмеялся Павел Николаевич. — Дом велик для меня одного, да и пусто в нем, одиноко. Я уж подумывал было двух-трех студентов на пансион взять, из бедных семей, но способных, которые жилья не имеют и по углам мыкаются. Но коль ты решил о переводе хлопотать, то я погожу с этим. А теперь пообещай мне, что отныне, с этой самой минуты ты забудешь о том, что ты — обманутый и брошенный муж, ты выбросишь из своего сердца злобу и подозрительность, ты перестанешь думать о своей жене и об обиде, которую она тебе нанесла, а вместо этого начнешь жить будущим, мечтать о том, как уедешь отсюда и продолжишь службу среди других людей. Завтра я поеду в Вершинское, повидаюсь с сестрой и твоим отцом, успокою их, как смогу, после чего тотчас вернусь в Москву и начну готовиться к твоему приезду. Комнаты для тебя и для Катеньки приготовлю. Поговорю с нужными людьми, которые могут оказать поддержку в Министерстве юстиции. Все забудется рано или поздно, поверь мне, и настанет день, когда ты решишь, что все нынешнее — только дурной сон, и ощутишь себя проснувшимся.

Гнедич слегка улыбнулся и добавил:

— Или, как нынче модно говорить, обновленным.

Они просидели за беседой до глубокой ночи, и когда Павел Николаевич уходил в отведенную ему комнату, он был вполне уверен в том, что его племяннику действительно стало легче. Николай теперь знает, что, как бы тяжко ни было у него на душе, рядом есть человек, который не станет ни упрекать, ни поучать, ни обвинять, но поможет найти выход.

На другой день князь Гнедич уехал в Вершинское, где пробыл два дня, проведя их в бесконечных разговорах с сестрой Варварой. После шести беременностей Варвара Николаевна стала походить внешне на свою покойную мать, из стройной очаровательной девушки превратившись в чрезвычайно полную вальяжную даму. Глядя на ее руки с выступающими венами и нездоровую отечность лица, Павел Николаевич чувствовал, как тоскливо сжимается его сердце. Здоровье сестра явно унаследовала от матушки, скончавшейся, едва дожив до пятидесяти. А Вареньке в этом году исполнится уже сорок пять...

Вернувшись в Москву, Павел Николаевич нанес несколько визитов, написал с десяток писем, и, к его немалому удивлению, дело удалось решить довольно быстро. Оказалось, что у помощника окружного прокурора Калужской губернии Николая Владимировича Раевского прекрасная репутация в Министерстве юстиции и его ходатайство о переводе получило полную поддержку.

1873 год, май

— Да ведь ясно же, что вышло чистое недоразумение с самого начала! Когда госпожа Гончарова обратилась к Жохову с просьбой приискать подходящего адвоката для ее мужа, Жохов и вспомнил об Евгении Утине потому только, что тот еще довольно молод и, следовательно, легко может поддаться уговорам и убеждению, а брат его, Николай Утин, известный революционер, живущий за границей и пропагандирующий социалистические идеи. Госпоже Гончаровой непременно хотелось, чтобы защитник разделял революционные воззрения ее мужа, вот Жохов и направил ее к адвокату — младшему брату революционера. Разве он мог знать, что присяжный поверенный Утин превыше всего поставит идеалы адвокатской этики, а не цели пропаганды социалистических воззрений!

— По-вашему, выходит, что адвокатская этика состоит в том только, чтобы вытребовать у суда наказание помягче? Даже в ущерб репутации подсудимого и вопреки его мнению и желаниям? Даже путем использования очевидной лжи?

— Вот о лжи я бы на вашем месте поостерег-ся рассуждать, милостивый государь, — заговорил молодой человек приятной наружности. — Речь господина Спасовича на суде в защиту Евгения Утина опубликована, все имели возможность ее прочесть. Адвокат Спасович опирался только и единственно на материалы следствия, на документы; адвокат, да будет вам известно, не имеет права оперировать фактами, которые невозможно доказать или подтвердить. А в документах этих ясно сказано: при аресте, в момент первоначального дознания, Гончаров заявил, что прокламации распространял будучи в состоянии душевно подавленном вследствие семейных неурядиц, поскольку от него ушла жена, которую он горячо любит. И в протоколе это записано.

— А ведь верно, было это, я помню, — послышался голос Игнатия Раевского. — Я хоть и не юрист, но газеты иногда почитываю. Продолжайте же, прошу вас!

— Спустя же некоторое время, уже на следствии, Гончаров стал показывать совсем иное и настаивать на политических целях своей акции, — снова заговорил незнакомый гость. — Когда в дело вступил Утин, перед ним, защитником, были две правды и полная возможность присоединиться к любой из них. Одна правда вела бы к более длительному сроку наказания, но давала бы возможность сделать процесс политическим, и именно на ней настаивали и сам подсудимый Гончаров, и его жена, и ее советник и помощник Жохов. Вторая же правда была, даже на сторонний взгляд, куда более правдивой и состояла в том, что между супругами Гончаровыми наступило охлаждение, оба они участвовали в революционных кружках и разделяли идеи социализма, однако Прасковья Гончарова была куда старше своего мужа, имела прекрасную научную подготовку и даже была одной из первых женщин, получивших юридическое образование и выступавшей с защитой по уголовным делам, ум ее был более цепким и глубоким, и в среде кружковцев она нашла себе куда более интересных собеседников и вообще тех, с кем ей было бы приятно сблизиться. Что Гончаров? Молодой недоучившийся студент, неопытный в политической борьбе, еще мало образованный, глуповатый, но страстно влюбленный в свою жену. Какой же выход он видит, чтобы вернуть ее внимание и уважение?

Говоривший сделал драматическую паузу, и Гнедич машинально отметил, как вовремя он остановился и как верно выдержал интонацию, чтобы сохранить внимание присутствующих.

— А выход весьма простой: совершить политическую акцию. Написать прокламацию и распространять ее. Доказать, что он не менее близок и предан их общим идеалам, чем другие друзья госпожи Гончаровой по кружку. Да, вопрос может рассматриваться и как политический, если есть такое желание, но ведь ясно же, что в основе всего — борьба за уходящую любовь, крайняя степень подавленности и меланхолии в молодом человеке. Не за свержение режима он боролся, а за утраченную любовь жены. И за преступление, совершенное по таким мотивам, наказание может быть назначено куда более мягкое. Защитник сделал то единственное, что может и должна делать защита по уголовному делу: открыть перед судом обстоятельства таким образом, чтобы подсудимый был признан виновным именно в том, что сделал, а не в том, что ему хотелось бы сделать, чтобы он выглядел в глазах присяжных именно тем, что он есть на самом деле, а не тем, кем ему хотелось бы выглядеть перед своими товарищами и перед всем светом, и чтобы наказание, которое ему назначат, было справедливым в рассуждении того, что он совершил на самом деле, то есть соразмерным, учитывающим все смягчающие обстоятельства, если таковые есть.

Гнедич с одобрением глянул на гостя, имени которого не расслышал в общем гуле. Приезд Игнатия, прибывшего в Москву специально, чтобы послушать лекции швейцарского ученого по судебной медицине, сопровождался ежедневными встречами племянника с товарищами по гимназии и по Медико-хирургической академии, а те приводили с собой в гостеприимный дом Гнедичей своих друзей, и шумные разговоры и споры шли здесь постоянно и до глубокой ночи. В спорах этих участвовали и студенты Павла Николаевича, приходящие к своему профессору то за консультацией, то для сдачи зачета или переэкзаменовки. Дело Гончарова, столь странно и трагически переросшее в дело Утина и Жохова, вот уже без малого год будоражило умы и являлось предметом нескончаемых обсуждений и горячих споров не только в среде юристов.

Стоял неожиданно теплый для начала мая вечер, и вся компания устроилась в беседке в окружавшем дом Гнедичей саду, куда кухарка Ульяна принесла самовар и тарелки с пирогами. Сидели тесно, и на лавках вдоль стен беседки, и на парапетах: гостей собралось больше десяти человек. Тонкий запах свежей молодой листвы с трудом, но все-таки пробивался сквозь аромат свежевыпеченных пирогов и дымок от табака.

Павел Николаевич наклонился к сидящему рядом Игнатию.

— Кто это? — тихонько спросил он, указывая глазами на молодого человека, чья речь показалась профессору столь разумной и взвешенной.

— Карабчевский, студент из Петербурга, приехал специально послушать швейцарскую знаменитость, мы на лекции с ним и познакомились. Когда он узнал, что мой дядюшка — сам Гнедич, попросил быть представленным. Да он уж второй день подряд приходит, я еще вчера вам его представил, неужто запамятовали?

— Представь себе, запамятовал, всех твоих друзей разве упомнишь? — улыбнулся Гнедич. — Но я рад, что их у тебя так много. Жаль, брата твоего нет сейчас, он бы непременно вступил в спор и поддержал этого юношу Карабчевского.

— Моему братцу, дядюшка, куда как интереснее в театре быть с очередной пассией, а не слушать наши разговоры. Вы бы повлияли на него, пусть бы как-то устроил свои дела с разводом и женился.

— Не могу, — вздохнул князь.

— Отчего же?

— Слово дал, что никогда не заведу разговор на эту тему. Да и не к лицу мне указывать ему, как жить, я ведь холостяк, пример подать не могу. Ты сам с ним поговори, а то ведь все отмалчиваешься. Вот и теперь: друзья твои спорят, а ты молчишь. Что ж так?

— Хотите мое мнение услышать? — усмехнулся доктор Раевский. — Что ж, извольте.

Дождавшись, когда очередной оратор — коротко стриженная, неопрятного вида девица с горящим взором — закончил рассуждать о том, что ради провозглашения революционной идеи можно отринуть любую мораль, не говоря уж об адвокатской этике, Игнатий заговорил:

— Давайте вспомним, с чего все начиналось и чем закончилось. Если опустить все звенья этой длинной цепи и глядеть только на первое и последнее, то трудно поверить, что эти звенья являются частями одного целого. Однако это так. В первом звене мы видим, что два года тому назад в Петербурге, Нижнем Новгороде и Новочеркасске появились прокламации, в которых говорилось, будто в Париже началась мировая революция, и содержались призывы к молодежи поддержать ее. В последнем же звене мы видим самоубийство молодой женщины, попытавшейся перед тем совершить убийство. Если же мы заглянем в пространство между этими крайними звеньями, то увидим в нем гибель Александра Жохова на дуэли, судебный процесс над присяжным поверенным Утиным, покушение на его убийство, сразу же за ним — еще одно самоубийство. Итого, мы видим три смерти молодых людей, два покушения на убийство, суровый приговор Гончарову, тюремный срок для его адвоката Утина. Для тех, кто не знает всей цепи событий, такая картина кажется невероятной. И тем не менее она именно такова. Можно видеть в этом руку судьбы, Божий промысел. А можно разобрать всю картину с точки зрения психологии, и тогда мы неизбежно придем к необходимости ответить на вопрос: кто виноват в том, что так случилось? Кто виноват в этих смертях и в этом необъятном горе, свалившемся на родных и близких покойных?

На мгновение среди присутствующих воцарилось молчание, прерванное резким высоким смешком:

— Да как же кто виноват? Царский режим и виноват, верно, уважаемая наша Нина Алексеевна? Ведь ежели революционные идеи позволяют для самих себя отрицать любую мораль, стало быть, никакие поступки, совершенные во имя этих идей, не могут считаться дурными. А коль что истинно дурное приключается, то это уж, извольте, претензии к режиму предъявлять надо.

Лицо Нины Алексеевны, той самой коротко стриженной девицы, вспыхнуло, в глазах загорелись веселые огоньки, и в эту секунду она показалась Гнедичу даже симпатичной.

— Для тебя, Ксенофонтов, режим всегда будет хорош, пока ты на отцовские деньги живешь, — ответила она задорно, ничуть не обидевшись. — Ты только оттого так говоришь, что отец тебе разрешил медициной заниматься, с фабрики своей отпустил и учебу оплатил. А не отпустил бы, так ты уже давно начал бы проклинать заводчиков и прочих капиталистов. Каждый день ворчишь, что за мизерное жалованье с утра до ночи принимаешь больных из числа крестьян, работников и бедноты, а кто виноват в их бесчисленных болезнях? Кто виноват в антисанитарии, голоде, непосильном труде? Разве не режим? Отцовские деньги тебя греют, потому и режим не мешает. А не было бы тех денег, так послушали бы мы, как ты запоешь.

Павел Николаевич Гнедич снова склонился к Игнатию.

— А эти двое? Кто такие?

— Ксенофонтов — врач в городской больнице, мы с ним вместе учились, а Нина — журналистка, такая, знаете, из нигилистов. Да вы не обращайте внимания, они всегда так друг с другом разговаривают. Все не поженятся никак. Ксенофонтов и рад бы, но Нина не соглашается, считает, что если уж отрицать моральные нормы, то во всем. Роль гражданской жены ее вполне устраивает.

— Вот как? — искренне изумился Гнедич. — А с виду кажется, что заклятые враги.

— Так именно, что только с виду. На самом деле Ксенофонтов Нине все время материал для фельетонов подбрасывает о бедственном положении рабочих и их здоровье. А на людях делают вид, что в конфронтации.

— Так кто же виноват, Раевский? — послышался высокий, слегка дребезжащий тенорок Ксенофонтова. — Ты вопрос поставил, стало быть, у тебя и ответ есть.

Кто виноват? Павлу Гнедичу и самому хотелось бы это понять. Да и уместно ли в этой непростой истории говорить о чьей-то вине?

История действительно началась именно так, как сказал Игнатий: с прокламаций, автор которых, недоучившийся бывший студент Технологического института Гончаров, был довольно быстро найден и арестован. При аресте молодой человек во всем сознался и сказал, что находился в тяжелом душевном состоянии, вызванном разладом с женой. Жена арестованного, Прасковья Гончарова, обратилась к своему знакомому Александру Жохову, служившему в Первом департаменте Сената и активно занимавшемуся журналистикой, с просьбой помочь найти защитника для мужа. И не просто защитника, а такого, который разделял бы революционный настрой и готов был перевести процесс в плоскость политики, что даст возможность свидетелям на суде громко и открыто пропагандировать идеи социализма. Почему выбор Жохова пал на молодого Евгения Утина — неизвестно. Теперь, когда невозможно спросить у самого Жохова, можно строить какие угодно догадки. Вполне возможно, студент Карабчевский не ошибался в своих предположениях, и решающую роль в выборе адвоката сыграло именно родство с Николаем Утиным, одним из создателей «Молодой эмиграции». Но теперь уж остается только предположения строить...

Прасковья Гончарова и Александр Жохов настоятельно требовали от адвоката, чтобы он избрал ту линию защиты, которую они предлагали. Однако присяжный поверенный Евгений Утин их мнения не разделял. И отправился за консультацией к председателю Петербургского совета присяжных поверенных, уважаемому видному юристу Арсеньеву. Выслушав доводы молодого коллеги, Арсеньев полностью согласился с ним: ни в коем случае нельзя идти на поводу у тех, кто хочет затеять политический процесс, ибо это повредит интересам подсудимого и приведет к признанию его виновным в более тяжком преступлении, что, само собой, повлечет назначение и более сурового наказания. Сам же Гончаров, словно позабыв о данных в момент ареста показаниях, тоже начал настаивать на политическом аспекте деяния. Давление на Утина было сильнейшим, но он все же держался на суде той линии защиты, которую считал наиболее правильной для соблюдения интересов своего клиента. Он искренне не понимал, почему жена подсудимого и ее друг пытаются сделать все, чтобы несчастного Гончарова приговорили к каторжным работам на много лет. И недоумением своим адвокат поделился с несколькими знакомыми. Ходили даже слухи о том, что Прасковья Гончарова «преследовала в плане защиты свои личные виды», желая избавиться от опостылевшего мужа, и имя ее нового любовника тоже мелькало в сплетнях: Александр Жохов. Правда это или нет — достоверно никто не знал, но нельзя было не признать, что основания для подобных домыслов все же существовали.

В самом скором времени до Жохова дошли разговоры о том, что Евгений Утин высказывается о нем неодобрительно. Жохов счел себя оскорбленным и вызвал Утина на дуэль. Секунданты с обеих сторон предпринимали титанические усилия к тому, чтобы дуэль не состоялась, но потерпели полное фиаско. В назначенный день, в мае 1872 года, дуэлянты сошлись, и Александр Жохов был смертельно ранен. Против Евгения Утина возбудили судебное преследование — дуэли запрещены. Защитником Утина на суде выступил Владимир Данилович Спасович, старавшийся убедить присяжных в том, что его подзащитный не имел никакого другого выхода, кроме как принять вызов и выйти к барьеру, а вот основания для вызвавшего его Жохова считать себя оскорбленным выглядят более чем сомнительно. В зале судебного заседания, состоявшегося спустя три месяца после трагедии, Прасковья Гончарова попыталась застрелить Утина, которого считала виновником всех своих несчастий, но была остановлена, после чего, не выдержав позора, покончила с собой. Признанный виновным Утин отсидел шесть месяцев в тюрьме и вернулся к адвокатской практике. Его снова пытались застрелить, на этот раз Александра Лаврова, младшая сестра Прасковьи, неудачно — она промахнулась, и снова за этим последовало самоубийство. В одной газетной статье было описано надгробие на могиле сестер: «Памятник — просто камень, заказанный псковским помещиком Семеном Егоровичем Лавровым для общей могилы погибших от самоубийства дочерей его: Прасковьи Семеновны Гончаровой, не перенесшей смерти любимого ею Жохова, и Александры Семеновны Лавровой, лишившей себя жизни вслед за неудавшейся попыткой отомстить господину Утину за смерть любимой сестры». Выходит, разговоры о романе Гончаровой и Жохова были не совсем уж пустыми...

Такое обычное начало — и такой страшный финал... Как разобраться, кто виноват? Разве можно взять на себя смелость судить? А вот у Игнатия, похоже, смелости достанет.

С противоположной стороны сада, от ворот, донеслись звуки подъехавшей коляски: вернулся Николай. Действительно, старший племянник вскоре появился в беседке, невольно прервав оживленный разговор.

— Как спектакль? — спросил Игнатий. — Доволен? Что давали?

Николай поморщился.

— Премьера «Снегурочки», текст Островского, музыка Чайковского. Бенефис Живокини. Музыка прелестная, спору нет, но исполнение ниже всякой критики. Впрочем, бенефициант был вполне хорош, и женские партии удались, а вот мужские весьма дурны оказались. Додонов был явно не в голосе, а Музиль — так просто ужасен, кажется, он и вовсе петь не умеет.

— Я слышал, спектакль длинный, часов пять идет, неужели уже закончился? — спросил кто-то из присутствующих.

— Мы уехали после третьего акта, — ответил Николай Раевский. — Музыка, бесспорно, хороша, но все остальное невыносимо скучно. Впрочем, не стану попусту злословить, завтра вы все прочтете в газетах, я видел в зале множество критиков, а они уж своего не упустят. У вас такой оживленный спор шел, пока я вас не прервал. О чем?

Мгновенно наступила тишина. Гнедич подумал, что, вероятно, собравшиеся здесь молодые люди не знают, как разумнее повести себя в присутствии прокурора. Двое гостей из числа тех, что сидели на лавках, вскочили, чтобы уступить место Николаю Владимировичу Раевскому.

Однако пауза длилась всего несколько секунд. Ее прервал мягкий звучный голос Игнатия, неторопливо и без малейшего смущения проговорившего:

— Мы пытаемся выяснить, кто более виноват в деле Утина и Жохова. Есть мнение, что виноват Александр Жохов, поскольку ошибся в выборе адвоката. Но есть и мнение, что виноват адвокат Утин, потому что должен был следовать той линии защиты, какую выбрал сам подсудимый Гончаров. Если б

Утина назначили на это дело, тогда он волен вести защиту, как ему вздумается. А уж коль его пригласили, то он обязан был придерживаться линии защиты, угодной его клиенту. Есть и третья точка зрения: виноват тот, кто передал Жохову, что Утин неблагоприятно отзывается о нем, с чего и началась вся эта дуэльная история. Хотелось бы услышать и твое просвещенное мнение как прокурорского, мы ведь судим как простые обыватели, сегодня среди нас всего два юриста, да и то один из них — студент. А дядюшка наш, как тебе известно, в спорах участия не принимает никогда, хотя с интересом слушает наши словопрения. Да ты присядь, Николай, чаю вот выпей, пока самовар горячий, пирогов поешь.

— Кто более виноват, — медленно повторил вслед за братом Николай, и голос его показался Павлу Николаевичу странно напряженным. — Прошу меня простить, господа, но я не готов нынче к подобной дискуссии. Однако мнение свое выскажу, хоть и коротко. Корень зла — в жене Гончарова. Это она, а не кто-то другой, ввергла несчастного молодого мужа в меланхолию и подавленность, чем вынудила его искать возможности обратить на себя ее внимание. И это именно она обратилась за помощью в приискании адвоката к господину Жохову. Ежели б не было этих двух событий, то и трагедии не случилось бы. Засим прошу прощения и позволения откланяться.

В беседке царило молчание до тех пор, пока прокурор Раевский не скрылся в доме.

— Обратите внимание, что товарищ прокурора высказался почти теми же словами, что и Карабчевский, — заметил кто-то.

— Признавайся, Карабчевский, — послышался другой голос, веселый и звонкий, — ты водишь тайную дружбу с господином графом Раевским? Не зря же у вас даже мысли общие!

Раздался дружный смех, атмосфера постепенно разряжалась, и Павел Николаевич Гнедич только теперь в полной мере ощутил то напряжение, которое сковало всех, едва появился Николай. И дело тут было не в том, что он служит по Министерству юстиции. Друзья Игнатия не боялись товарища прокурора и не смущались его присутствием, нынешняя молодежь такова, что смутить ее невозможно, авторитеты ниспровергаются каждую минуту, и каждую минуту возводятся на пьедестал новые кумиры, а разговоры о необходимости разрушить старый мир, на обломках которого непременно и немедленно возникнет мир новый, справедливый и правильно устроенный, населенный нравственно обновленными людьми, велись в среде интеллигенции повсеместно и стали уже обычными.

Дело было в самом Николае. В его настроении. В его мыслях. Он снова встал на порочный путь горечи и обиды в отношении бросившей его жены, он снова думает о ней, насыщая свои тяжкие воспоминания словами «измена», «предательство», «подлость». Николай, как и его отец, Владимир Раевский, обладал странной способностью заражать окружающих своим настроением, они оба словно излучали плотными волнами свое внутреннее состояние, и волны эти накрывали с головой всех, кто был рядом. Если не было умения выплыть, оставалось только тонуть. Единственным человеком, который умел не поддаваться этой стихии и ловко выплывать, был брат Николая, Игнатий. Сам же Павел Николаевич настроению племянника поддавался всегда и очень болезненно переживал, если настроение это оказывалось дурным и тяжелым. После этого князь долго чувствовал себя разбитым и подавленным.

* * *

С недавних пор Павел Николаевич начал мучиться бессонницей. Игнатий советовал ему принимать капли и какие-то травяные настои, но они почти совсем не помогали. Гнедичу удавалось заснуть между часом и двумя часами ночи, а около четырех он уже просыпался и больше не смыкал глаз. А порой и совсем не выходило поспать хотя бы два часа.

После разъезда гостей прошло изрядно времени, Павел Николаевич сидел в своей комнате с книгой Даниэля Неттельблатта о начальных основаниях естественной юриспруденции. Книга была старой, изданной сто лет тому назад, еще в восемнадцатом веке, написана тяжело и скучно, и читать ее Гнедич мог только в ночной тишине в надежде успокоить мысли и приманить сонливость. Игнатий давно уснул, а вот из покоев Николая доносились звуки, издаваемые домашними туфлями. Сперва шаги слышались только в комнате, затем на лестнице, ведущей вниз. Павел Николаевич тяжело вздохнул, закрыл книгу, запахнул халат, завязав его кушаком с длинными кистями, взял керосиновую лампу и тоже спустился. Племянника он нашел в буфетной: Николай наливал из штофа в рюмку горькую настойку.

— А-а, дядя... — усмехнулся Раевский, обернувшись. — Выпьете со мной?

— Воздержусь. Что случилось, Николай? Ты из театра вернулся сам не свой. И снова мысли дурные тебя одолевают, я же вижу.

Племянник в один глоток опустошил рюмку, штоф поставил в буфет.

— Я расскажу, — кивнул он. — Вот только напившись и хватит смелости рассказать вам. Завтра, верно, уж пожалею о своей откровенности, но сегодня — не могу, не сумею промолчать. Только пойдемте наверх, сделайте одолжение, мне в своей комнате говорить как-то проще... Легче...

Они поднялись наверх. Первое, что бросилось в глаза Павлу Николаевичу, был разложенный на кресле парадный мундир воспитанника Императорского училища правоведения, темно-зеленый со светло-зеленым суконным воротником и обшлагами, на воротнике черная выпушка и золотая петлица — свидетельство того, что мундир принадлежит воспитаннику окончательного курса. Зачем Николай достал его? Почему разложил на кресле? Неужели тоскует по тем прекрасным беззаботным временам, когда еще казалось, что жизнь впереди будет полна только радости и успехов, а самые горькие горести миновали вместе с неудачами на репетициях и испытаниях?

Перехватив настороженный взгляд дяди, Николай поспешно схватил мундир и бросил его на стоящий в углу сундук. Сделав вид, что ничего не заметил, Гнедич степенно расположился в кресле и участливо посмотрел на племянника.

— Так что же случилось, Николенька? — спросил он мягко.

— Помните, я был... был в отношениях с барышней из Тифлиса?

— Конечно, помню, — кивнул Гнедич. — Княжна из какого-то знатного рода, кажется, Орбелиани. Я не путаю? Но ты давно не говорил о ней, а я не счел себя вправе расспрашивать. Вы расстались?

Павел Николаевич радовался, когда примерно с год тому назад Николай с воодушевлением рассказывал, как познакомился совершенно случайно, на бульваре, с очаровательной девушкой из обедневшей ветви князей Орбелиани — настоящих тавади. Анна училась в Смольном институте и после выпуска вынуждена была сама зарабатывать себе на жизнь, выдержала экзамен в университете для получения диплома домашней учительницы и теперь искала место. Довольно быстро завязался страстный роман, Раевский нанял для Анны квартиру в доме Эппельбаума, при этом девушка попросила, чтобы Николай представился владельцу дома в качестве ее брата: она не хотела ставить под сомнение свою репутацию, ведь любовник будет часто навещать ее. Не увидев в такой просьбе ничего предосудительного, Раевский, разумеется, согласился.

Поначалу пара была совершенно счастлива, затем со стороны Анны последовали намеки на бракосочетание. Раевский честно ответил, что уже состоит в браке, брак этот официально не расторгнут, и он совершенно не готов сейчас этим заниматься. Он хочет свободы и не желает обязательств. Но пока они вместе, он готов быть для Анны опорой.

В скором времени Анна Орбелиани заболела чахоткой, доктор выразил крайнюю озабоченность обильным кровохарканьем, Николай встревожился, начал ежедневно навещать возлюбленную, приносил ей фрукты и сласти, сидел возле ее постели и держал за руку. В один из таких визитов, когда приступ болезни был особенно сильным, Николай, оставшись в квартире Анны на ночь и задремав в кресле, оказался разбужен звуками открывающейся двери: пришел сам домовладелец, Антон Эппельбаум, открыв дверь своим ключом. Увидев «брата» постоялицы, он разразился слезами, отчаянно сетовал на тяжкую болезнь, поразившую его любимую, и просил дать благословение на брак.

Изумлению Раевского не было предела. Через несколько минут разговора такое же изумление, только смешанное с гневом, обрушилось и на домовладельца. Мужчины, перейдя из спальни Анны в гостиную, продолжили разговор довольно громко, чем разбудили спавшую в передней кухарку. Та, услышав несколько реплик, быстро сообразила, о чем идет речь, и решила, по-видимому, открыть любовникам-соперникам глаза на их пассию. Тут и выяснилось, что Анна регулярно посылала прислугу в лавку за бычьей кровью, чтобы с ее помощью изображать «кровотечение из легких».

Оглушенный открывшими обстоятельствами, Николай Раевский покинул дом Эппельбаума, чтобы никогда более туда не возвращаться.

— Я думал, вы просто расстались, по обоюдному согласию, — покачал головой Павел Николаевич. — Признаюсь, не заметил тогда, что тебе было как-то особенно тяжело. Ты ничего не рассказывал, и вскоре у тебя появилась другая дама сердца...

— Ах, дядя, в тот момент мне было не до переживаний — много хлопот по службе. Да и рад я был, положа руку на сердце. Даже облегчение испытал, когда все так повернулось. Жениться я не собирался, а свежесть чувств уже была утрачена. Только ее болезнь меня и удерживала, я ведь пообещал, что буду ей опорой, пока мы вместе. А уж когда выяснилось, что болезнь искусственная, так я мигом все прекратил. Вам же ничего не рассказывал, чтобы не выглядеть в ваших глазах смешным и жалким. Мало того, что жена бросила и с любовником укатила, так еще и это...

— Но почему сейчас это тебя так расстраивает? Ведь много месяцев прошло, — заметил Гнедич. — Что случилось в последние дни, из-за чего ты так переживаешь?

Николай долго молча стоял у окна, отвернувшись от Павла Николаевича и ссутулив плечи.

— Мне принесли документы на изучение. Анна застрелила Эппельбаума, — наконец глухо произнес он.

— Боже мой! Это достоверно известно? Не может быть ошибки?

— Никакой ошибки. Все точно. Следствие проведено по всем правилам, и дело готово для передачи в суд. Более того, вскрылись и другие ужасные подробности. Анна лгала всем и всегда, она обманывала не только меня, но и Эппельбаума, а возможно, и многих других. Она — дочь мелкого чиновника из Астрахани, никакого отношения к роду Орбелиани не имеющая. Ее настоящая фамилия — Рыбакова. В Смольном институте она не училась, экзамена на звание домашней учительницы не держала. Паспорт ее действительно выдан в Тифлисе, и там записано право проживать в любом городе Российской империи, это, пожалуй, единственное, что есть правдивого в этой лживой женщине. В Москву она приехала уже в тягости, родила девочку и отдала ее в приют. Вскоре после этого познакомилась со мной. Несчастный Эппельбаум настолько подпал под влияние ее чар, что не оставил ее даже после той ночи, когда мы с ним объяснились. Правда, у него хватало ума не венчаться с ней, но и расстаться с Анной он сил в себе не находил. А ей непременно хотелось венчания и официального замужества, и она всеми силами вымогала у Антона принять такое решение. То, что она предприняла во имя достижения своей цели, не поддается никакому разумному объяснению.

Николай снова умолк и уставился в темноту за окном. Гнедич терпеливо ждал продолжения.

— Она, видите ли, дядя Поль, взяла себе в рассуждение, что если человека невозможно склонить к чему-то страстью, то возможно сделать это при помощи жалости и сочувствия. В первый раз, когда Анна симулировала чахотку, у нее ничего не получилось. Но она не оставила попыток. Однако теперь она задумала поистине немыслимое. Анна посетила приют, куда отдала дочь, убедилась, что ребенок здоров, после чего отправилась в больницу, где содержатся приютские дети, и выспросила у сестер милосердия, кто из младенцев женского пола совсем плох и дольше двух-трех недель не протянет. Ей указали на смертельно больную девочку подходящего возраста, Анне не стоило большого труда договориться, чтобы ребенка отдали ей. Эппельбауму же она призналась, что еще до знакомства с ним, в Тифлисе, была влюблена в какого-то князя, скоропостижно скончавшегося, и ей, чтобы избежать позора и осуждения тифлисского общества, пришлось уехать в Москву, нося в своем чреве плод тайной любви. Ребенка Анна родила уже в Москве и оставила в приюте. Девочку она якобы постоянно навещала, а теперь, когда выяснилось, что малышка неизлечимо больна и дни ее сочтены, она хотела бы, чтобы остаток своей несчастной жизни ребенок провел рядом с матерью, в любви и заботе. Эппельбаум, добрая душа, поверил в эти сказки и согласился. Таким образом, совершенно чужой, смертельно больной ребенок появился в доме Эппельбаума под видом ребенка Анны. Через две недели малышка умерла, как и предсказывали врачи. Но за эти две недели Анна сумела обмануть еще кого-то, кто помог ей достать из приюта подлинные документы ее дочери.

— Зачем? — удивился Павел Николаевич. — То, что ты рассказываешь, и в самом деле отвратительно, но я не понимаю, какой расчет за этим может стоять. Пока что все выглядит просто как набор чрезвычайно необдуманных, каких-то даже истерических поступков. Да вполне ли здорова эта девица?

— Вполне, — горько усмехнулся Николай. — Эппельбаум принял деятельное участие в похоронах малышки и оплакивал ее вместе с Анной. Разве мог он покинуть женщину, только что потерявшую единственного ребенка, который умер у нее на руках? Общее горе сближает. По крайней мере, так рассуждала моя бывшая любовница Анна Рыбакова, похоронив чужого ребенка под именем собственной дочери.

— И что же было дальше?

— Эппельбаум все равно не собирался жениться на Анне, хотя и очень жалел ее. А тут объявился его родственник, поставивший Антону в вину, что тот проматывает состояние своих сестер на непотребную женщину. Родственник уговаривал Антона уехать с ним, и Антон согласился. Когда Анна об этом узнала, то застрелила Эппельбаума. Ее отдают под суд. Слава богу, что моего имени никто не назвал. Подумать только! Я был совсем рядом со всей этой низостью, с этой гадостью и ничего не заметил! Боже, как я был слеп и глуп! Но даже не это меня приводит в такое отчаяние... Дядя Поль, я чувствую себя грязным, замаранным.

— Игнатий знает? — спросил Павел Николаевич.

Николай угрюмо кивнул.

— Я вчера еще сказал ему. Вы же знаете, как мы близки. У меня от брата никогда тайн не было.

— И что же? Утешил он тебя? Успокоил?

— Ах, если бы... Это его неискоренимое стремление во всем докопаться до первопричины и непременно найти виноватого... Теперь жалею, что поделился с ним. Только хуже сам себе сделал. Игнатий считает, что я должен забрать несчастную малышку, дочь Анны, из приюта и взять ее на воспитание.

— Вот даже как? — удивился Гнедич.

Впрочем, удивление его было скорее наигранным. Хорошо зная младшего племянника и представляя путь его мысли, он уже и ожидал чего-то подобного. У Игнатия Раевского мышление истинно медицинское, он сперва ищет первопричину, а затем только принимается лечить симптомы. Именно такое мышление и пытается внедрить в умы юристов Владимир Данилович Спасович, однако пока еще безрезультатно: в судах более склонны оценивать именно последствия, то есть симптомы, и не вникать в первопричины.

— Да, так, — продолжал между тем Николай. — Мой брат считает, что если бы я, следуя сердечному порыву, женился на Анне в тот момент, когда был отчаянно увлечен ею, то ничего этого не случилось бы. Она призналась бы, что имеет младенца, отданного в приют, мы забрали бы его, и малышка росла бы рядом с матерью, а я постарался бы стать ей хорошим отцом. Катенька была бы ей старшей сестрой. Когда я возразил, что никак не мог жениться, потому что мой брак не расторгнут, Игнатий выдвинул мне в ответ, что и в этом моя вина тоже, ибо следовало все делать своевременно, еще в Калуге, когда измены моей жены стали явными и можно было легко добиться согласия консистории и получить развод. Одним словом, дядя Поль, я один кругом виноват. И теперь для искупления своей вины я должен взять ребенка к себе и воспитать его. Так считает мой правильный, идеальный во всем младший брат.

— А сам-то ты как считаешь? К чему склоняешься?

Вопрос был праздным. Павел Николаевич понимал, что стремящийся ни в чем не уступить младшему брату, старший будет изо всех сил утверждать свое первенство, как умственное, так и духовное, нравственное. А уж если нельзя стать выше, то хотя бы не оказаться ниже. Николаю уже двадцать восемь лет, а в отношениях с Игнатием он ведет себя по-прежнему как ребенок.

— Я и сам подумал об этом, — ответил Николай, отведя взгляд. — Но не смел говорить вам, потому что это все-таки ваш дом, и вряд ли вам понравится присутствие еще одного младенца...

Ну, разумеется, он уже «сам» подумал. Разве можно признаться, что ему это и в голову не приходило, пока Игнатий не сказал. Теперь Николай, не желающий брать ребенка на воспитание, попытается укрыться за мнением любимого дядюшки Поля, очевидно, не одобрившего бы появления в родовом гнезде Гнедичей незаконнорожденной девочки неизвестного происхождения: ведь невозможно выяснить, кто ее отец, это знает только Анна, а Анна — прирожденная лгунья, и верить ее словам нельзя. Ах, как хотел бы Николай Раевский сейчас услышать от Павла Николаевича нечто подобное! Это позволило бы ему не пойти вслед за мнением брата и при этом сохранить лицо.

Павел Николаевич очень любил своих племянников. Но не мог не согласиться с правотой Игнатия. И облегчать жизнь Николаю неискренней поддержкой не собирался.

— Я буду рад, если в доме появится еще один ребенок, — улыбнулся Гнедич. — Ее происхождение меня вовсе не беспокоит. И дети совсем не мешают, мы их почти не видим.

Внезапно Николай просветлел лицом и будто бы даже оживился.

— Девочку можно отправить в Вершинское, да и Катеньку вместе с ней, к матушке и отцу, они будут рады внучкам. Пусть растут в деревне, а когда подойдет возраст — перевезем их снова в Москву и отдадим в хороший пансион.

— Нет. — Гнедич отрицательно покачал головой. — Твоя матушка очень нездорова, Николай, и у нее много забот с твоими сестрами, старшая только недавно вышла замуж, младших нужно выдавать. Если ты хороший сын, ты ее побережешь.

— Да ведь детьми все равно занимаются няньки-мамки! Матушке и делать ничего не придется, утром только поцеловать да вечером, перед сном.

— Как ты можешь так говорить! — возмутился Павел Николаевич. — Разве ты забыл, как твои родители растили детей? Да, в нашем обществе не принято проводить с детьми много времени, это правда, но моя сестра и ее муж никогда не следовали этому образу жизни, они уделяли вам с Игнатием и девочкам много внимания, ласки и заботы. И к внучкам Варвара Николаевна не станет относиться по-иному. Пощади ее. Игнатий был в Вершинском недавно, ты ведь не можешь не помнить, что он сказал по возвращении: твоей матери не так много осталось прожить, удар может сразить ее в любую минуту. Так не приближай же эту минуту.

Он помолчал немного и продолжил совсем иным тоном:

— Послушай меня, Николай. Я вижу твое нежелание брать дочь Анны на воспитание. Вижу и понимаю твои чувства. Но представь на мгновение, что пройдет время, и тебе положат на стол документы о страшном преступлении, коснувшемся этого ребенка. Если так произойдет, ты никогда не простишь себе, что не сделал того, что мог, дабы уберечь девочку от столь ужасной судьбы. Не сделал, когда у тебя была такая возможность. Ты порядочный человек и обязательно начнешь мучиться угрызениями совести и чувством вины, которые могут отравить тебе все будущие годы твоей жизни. Ты никогда уже не сможешь быть по-настоящему счастливым. И если ты отвезешь детей в Вершинское и тем самым невольно приблизишь кончину матери, угрызений совести тебе тоже не избежать. Игнатий дал тебе хороший совет. Последуй ему.

— Значит, вы с ним согласны?

— Согласен. Правда, по другой причине. Игнатий дал тебе тот совет, который продиктован его нравственными началами. Он молод, идеалистичен в известной мере и вооружен представлениями о справедливом мироустройстве. Я стар, Николай, мне уже пятьдесят три, и идеализма во мне вовсе нет, равно как и мыслей о всеобщей справедливости. Но я слишком хорошо знаю, что такое жить с огромной тяжестью на душе и с осознанием своей вины. Не доводи себя до этого. Возьми ребенка и вырасти его здесь, в нашем доме.

— Но я не смогу ее полюбить... — удрученно пробормотал Николай, осознав, что поддержки от дяди ему не дождаться.

— А разве Катеньку ты любишь? Ты растишь ее именно так, как и сказал: утром и вечером скудный быстрый поцелуй, в остальном ею занимается нянька. Ей уже четыре года, я хотя бы учу ее читать по-русски и говорить по-немецки, а ты и вовсе к ней не подходишь. Пойми меня правильно, я не призываю тебя уделять дочери больше времени или любить ее сильнее. Ты любишь так, как умеешь.

И пусть воспитаннице ты не сможешь дать даже и такой любви, но ты дашь ей тепло, еду, здоровье и образование, ты дашь ей возможность вырасти не в приюте, а рядом со старшей сестрой и среди опекающих ее взрослых людей. Ты дашь ей семью.

Сон так и не пришел к Павлу Николаевичу той ночью. Зато пришла сырая гулкая зловонная мгла, во мраке которой простой вопрос Игнатия «Кто виноват?» отзывался неумолчным эхом:

— Ты виноват! Ты! Ты! Ты...

1878 год, ноябрь

> Вопрос о хороших и дурных людях бесконечен.
>
> *Из защитительной речи*
> *С.А. Андреевского на судебном*
> *процессе по делу Мироновича*

Вот уже четвертый год профессор Гнедич вел занятия в организованном им кружке для студентов юридического факультета, собиравшихся заниматься в будущем адвокатской деятельностью. Поначалу желающих посещать занятия было много, но очень скоро значительная часть молодых людей отсеялась, сочтя, по-видимому, что пользы от этого для их карьеры никакой нет: Павел Николаевич не рассказывал о всевозможных хитростях и уловках, позволяющих изящно обойти существующие законы, а занимался глубоким разбором уже состоявшихся судебных заседаний, заставлял читать стенограммы и анализировать каждое произнесенное во время процесса слово. Хуже того, предлагал студентам самим написать альтернативные варианты речей прокурора и защитника. Занятия в кружке требовали изрядной домашней подготовки, и понятно, что многим студентам такое оказалось не по вкусу.

К сегодняшнему заседанию кружка следовало ознакомиться со стенограммой судебного заседания, в котором слушалось дело Веры Засулич, стрелявшей в градоначальника Трепова за то, что он позволил себе дать указание высечь розгами заключенного Боголюбова. С самим Боголюбовым подсудимая знакома не была, но факт унизительного, оскорбительного и абсолютно незаконного наказания тревожил ее душу, как тревожило и отсутствие реакции общества на эту вопиющую несправедливость. Трепову, по слухам — внебрачному сыну германского императора, многое сходило с рук, сошло бы и это, если бы не вмешалась молодая женщина по имени Вера Засулич.

На занятия явились только трое студентов, но Павел Николаевич был доволен и предвкушал яркую дискуссию: все трое держались обычно разных точек зрения и яростно отстаивали их, прибегая к весьма занятным и порой неожиданным аргументам. Этих троих студентов профессор Гнедич любил и выделял особо, они всегда приходили на заседания кружка хорошо подготовленными и относились к своей будущей профессии очень серьезно.

Все получилось, как Гнедич и ожидал: Веселаго, с мрачными сверкающими глазами под насупленными густыми бровями, считал оправдание Веры Засулич заслуженным торжеством революционной идеологии. Глядя на него, Гнедич всегда с трудом сдерживал улыбку — настолько облик этого горячего молодого человека совпадал с расхожим образом революционера-разночинца.

Студент Первозванский, сын священника, крепкий, основательно-спокойный, чем-то очень напоминавший Гнедичу его племянника Игнатия, считал, что оправдательный вердикт несправедлив, потому что Засулич же действительно стреляла и не отрицает этого, а людей убивать нельзя. В своем выступлении в качестве аргумента он ссылался на позицию известного публициста Каткова, который к этому времени разочаровался в суде присяжных и перешел в лагерь его противников.

Третий студент, Жулевич, взрывной и эмоциональный, в основном поддерживал Веселаго, однако главным нападкам подверг именно Каткова за изменение позиции, называя его предателем и ренегатом, который примазывается к позиции власти, чтобы обезопасить себя.

Павел Николаевич, как обычно, старался не навязывать собственную позицию и только руководил обсуждением и пытался приводить аргументы, которые заставят студентов мыслить не так узко и категорично.

— Господину Каткову всегда нравились оправдательные приговоры! Почему же сейчас он переменил свои взгляды? — бушевал Жулевич. — Не буду голословным, сошлюсь на его статьи, вот у меня и конспект написан специально. Десять лет назад в своих обзорах по делу Улицкой, по делу Бильбасова и в ряде других он пишет, что внутренняя логика оправдательных приговоров не вызывает нареканий. Это дословная цитата. А в нынешнем году тот же господин называет оправдательный приговор по делу Веры Засулич скандалом и первоапрельской шуткой. А все исключительно оттого, что нашему правительству оправдательные приговоры не нравятся, как не нравятся и гражданские права и свободы! А господин Катков и рад стараться, правительству прислуживать.

Именно для того Павел Николаевич Гнедич и организовал свой кружок, вспомнив о данном когда-то совете Владимира Даниловича Спасовича, чтобы не закрепилась в умах будущих юристов дурная привычка вырывать фразу или даже слово из контекста и оборачивать в выгодную для себя сторону. Прием, конечно, эффектный и даже часто бывает эффективным в осуществлении защиты, но лишь при условии невнимательности суда и лености обвинителя, в противном же случае применивший данный прием адвокат рискует и дело провалить, и репутацию себе испортить. Попытки поступать подобным образом следовало, по мнению профессора Гнедича, пресекать уже в студенчестве.

— Позволю себе напомнить всем собравшимся, — заговорил Павел Николаевич, жестом остановив разошедшегося Жулевича, — что позиция господина Каткова менялась постепенно и вовсе не в связи с его приверженностью властям. Если уж зашла речь об обращении к первоисточникам для прояснения взглядов господина Каткова, то замечу, что четыре года назад он, вслед за нашими известными юристами и общественными деятелями — господами Кони и Головачевым, — критиковал работу комиссий по составлению списков присяжных и отмечал, что это важное дело исполняется крайне небрежно, что приводит к ухудшению состава присяжных. Земские комиссии выполняют свою задачу формально и неаккуратно, не соблюдают установленные сроки, не оповещают вовремя местных жителей, дабы дать им возможность своевременно ознакомиться со списком кандидатов. Иными словами, воплощение закона в жизнь, а именно то, что мы называем практикой правоприменения, дало основания сомневаться в эффективности самого закона, а вовсе не страх перед властями и не желание угодить правительству. А годом ранее господин Катков весьма убедительно писал о неравенстве сил обвинения и защиты в суде присяжных, вполне справедливо отмечая, что сторона защиты лучше владеет словом и искуснее группирует факты. Кто из вас помнит его статью «Значение предварительного следствия для правильного судебного решения»? И в том же году им написана и опубликована статья «Возмутительное оправдание матереубийцы Трофима Иванова», из которой мы ясно можем видеть нарастающее разочарование автора и крепнущее его убеждение в том, что суд присяжных в очень многих случаях выносил слишком мягкие вердикты, не соответствующие тяжести совершенных преступлений. Как можно понять, для перемены точки зрения у господина Каткова основания были более чем веские, и я не взял бы на себя смелость утверждать, что изменение это вызвано одним лишь стремлением угодить высшим чиновникам и в первую очередь министрам юстиции и внутренних дел.

— Ничего подобного, — резко возразил Жулевич, — Катков — ренегат и предатель идеалов истинной демократии! С самого начала он много говорил об общественной силе суда присяжных и ее влиянии на народную жизнь. На народную, я подчеркиваю эти слова. А теперь что он пишет? Что присяжные заседатели из крестьян и из низших рабочих сословий должны быть исключением, так как основная часть их безграмотна, законов не знает и вообще мало что понимает в доводах обвинения и защиты. Эти слова принижают народ, низводят его до уровня тупого скота. Разве такая позиция может вызывать уважение? Господин Катков — апологет дворянства! На это и господин Кони указывает, когда пишет, что, в отличие от дворянского и купеческого сословия, крестьяне выполняют свой гражданский долг в суде добросовестно!

Обычно мрачное лицо Веселаго искривилось в зловещей ухмылке.

— Господин Кони? Ты, Жулевич, на Кони ссылаешься? Да председатель суда Кони назвал оправдание Веры Засулич роковым для суда присяжных, он был в ужасе от вердикта! От этого справедливейшего и потому неизбежного вердикта! Господин Кони никак не может быть авторитетом в данном вопросе.

— А я понимаю чувства Анатолия Федоровича Кони, — негромким, но очень твердым голосом вмешался Первозванский, — ведь Засулич судили за покушение на убийство, в котором не было никаких сомнений. И ее признание было, и свидетели. Не понимаю, как можно было при таких неопровержимых доказательствах вынести оправдательный вердикт? Если подсудимый виновен — он должен понести наказание.

Темные глаза Веселаго метали громы и молнии.

— Да как же ты можешь так говорить, Первозванский? Ведь весь судебный процесс по делу Засулич доказал, что генерал Трепов получил по заслугам! Он сам виноват в том, что произошло! Оправдание было совершенно справедливым.

— Позволю себе вмешаться, господа, — снова заговорил Гнедич. — То деяние Трепова, которое так возмутило Веру Засулич, было глубоко безнравственным, ибо применять насилие к арестованным есть не что иное, как глумление над человечностью, попрание принципов гуманности. Вы считаете, что Засулич имела право на месть или хотя бы на воздание должного генералу Трепову. А теперь подумайте, не является ли оправдание Засулич на самом деле не более чем обвинением Трепова? Ведь не Трепов был подсудимым в том заседании, и не его поступок рассматривался присяжными, и не его вина оценивалась. Оправдав Засулич, присяжные словно бы заявили: «Генерал Трепов поступил плохо, недостойно, нарушил закон». А разве их об этом спрашивали? Разве просили их вынести суждение о применении насилия к арестованным? Нет и еще раз нет. Оправдательный вердикт по делу Засулич стал возможен в результате подмены объектов рассмотрения. Мы получили, как и в случае с процессом по делу о Морозовской стачке, процесс не над подсудимым, а над потерпевшим. Все думали о том, сколь дурно поступил генерал, и все забыли о том, что вершить самосуд в цивилизованном обществе недопустимо, и еще более недопустимо — покушаться на чужую жизнь. Именно поэтому председательствующий на процессе Анатолий Федорович Кони назвал сей вердикт роковым для суда присяжных. Юридическая общественность никак не пройдет мимо столь вопиющего случая нарушения принципов уголовного права и судопроизводства. Теперь на суд присяжных последуют все более резкие нападки, и нападки эти поставят под угрозу само существование данного института.

В глазах Первозванского и Жулевича профессор Гнедич увидел согласие и понимание. Но сбить с толку студента Веселаго оказалось не так-то просто. Он следовал порочному, но, увы, весьма распространенному правилу: если нельзя возразить по существу сказанного, то можно попробовать дискредитировать того, кто не разделяет твое мнение.

— Не понимаю, как господин Кони может хотя для кого-нибудь быть авторитетом после того, что он учинил в деле об убийстве жены Суворина. А Суворин ему сторицей за это отплатил, когда мачеха господина Кони попала под суд за покушение на убийство жены своего любовника. Замечательная история! Рука руку моет. Я уж не говорю о его нежной дружбе с Сувориным, этим образцом беспринципности в журналистике! Разве может правосознание у такого юриста быть развитым и нравственным? Нет, нет и нет!

— Рано радуешься, Веселаго! — заметил сын священника. — Гонишься за сиюминутным и не видишь перспективы. Твоя Засулич заколотила первый гвоздь в крышку гроба, в котором похоронят весь суд присяжных. Точно так же, как оправдание Пыпина и Жуковского похоронило зачатки гласности в «цензурных» делах.

Профессор слушал участников дискуссии и думал о том, как свойственно молодости думать лишь о событиях и не вспоминать о том, что за каждым событием стоят люди, живые люди со своими страстями, переживаниями, воспоминаниями и надеждами, привычками и вкусами, с любовью или ненавистью к родным и близким. Ах, если бы знали эти задорные, полные сил, готовые отрицать все на свете мальчики, сколько судеб сломалось вокруг дела Веры Засулич! Министр юстиции граф Пален и прокурор Петербургской судебной палаты Лопухин, предвидя вероятность вынесения оправдательного вердикта, стремились поставить на этот судебный процесс самого опытного и сильного обвинителя. Их выбор пал на Жуковского и Андреевского. Сергей Аркадьевич Андреевский, тридцатилетний товарищ прокурора, подававший большие надежды, за три года окончивший курс юридического факультета Харьковского университета, замеченный служившим тогда в Харькове Анатолием Федоровичем Кони и поддерживаемый им на протяжении всех лет службы, считался в Петербургской судебной палате одним из лучших обвинителей. Владимир Иванович Жуковский был старше и опытнее, ему пошел уже пятый десяток, и он по праву считался одним из самых блестящих судебных ораторов Петербурга. Первым предложение выступить обвинителем по делу Веры Засулич получил от прокурора Лопухина именно он и ответил отказом, после чего прокурор велел пригласить к себе Сергея Аркадьевича. «Только ваша искренность сможет убедить присяжных!» — заявил Лопухин. Но и Андреевский отказался представлять обвинение, выразив твердое убеждение в том, что вердикт будет, несомненно, оправдательным. Дело было в итоге поручено товарищу прокурора Кесселю, который с поставленной задачей не справился.

И Жуковский, и Андреевский присутствовали в зале суда во время слушания дела. И после оглашения вердикта Владимир Иванович со вздохом сказал своему молодому коллеге: «Ну, брат, теперь нас с тобой со службы прогонят. Скажут, что, если бы не отказались и взялись за это дело, такого вердикта не случилось бы». И как в воду глядел: министр юстиции граф Пален не простил им отказа, Жуковского перевел товарищем прокурора в Пензу, а Андреевского и вовсе уволил от должности. Почти сразу вслед за Андреевским был уволен и товарищ прокурора Московской судебной палаты Николай Раевский, племянник профессора Гнедича, старший сын его родной сестры Варвары Раевской. Не знакомый лично ни с Жуковским, ни с Андреевским, пылкий горячий Николай бурно и нелицеприятно высказывался в адрес руководства Министерства юстиции и Петербургской палаты, защищая пониженных в должности и уволенных юристов и призывая все кары небесные на головы тех, кто учинил с ними несправедливую расправу, чем, естественно, вызвал гнев собственного начальства.

Председательствовавшему на суде Анатолию Федоровичу Кони перед началом процесса, в свою очередь, предлагали допустить ряд процессуальных нарушений, чтобы можно было отменить решение в кассационном порядке, если оно окажется «не таким», но Кони отказался.

— Я председательствую всего третий раз в жизни, ошибки возможны и, вероятно, будут, но делать их сознательно я не стану, считая это совершенно несогласным с достоинством судьи!

После вынесения оправдательного вердикта Анатолию Федоровичу предложили официально признать свои ошибки и уйти в отставку, на что Кони также ответил отказом, сказав, что именно сейчас и на его примере должен решиться раз и навсегда вопрос о несменяемости судей. Если он покажет, что его, юриста с огромным судейским опытом, безупречной репутацией, финансово независимого от жалованья, достаточно лишь слегка припугнуть немилостью, чтобы он отступился, «признав ошибки» и уйдя в отставку, то как же будут чувствовать себя другие судьи, понимая, что их положение куда более уязвимо?

И Кони немедленно оказался в опале. Как будет складываться его дальнейшая карьера — профессор Гнедич даже представить себе боялся... А уж если кому-нибудь придет в голову предъявить Анатолию Федоровичу те же обвинения, которые высказал только что студент Веселаго, то на репутации юриста можно будет поставить крест. Насколько эти обвинения справедливы, Павел Николаевич судить не решался, но понимал, что подоплека у двух упомянутых историй не очень-то красивая и вызывает вполне обоснованные подозрения.

История же такова: Алексей Сергеевич Суворин, известный журналист, автор блистательных ядовитых фельетонов, был знатным ценителем женских чар, который, по меткому определению Грибоедова, «жил сам и жить давал другим». Под «другими» подразумевалась супруга, Анна Ивановна, образованная красивая дама, много писавшая для детей и переводившая с немецкого и французского. Она родила Суворину пятерых детей, но также не отказывала себе и в романтических развлечениях. В сентябре 1873 года Анна Ивановна была застрелена в петербургской гостинице «Бель Вью» на Невском проспекте неким господином Комаровым, который тут же застрелился и сам. Картина вышла более чем скандальная, но Суворин уверял всех, что Комаров — друг их семьи и ужинать они должны были втроем, да вот дела задержали Алексея Сергеевича, и он не смог прибыть в гостиницу вовремя. Кто ж знал, что Комаров, оказывается, давно и тайно влюблен в Анну Ивановну и именно теперь, воспользовавшись отсутствием мужа, вознамерится признаться в своих чувствах, а получив решительный отпор, схватится за револьвер... Как-то сразу в тень ушли сведения о том, что жена Суворина и ее спутник зарегистрировались в гостинице как муж и жена ранним утром того дня (что не очень походило на приготовления к обычному дружескому ужину втроем), в то время как сама трагедия произошла уже поздним вечером. Все сочувствовали Суворину, пресса щадила его, светское общество дружно делало вид, что верит в легенду о внезапно потерявшем самообладание влюбленном друге семьи. Хотя все отлично знали, что на самом деле все было не так. Следствие по этому делу возглавил прокурор Санкт-Петербургского окружного суда Анатолий Федорович Кони, которому патронировал в то время сам министр юстиции граф Пален. Можно было (и многие так и делали) полагать, что министру юстиции не очень хотелось приобретать врага в лице талантливого и широко известного фельетониста, а вот заручиться его добрым отношением казалось вовсе не лишним. Одним словом, ничего выходящего за очерченные самим Сувориным рамки легенды в материалы следствия не попало, за что Алексей Сергеевич, разумеется, был глубоко благодарен Анатолию Федоровичу, который писал безутешному вдовцу добрые теплые письма, стараясь утешить его и смягчить чувство вины. К слову, сей «безутешный вдовец» вскоре после гибели супруги уничтожил все имевшиеся в семье ее портреты.

Прошло два года, и несчастье обрушилось теперь уже на семью Кони: мачеха молодого, подающего надежды юриста, гражданская жена его отца, уехавшая в Оренбург, чтобы поступить в театральную труппу, совершила покушение на жизнь супруги своего нового любовника — антрепренера этого театра, состоящего, к слову сказать, в законном браке. Не желая допустить воссоединения возлюбленного с женой, Настасья Васильевна Каирова уговорила любовника ехать в Петербург, а когда туда же следом за ними прибыла супруга антрепренера, Каирова пыталась бритвой перерезать горло ненавистной сопернице, застав любовника в постели с собственной женой. Обвинительный вердикт неотвратимо повлек бы за собой тяжкое наказание, и все вместе бросило бы несмываемое пятно и на прокурора Санкт-Петербургского окружного суда Анатолия Федоровича Кони, и на его отца, Федора Федоровича, — известного литератора, драматурга и театрального деятеля. Вот тут и появилась возможность для Алексея Сергеевича Суворина отплатить добром тому, кто когда-то отнесся с сочувствием к нему самому. Анатолию Федоровичу вполне по силам было разработать основную линию, которой в показаниях должна придерживаться его мачеха — ровесница самого Кони, а уж об остальном позаботился, по-видимому, сам Суворин: председательствовал в судебном заседании человек, вместе с которым за два месяца до этого Суворин купил «Новое время» (надо ли говорить, что и жену своего делового партнера Алексей Сергеевич к тому времени тоже соблазнил), обвинение представлял хорошо знакомый Суворину прокурор, защитником был приглашен давний приятель Суворина, адвокат Евгений Исаакович Утин, тот самый, который застрелил на дуэли Жохова и отбыл за это тюремный срок. Итогом тщательно срежиссированного спектакля «для своих» стало оправдание присяжными Каировой вследствие психической неуравновешенности подсудимой.

У Павла Николаевича Гнедича были некоторые сомнения по поводу дела Каировой, и он сам гневался на себя за эти сомнения и негодовал на свой цинизм, снова и снова упрекая самого себя в глубокой душевной испорченности, пока не прочел у Достоевского в регулярно публикуемом «Дневнике писателя» следующее: «... я просто рад, что Каирову отпустили, я не рад лишь тому, что ее оправдали. Я рад, что отпустили, хотя и не верю сумасшествию ни на грош, несмотря на мнения части экспертов: пусть уж это мое личное мнение, я оставляю его при себе». Отношение к писателю у профессора Гнедича было сложным, но уж в цинизме-то заподозрить Федора Михайловича никак не возможно, и князю стало легче. Если уж Достоевский, с его повышенной, обостренной чувствительностью к страданиям униженных и оскорбленных, не поверил в сумасшествие Каировой, то самый обычный, нравственно ничем не выдающийся юрист Павел Гнедич имеет право на свои сомнения.

Заключительная же точка в этой истории была, как и первая ее буква, поставлена страстью и темпераментом: Настасья Васильевна Каирова, мачеха Анатолия Федоровича Кони, столичного прокурора, стала очередной любовницей крупнейшего издателя Суворина. Правда, не надолго. Подолгу дамы в сердце фельетониста не задерживались...

Нет ничего однозначно дурного и однозначно хорошего, все многолико и многогранно. К такому убеждению князь Гнедич пришел давно и старался донести эту мысль до своих учеников. Но молодые студенты не понимают, да и не могут по малости жизненного опыта этого осознать, они, как и многие другие люди, стремятся создавать себе кумиров, идеальные фигуры, имеющие идеальную душу и изрекающие идеальные мысли. Тогда все поступки этих кумиров тоже можно расценивать как идеальные и делать примером для подражания. Все они хотят кому-то подражать, быть на кого-то похожими, на кого-то равняться. И негодуют, когда избранный ими кумир хотя бы на гран отклоняется от выдуманной и навязанной ему идеальной модели, и тут уж только два пути: или изо всех сил оправдывать его, попутно оскорбляя и уничтожая оппонентов, и закрывать глаза на отклонение, или же немедля смешивать недавнего кумира с грязью, низвергая его с пьедестала со всей юношеской жестокостью. Вот и студент юридического факультета Веселаго, отравленный представлениями о ничтожности и неважности чувств и идеями о необходимости жертвовать всем во имя революционных идеалов справедливости, без пяти минут кандидат, не прощает Анатолию Федоровичу Кони самой обычной и глубоко понятной человеческой сострадательности сначала к Суворину, не пожелавшему сделать в глазах света свою покойную жену грязной прелюбодейкой, потом к своей мачехе, глупой и эмоциональной сверх меры, неуравновешенной женщине, которая, однако ж, много лет составляла счастье его отца и родила в этом сожительстве двух дочерей. Можно ли упрекать Кони за это? Если и можно, то только не ему, Павлу Гнедичу, из слабости и сострадания к матери и сестре взявшему огромный грех на душу.

И снова подкатила гулкая холодная чернота, сырой зловонный мрак.

Павел Николаевич собрал все силы, довел семинар до конца, воротился в кабинет, достал из кармана полученное утром письмо и в который уже раз перечитал его: «...Мне сказали, что Вы недавно были в Карлсбаде. Отчего же не заехали и даже не дали знать? Да, я помню, мы условились с Вами никогда более не видеться, и вот уже тридцать с лишком лет свято соблюдаем нашу договоренность, но мы, милый друг мой, уже так немолоды (не желаю говорить «стары», однако ж это правда), и скоро наступит момент, когда о нашей договоренности не станет смысла и думать, ибо одного из нас не будет уже в живых. Да, пусть не увидеться, но хотя бы знать, что Вы рядом, всего в нескольких шагах от меня, чувствовать Ваше присутствие и надеяться, что, быть может, мои мысли и моя преданность Вам смогут преодолеть это небольшое расстояние и достичь Вашего сердца. Разве у Вас не то же? Разве Вы не чувствуете того же самого, милый мой Поль? Все эти долгие годы нашей разлуки и моего вынужденного брака Вы постоянно поддерживали меня своими теплыми письмами, своей нежной дружбой, и мне трудно представить, как я выжила бы, в особенности здесь, за границей, если б не Ваше сердечное участие во мне. Возможность побыть хотя б в полуверсте от Вас, даже не видя Вас, но зная, что Вы где-то неподалеку, дала бы мне право думать, что мы дышим одним воздухом с Вами. Вы лишили меня этой радости. Почему, милый Поль? Вам настолько непереносимо мое присутствие? Впрочем, умоляю, не примите мои слова за упрек. Это всего лишь крик истерзанной души, крик искренний и ничего не требующий в ответ. Я только хочу, чтоб Вы знали, что я все еще предана Вам. Не сердитесь на меня, милый мой друг. Расскажите о Ваших домашних делах, расскажите подробнее, прошу, в последнем письме Вы лишь упомянули, что девочки растут благополучно, а Николай вышел в отставку и занялся адвокатской работой. Но Вы ничего не пишете про Игнатия, а между тем мне достоверно известно, что три месяца назад он приезжал в Гейдельберг на консультацию к именитому профессору медицины, разговаривал о здоровье жены. Неужто с Надеждой все так страшно? Если Игнатий решит привезти супругу в Германию на лечение, не откажите в любезности попросить его нанести нам визит, мы ведь живем совсем рядом с Гейдельбергом. Мне приятно будет увидеть Вашего племянника, а в случае, если лечение окажется длительным, я была бы рада видеть его с супругой своими гостями, дом мой достаточно просторен, после смерти мужа его дети от первого брака совсем перестали меня навещать, за столь долгое время они так и не полюбили меня, а наши общие дети не захотели жить в Германии и вернулись в Россию. Впрочем, все эти грустные обстоятельства Вам известны. Со мной живут только две мои двоюродные племянницы. И я всегда рада гостям. В особенности тем, которые связаны с Вами кровными узами. Всегда Ваша Е. Ш.-Г.»

Баронесса Елизавета Шувалова-фон Гольбах. Лиза. Лизанька, которую он так и не смог ни забыть, ни разлюбить. Да он и не старался. Женщины проходили через жизнь Павла Гнедича, но не через его сердце. Тоску по Лизе и несвершившуюся любовь к ней князь расценивал как часть собственной пожизненной каторги, как свое наказание, избежать которого у него и в мыслях не было. Каждый грех должен быть оплачен карой.

Он аккуратно сложил письмо, спрятал в карман, взял перо и бумагу и написал племяннику записку, в которой отменял сделанное накануне приглашение в ресторан к Тестову «на знаменитых поросят под хреном». «Пообедаем дома, проведем приятный тихий вечер, — писал он, — душевных сил осталось так мало, что, боюсь, на людях окончательно расклеюсь. Дети будут рады». Отправив записку с посыльным, Гнедич отправился домой.

* * *

— Ах, батюшка-барин, — захлопотал, увидев хозяина, Афанасий, — вас к обеду-то и не ждали, вы ж с утра еще упредили, что с молодым барином к Тестову обедать пойдете. Повар и не готовил ничего, а Ульяна сготовила только детское и людское... Сейчас скажу, чтобы гнали девку в лавки за продуктами. А молодого барина ждать? Или обед на вас только одного?

Проворный энергичный Афанасий был лакеем, как говорится, «за все»: слугой, камердинером, экономом и управляющим в одном лице. Князь по-прежнему не желал иметь большое число прислуги, несмотря на то что теперь вместе с ним в их родовом гнезде живет Николай Раевский с дочерью Екатериной и воспитанницей Александрой, взятой из приюта. А стало быть, в доме появились и слуги Раевского, после к ним добавились и няня маленькой Саши, и гувернантка Кати. Пришлось брать в дом и постоянную прачку, хотя прежде Гнедич вполне довольствовался услугами приходящей, а также, по настоянию племянника, рассчитать прежнюю кухарку и нанять вместо нее повара, готовившего для хозяев и гостей, и «черную» кухарку для приготовления еды детям, работникам и прислуге. Павел Николаевич поворчал, но вынужден был согласиться: если профессор университета мог позволить себе вести уединенный образ жизни, то товарищ прокурора Московского судебного округа никак не мог избежать званых обедов и товарищеских ужинов, а также детских праздников в честь дней рождения девочек. Холодный флигель во дворе скромной усадьбы, использовавшийся до этого как складское помещение для всякой хозяйственной утвари, пришлось переоборудовать и отремонтировать, чтобы переселить в него часть прислуги, нянек и гувернантку. В былые времена, еще при Аполлинарии Феоктистовне, вся прислуга численностью около двадцати человек жила в доме, спали в передней, на кухне и в лакейской, потом, когда Гнедич остался один, меньше стало и прислуги, во флигеле надобности по-прежнему не было, а с возвращением в Москву Николая и с появлением детей и новых слуг Павел Николаевич с удивлением ощутил, что густонаселенность людских помещений вызывает у него необъяснимое раздражение. И он, сторонник всяческой экономии и скромности в тратах, сам настоял, чтобы флигель привели в порядок и сделали его жилым.

Из залы доносились неуверенные звуки рояля, в которых при некотором воображении можно было распознать ноктюрн Глинки — вещь модную для исполнения девицами, увлекающимися домашним музицированием. Павел Николаевич направился туда, где шел урок музыки.

Гувернантка, услышав его шаги, немедленно вскочила и сделала изящный поклон:

— Ваше сиятельство!

Катя тут же выбежала из-за рояля и бросилась к Гнедичу. В розовом платьице из репса она была бы похожа на куколку, однако отделка из черной тесьмы придавала ребенку вид серьезности и даже некоторой строгости.

— Дядечка любимый пришел! А мы вас не ждали так рано... А папенька тоже рано придет? — захлебываясь, верещала девочка, крепко обнимая его и прижимаясь нежной бело-розовой щечкой к грубоватому сукну пиджака.

— Мадемуазель, — строго одернула ее гувернантка, говорящая на безупречном французском, и тут же перешла на английский: — Мисс Раевская, вы взрослая девица, не подобает вести себя как дитя. Будьте любезны, вернитесь к роялю, и продолжим урок.

— Но у меня не получается! — с досадой воскликнула Катя и потянула Гнедича за руку. — Вот подите сюда, дядечка Поль, взгляните сами, как же это можно сыграть? Вот видите, тут в нотах прописан аккорд «ля-бемоль — ми-бемоль — до», у меня руки не хватает эти ноты одновременно взять.

Она поставила на ля-бемоль мизинчик, с трудом дотянулась средним пальцем до ми-бемоль, и стало видно, что до клавиши «до» ей никак не достать. Ручки у девятилетней Катеньки и впрямь были маловаты для такого аккорда.

— Я уже показывала, мадемуазель, что ноты в этом случае нужно брать в быстрой последовательности, вот так. — Гувернантка уверенно прикоснулась к клавишам, и из-под ее умелых пальцев звуки рассыпались, словно жемчуг по бархату. — У мсье Глинки тоже кисти рук были маленькими, однако же он не только сочинил эту музыку, но и блистательно исполнял ее. Вам не следует лениться, мадемуазель Катрин, во второй части ноктюрна аккорды еще более сложные, и без этой техники вам никак не обойтись. Продолжим. Возьмите аккорд так, как я показала, десять раз.

— Но я все равно не смогу сыграть так, как вы, — уныло произнесла Катя. — Никогда не смогу. Пожалуйста, мадемуазель Лансе, можно я буду разучивать другую пьесу? Вы вчера играли прелестную сонату Моцарта, я бы справилась с ней.

— Это слишком легко для вас, — твердо ответила гувернантка. — Но, разумеется, если его сиятельство ваш отец или его сиятельство Павел Николаевич настаивают...

— Нет-нет, — поспешно откликнулся Гнедич. — Вам доверено воспитание Катеньки, и вмешиваться я не вправе. Занимайтесь. Не стану мешать.

Наклонившись, он поцеловал девочку в макушку и отправился в свой кабинет. Как жаль, что сестра Варенька не дожила, скончалась два года назад, а вслед за ней буквально через несколько месяцев ушел и ее любящий муж. Не успели они порадоваться тому, как растет их внучка. Теперь в Вершинском живет одна из сестер Николая со своим семейством и двумя одинокими дальними родственницами. Там же подолгу пребывает и жена Игнатия с детьми: у Надежды слабое здоровье и жизнь на свежем воздухе ей полезнее, чем в уездном провинциальном городе. Первенец Игнатия, Александр, — ровесник Катеньки, надо бы поставить вопрос о том, чтобы забрать его в Москву, перевести в хорошую гимназию, подготовить к поступлению в университет. Конечно, Игнатий и в особенности его жена Надежда воспротивятся тому, чтобы мальчика оторвать от матери, но можно ведь и Надежду поселить здесь. А со временем, Бог даст, и здоровье Надежды поправится, и Игнатий получит перевод по службе или вовсе оставит ее и займется частной практикой, вернется в Москву.

Глава 3
Из дневника Павла Гнедича, 1887 год

Дневник Кюхельбекера меня отрезвил. Я никогда не мог до конца понять, для чего люди пишут дневники. Нет, неточно я выразился...

Есть «Дневник писателя», который пишется Достоевским и регулярно публикуется, но эти записки предназначены именно для того, чтобы поговорить о животрепещущем, о происходящем ежедневно и чтобы показать, как это ежедневное выглядит в глазах такого писателя, как Ф.М. В таком дневнике нет ничего действительно интимного, домашнего, глубоко личного, в нем нет воспоминаний и неупорядоченного течения мысли, ибо он является, по сути, литературным произведением и создается специально с целью сделаться публичным.

Есть дневники, которые пишутся с расчетом на посмертное, а иногда и прижизненное опубликование. Многие деятели, почитая себя значительными для Отечества, его политики или культуры, полагают, что их дневники будут представлять интерес и для современников, и для потомков, но в таких дневниках мало искренности и много лжи, хотя порой и невольной. Авторы желают выставить себя в наиболее выгодном свете и приписывают себе определенные побуждения и резоны, которых в период описываемых событий еще не было и быть не могло. Такие дневники обычно пишутся задним числом, и события в них изрядно перевираются. Но цель подобных писаний хотя бы можно понять.

И есть дневники настоящие, которые пишутся в твердом убеждении, что никогда и никем, кроме своего автора, не будут прочитаны. Таким дневникам поверяется все самое глубинное, сокровенное, порой постыдное, и делается это честно, со всей искренностью. Как могло случиться, что такие дневники тоже бывают опубликованными? Для меня это было и остается загадкой.

Именно таков мой дневник. Я вел его с ранней юности, но записи делал не часто: брал в руки перо только тогда, когда не было сил терпеть, когда чувствовал необходимость выговориться, чтобы успокоиться еще на много месяцев. Смерть Григория словно отрезала меня от остального мира. В дело были посвящены всего несколько человек, но говорить о нем я мог бы разве лишь с матушкой, а после ее кончины не осталось никого. Умер частный пристав Сунцов, давно умерли верный Прохор и городовой Васюков, и родственник его тоже недавно скончался. Да даже если б они еще были живы, в собеседники мне эти люди никак не годились, ибо просто не поняли бы меня. Остался только сын Прохора, Афанасий, но не с ним же говорить...

Сегодня я делаю запись в этом своем дневнике в последний раз. Возможно, через какое-то время я снова начну писать, если молчать долее окажется невозможным, однако отныне каждая написанная страница будет уничтожаться сразу же после постановки последней точки.

Почему сегодня? Потому что сегодняшний... Нет, теперь уже вчерашний день многому меня научил. Уже глубокая ночь, наступили новые сутки, и о том, что произошло, мне следует говорить «вчера».

Вчера исполнился ровно год со дня смерти Лизаньки Шуваловой, баронессы фон Гольбах. Похоронена она в Германии, где и жила, рядом со своим мужем, сходить к ней на могилу в годовщину я не мог, поэтому отправился в парк, где мы любили с ней гулять. Скамьи, на которой мы обычно сидели, уже давно нет, на этом месте стоит теперь какая-то претенциозная скульптура, и я просто прохаживался по аллее, вспоминая, как счастливы мы были сорок с лишним лет тому назад. Весна в нынешнем году поздняя, и хотя уже начало апреля, все еще очень холодно и сыро, аллею насквозь пронизывали порывы ветра, заставлявшие испуганно и как-то обреченно качаться голые тонкие ветви деревьев, под ногами хлюпала ледяная кашица, и от этого воспоминания о теплой солнечной погоде и прогулках среди густой щедрой листвы становились особенно печальными.

Я так углубился в свои воспоминания, что не заметил, как кто-то подошел ко мне сзади.

— Князь Гнедич? Павел Николаевич? — послышался довольно резкий и даже несколько дерзкий девичий голосок.

Я обернулся. Передо мной стояла девушка довольно странного вида, одетая не то чтобы плохо или бедно, но как-то вызывающе безвкусно: турнюр слишком вздёрнут, цвет обильно украшенного рюшами платья — не то рыжеватый, не то красноватый — никак не сочетался с цветом украшений, по-видимому, довольно дорогих; да и плюмаж из перьев на её шляпке смотрелся явно избыточным.

— Чем могу служить? — спросил я.

— Софья Леонардовна Белецкая, — представилась девушка. — Вы удивлены?

Фамилия была мне знакома. Когда-то много лет назад Лиза писала мне, что её дочь, вернувшись в Россию совсем молоденькой девушкой, вышла замуж за некоего офицера Белецкого, который, впрочем, довольно скоро бросил её. И, кажется, его звали именно Леонардом. От этого брака родился ребёнок, девочка, но имени её я не помнил.

— Вы — внучка Елизаветы Васильевны фон Гольбах? — догадался я.

— Совершенно верно. Как видите, я правильно рассчитала, чтобы найти вас в уединении и не компрометировать своим приходом к вам домой или в университет.

— Чем же вы можете меня скомпрометировать? — удивился я, с любопытством рассматривая Софью. — Разве вы участвуете в террористических затеях? Готовите покушение на самого Государя Императора?

— Это вас не касается, господин Гнедич, — гордо ответила девушка. — Я искала вас по совершенно другому поводу. Сегодня годовщина смерти бабушки, и я верно предположила, что вам захочется сюда прийти. Вам, вероятно, интересно, откуда я узнала про это место?

Она с вызовом посмотрела на меня. От этого взгляда маленьких, близко поставленных светло-серых глаз у меня возникло ощущение, что передо мной стоит суровый обвинитель, готовящийся провозгласить смертный приговор для меня.

— И откуда же? Вероятно, от самой Елизаветы Васильевны, — предположил я.

Софья кивнула.

— Почти. Из ваших к ней писем.

— Вы их читали? Каким же образом? — воскликнул я, предчувствуя недоброе.

— Бабушка их хранила все эти годы. После ее смерти мы разбирали ее бумаги и нашли вашу переписку. Вы довольно часто вспоминали то место, где мы с вами сейчас стоим, — усмехнулась Софья. — Вспоминали и подробно описывали, так что найти его труда не составило.

Это было правдой. Я действительно часто возвращался в своих воспоминаниях к нашим беззаботным и радостным прогулкам в парке — и с кем же мне было делиться этими воспоминаниями, если не с Лизой? Попытайся я рассказать хоть кому-нибудь еще, неизбежно последовал бы вопрос: если вы были так счастливы и любили друг друга, то почему не состоялось бракосочетание? В моей жизни и без того достаточно лжи — для чего плодить новую?

Но Лиза... Зачем она хранила мои письма? Зачем не сжигала их тотчас после прочтения? Впрочем, ответ был известен. Я ведь тоже хранил ее письма, как и свои дневниковые записи.

— Из этих писем, — продолжала Софья весьма суровым, надо заметить, тоном, — стало понятно, отчего жизнь всей нашей семьи сложилась так нелепо и тяжело. То, что мы в них прочитали, стало страшным ударом для моей матери и ее брата, моего дяди. Но, по крайности, все расставилось по своим местам. Бабушка была одержима вами. Она любила только вас, думала только о вас, только вы, Павел Николаевич, были для нее важны. Ваша переписка была ее единственным смыслом существования. Больше в этой жизни бабушку ничто не интересовало. Именно поэтому она не любила своего мужа, моего деда, и не подпускала к себе. Моя мать всегда горевала оттого, что у нее всего один брат, ей хотелось иметь много братьев и сестер, ей хотелось родственной поддержки, семейной любви, и она не понимала, почему у бабушки так мало детей. Теперь ответ найден. Она родила мою мать и моего дядю из обыкновенного чувства долга, потому что так положено. Она не хотела этих детей и не любила их. Она не обращала на них внимания, они были неприятны ей как дети мужчины, который ей отвратителен. Моя мать и ее брат были лишены материнской любви, ласки и заботы. Бабушка вся отдалась любви к вам. Поэтому, как только стало возможно, мать и дядя вернулись в Россию, где оставались родственники, в надежде хотя бы здесь обрести семью. Вероятно, вам известно, что барон фон Гольбах, мой дед, умер вскоре после рождения сына, а его дети от первого брака отстранились от бабушки и ее детей.

Сказать, что я слушал свою неожиданную собеседницу с изумлением, — ничего не сказать. Да, все эти годы меня согревала мысль о том, что я люблю Лизу и что это чувство взаимно, я верил в то, что Лиза меня любит, но мне никогда не приходило в голову, что для нее наши отношения настолько важны. Софья сказала, что ее бабушка была одержима мной, что в нашей переписке был весь смысл ее жизни... Как это возможно? Почему я ничего не заметил? Письма Лизы были нежными, полными доверия и тоски, но я не замечал в них какого-то чрезвычайного чувства, хотя бы близко подходящего к понятию «одержимость». Да, теперь, задним числом, я признаю, что в письмах этих весьма редко и скупо упоминалось о детях, но не придавал сему факту никакого значения, полагая, что Лизанька щадит мою мужскую гордость, избавляя от длинных описаний малышей, рожденных не от меня. Если верить Софье, ее бабушка мало занималась детьми, но возможно, причина кроется вовсе не в равнодушии к ним и не в отвращении, а в воспитании, которое Лиза получила все-таки в русской дворянской семье, где возиться с детьми вообще не было принято. Так кто же из нас прав, внучка Лизы или я? Я судил о Лизе только лишь по ее письмам, Софья — по рассказам своей матери. И то, и другое не является достаточно надежным источником объективной истины. Хотя, возможно, у девушки есть и свои личные впечатления...

— Вы хорошо знали Елизавету Васильевну? — спросил я.

— Я никогда ее не видела. Бабушка не приезжала в Россию, уж не знаю почему. А мы с матушкой не могли позволить себе поездку в Германию, мы и без того жили в полной материальной зависимости от родственников. Если бы бабушка предложила нам денег на поездку, то, возможно, я и уговорила бы матушку поехать в Германию, хотя она и не хотела встречаться со своей матерью. Но бабушка не предложила. И это стало еще одним подтверждением того, что ни моя мать, ни ее брат, ни я ей не нужны и не интересны. Ей интересны были только вы.

Причины, по которым Лизанька не приезжала в Россию, были мне слишком хорошо известны. Каким же я был идиотом! Ведь правда всегда была на виду, в каждом ее письме, а я, слепец, умудрился за столько лет не заметить ее, не понять! Лиза много раз говорила, что приезд в Россию для нее невыносим, ибо невыносима будет сама мысль о том, что я, ее Поль, где-то рядом, совсем недалеко, но она не может меня увидеть. Таков был наш с ней уговор, от которого нам и в голову не пришло отступать. Разве можно было признания, подобные этим, расценивать как обыкновенную дружескую теплоту? Разве можно было не увидеть за этими, написанными на изысканном французском, словами той самой неутихающей одержимости и принять за тлеющие угли то, что на деле являлось бушующим пожаром? Отчего, отчего я был так самонадеян и полагал, что хорошо понимаю мою далекую возлюбленную?

Однако в одном из писем она ставила мне в упрек, что я не дал ей знать, когда посетил Карлсбад. Вероятно, дело в том, что я был там всего несколько дней, и такое испытание казалось Лизаньке вполне посильным. Если бы она приехала в Москву, то уж надолго, на много месяцев, а это совсем иное... Впрочем, разве можно рассуждать о том, что думал и предполагал другой человек? Ах, какая самонадеянность — считать, что знаешь кого-то достаточно хорошо, чтобы понимать все его мотивы и побуждения...

Мое чувство к Лизе было тихим, спокойным и печальным, оно уютно расположилось в моей душе, свило в ней гнездо и жило, нимало не мешая ни моим научным и преподавательским занятиям, ни моим отношениям с другими женщинами. Это чувство согревало меня и поддерживало, но ни одной минуты не руководило мной и моей жизнью. Я был убежден, что Лиза чувствует то же самое. И вдруг, спустя год после ее смерти, выяснилось, что все было совсем, совсем не так...

И снова встал вопрос, кто же из нас более прав: я, не видевший Лизу более сорока лет, но хотя бы знавший ее до нашей разлуки, или эта девушка с маленькими колючими глазками, узнавшая свою бабушку лишь по рассказам матери и по моим письмам?

Так удивительно было думать о Лизе-бабушке... Для меня она навсегда осталась той прелестной пухленькой девушкой, которая была моей невестой. Другой Лизы я не знал.

Или... не хотел знать? Нет ли моей собственной вины в том, что за сдержанными, но полными доброжелательности и нежности строками ее писем я не разглядел другую Лизу?

Очередной порыв ветра заставил тонкую пелерину взлететь над худенькими плечиками девушки, и я вдруг понял, что она отчаянно замерзла.

— Предчувствую, что разговор у нас будет долгим, — сказал я. — Вы позволите угостить вас пирожными? Признаться, я ужасно озяб, а в мои годы простуда может оказаться роковой. Здесь неподалеку есть очень милая кофейня, где пекут вкусные пирожные.

Почему-то, глядя на ее насупленные брови и в целом весьма воинственный вид, я был уверен, что она начнет отказываться и мне придется долго уговаривать ее. Но, к моему удивлению, Софья сразу согласилась. Сей незначительный факт оказался в то же время очень важным для меня самого: я лишний раз убедился, как мало мы понимаем людей и как неумело пытаемся объяснять и предсказывать их поступки, исходя из собственных поверхностных и к тому же недолговременных наблюдений.

Разговор наш и вправду оказался долгим. Из него я узнал, что мать Софьи, лишенная материнского тепла и остро страдавшая от чувства собственной ненужности, выскочила замуж за первого встречного, лишь бы обрести объект, который можно будет любить и получать от него ответную любовь. Муж, штабс-капитан Белецкий, оказался негодным объектом, пьяницей и гулякой, быстро промотавшим все средства жены и оставившим ее с маленькой Софьей на руках. И тогда всю имевшуюся в ее сердце любовь несчастная женщина обрушила на дочь. Она буквально душила Сонечку этой своей любовью, опекая ее в каждой мелочи, постоянно давая советы и требуя во всем отчета. Привело это к тому, что Софья, с трудом разыскав кутившего на деньги очередной любовницы отца, выпросила у него письменное разрешение на отдельное проживание и в 17 лет ушла от матери. Сейчас Софье было двадцать, она зарабатывала уроками немецкого и шитьем, снимала угол вместе с несколькими другими девушками и предпринимала отчаянные попытки получить хоть какое-то приличное образование.

Жили они трудно и более чем скромно, их поддерживал только брат матери, Андреас фон Гольбах, но его доходов хватало лишь на то, чтобы не умереть с голоду. Остальная родня по линии Шуваловых отговаривалась бедственным положением в связи с реформами. Дочь Лизы и крошку Софью приняли в качестве приживалок в дом дальних родственников, так что о крыше над головой и о куске хлеба можно было не беспокоиться, а на большее — не рассчитывать.

— Мать долго не могла найти работу, потому что плохо говорила по-русски, и ей пришлось учиться, — рассказывала Софья. — Если бы бабушка обращала на нее больше внимания и выучила русскому языку, все могло бы повернуться иначе. Но мама росла в Германии, в среде людей, говорящих по-немецки. Она говорила и по-французски, но учить ее русскому никому и в голову не пришло. Дяде Андреасу было проще, он способен к языкам, а моей матери этого дара от природы не дано, и пока она выучила русский настолько, что могла бы хоть чему-то научиться и работать, прошли годы. Ее никуда не брали, она не могла найти место. Мама была очень нездорова, и это было видно сразу, при первом же взгляде на нее — а кому нужны болезненные работники?

С Елизаветой Васильевной ни ее дочь, ни внучка отношений почти не поддерживали, ограничиваясь чрезвычайно редкими, посылаемыми примерно один раз в год письмами, в которых не было никаких подробностей о себе и никаких вопросов к адресату. Переписка Лизы с сыном, Андреасом, была несколько более частой, но такой же пустой, дежурной.

Когда пришло известие о смерти Елизаветы Васильевны, Софья с матерью и дядей немедленно отправились в Германию. На другой день после похорон принялись разбирать бумаги: Андреас собирался, если окажется нужным, остаться и привести дела в порядок. Вот тогда-то и обнаружились сложенные в стопки и аккуратно перевязанные лентами письма, скопившиеся за сорок с лишним лет. Разумеется, все они были прочитаны, от первой до последней страницы.

— Вы, конечно, сейчас станете говорить, что читать чужую личную переписку неприлично, — холодно говорила Софья. — Но не вам, Павел Николаевич, рассуждать о приличиях. Вы и только вы послужили причиной того, что у моей матери было несчастное детство, проведенное без любви и нежности. Вы — причина того, что бабушка лишила своих детей материнского тепла, заботы и внимания. И это означает, что именно в вас содержится причина того, как сложилась судьба моей матери, а впоследствии и моя. Я ведь еще не сказала вам самого главного: моя мать умерла. Ровно на сороковой день после кончины бабушки Елизаветы Васильевны. Она умирала медленно и мучительно, страдая от страшных болей. И самым тяжелым для меня было услышать ее последние слова перед тем, как она впала в забытье, из которого уже не очнулась. Она сказала: «Я всегда думала, что причина во мне самой. Я думала, что Господь наказывает меня за какой-то мой порок, за то, что я недостаточно хороша. Я нехороша, я дурной человек, и поэтому я никому не нужна, меня не любит ни Господь, ни собственная мать, ни муж. И я научилась жить с этим. Как же больно мне было узнать, что причина вовсе не во мне и что все это только потому, что мама не смогла выйти замуж за какого-то Поля Гнедича... Причина моих страданий — в нем. Какое право он имел так распорядиться моей судьбой?»

В горле у меня стоял ком. Я ничего не понимал. Неужели то, что рассказывает эта девочка со злыми светлыми глазами, правда? Неужели это все — о моей Лизе, о той, которую я всю жизнь любил? Неужели это та самая Лиза, которая для меня всегда была связана с понятиями ума, бесконечного понимания и душевного тепла? Нет, нет, этого просто не может быть!

— Вот теперь, Павел Николаевич, я подхожу к тому вопросу, который и заставил меня искать встречи с вами.

Отчего-то только в эту секунду я вдруг увидел и услышал ясно и объемно все, что происходило вокруг: круглые столики, дамы в бархатных или шерстяных жакетах и в затейливых элегантных шляпках, мужчины, читающие в одиночестве газеты или увлеченно беседующие со своими спутницами, хозяин заведения, лично подносящий заказ наиболее именитым гостям, запах кофе, ванили и корицы, оплывший от тепла крем на наших так и не тронутых пирожных. Оказалось, что до этого я ничего не видел и не замечал, полностью поглощенный рассказом Софьи Белецкой. И вот теперь, когда беседа наша достигла кульминационной точки, все органы чувств словно напряглись и встали наготове в преддверии неведомой опасности. Зрение, слух и обоняние обострились настолько, что мне казалось, будто я слышу, как в печи пропекается тесто.

— Я внимательно слушаю вас, госпожа Белецкая, — произнес я, стараясь говорить как можно спокойнее и увереннее.

— Мне хотелось бы знать, во имя моей матери и ее страданий, ради чего были принесены все эти жертвы? Зачем бабушка не вышла замуж за вас? Зачем вышла за барона фон Гольбаха, зачем родила ненужных ей детей и обрекла их на холодное одинокое детство? Мне хотелось бы получить ответ на вопрос: почему? Почему, если она так любила вас, а вы любили ее? Из писем мне стало понятно, что не материальные соображения тому причиной. Тогда что же?

— Я не намерен это обсуждать.

— Но я требую ответа! Я имею право знать! Если бы бабушка вышла за вас, ее дети родились бы в счастливом браке, моя мать выросла бы окруженная любовью и заботой и выбрала бы себе достойного мужа, а не выскочила замуж за первого встречного, и моя судьба сложилась бы куда более счастливо. Я была бы княжной Гнедич, а не белошвейкой Соней. И я имею право знать!

— Мне очень жаль, госпожа Белецкая, что я не смогу удовлетворить ваше любопытство, — твердо ответил я. — Скажу лишь, что таково было решение вашей бабушки, Елизаветы Васильевны.

— Но почему? Почему она приняла такое решение?! — настойчиво воскликнула Софья.

Я сделал знак, что прошу подать счет.

— Напоследок замечу вам, Софья Леонардовна, что, прими ваша бабушка иное решение, вы все равно не стали бы княжной Гнедич по той причине, что и вашей матушки, и вас самой и вовсе на свете не было бы. Биологией и медициной давно уже все выяснено и доказано. Так что не питайте свою ненависть ко мне излишними иллюзиями, лишенными научной основы.

Я поднялся.

— Позвольте откланяться.

Я был отвратителен сам себе. Еще одна ложь... Впрочем, одной ложью больше, одной меньше — какая теперь разница? Эта девочка хотела получить ответ на извечный вопрос: кто виноват? Кто виноват в том, что ее жизнь и жизнь ее матери и дяди сложилась так, как сложилась?

«Ты виноват! Ты, ты, ты...» — зазвучал снова в голове знакомый голос.

Этот голос мучил и терзал меня весь остаток дня, и когда вновь подступила бессонница, я понял, что он не умолкнет до тех пор, пока я не выплесну все на бумагу. И если я промедлю еще хотя бы час, к голосу, звучащему в голове, присоединится и другое воспоминание, которого я страшусь еще больше: пустые, ничего не понимающие глаза на грубо вылепленном, шишковатом лице.

Ну вот, я написал о том, что произошло. Я смотрю на свой дневник — раскрытую тетрадь и несколько уже исписанных таких же тетрадей рядом на столе. Смотрю и мысленно прощаюсь с самим собой — с тем, каким я был и сорок, и тридцать, и двадцать лет назад. Тут же на столе стопки с письмами Лизы. В дневнике — весь я, в письмах — вся она. И с этим мне придется сейчас проститься. Несколько движений у растопленной печи — и ничего этого больше не будет. Не будет моей Лизы. И меня не будет.

Невозможно допустить, чтобы после моей смерти кто-нибудь это прочел. Надо позаботиться заранее, сжечь все, что есть, и каждый раз сжигать новые записи. Писем от Лизы больше уж не будет, а уничтожать собственноручно написанное мне не впервой.

Итак, прощайте! Прощайте, мысли, чувства, воспоминания, душевная боль, неизгладимая и неискупленная вина... Прощай, моя Лиза... Люблю тебя!»

1892 год, январь

«— Бежать надо!

— Куда?

— Туда, на север. К соснам, к грибам, к людям, к идеям... Я бы отдал полжизни, чтобы теперь где-нибудь в Московской губернии или в Тульской выкупаться в речке, озябнуть, знаешь, потом бродить часа три хоть с самым плохеньким студентом и болтать, болтать...»

Звучный, хорошо поставленный голос Сандры обладал богатыми модуляциями, и для Павла Николаевича Гнедича не было в последнее время наслаждения выше, чем слушать, как девушка читает вслух. Читала же она постоянно, стоило только в гостиной их дома собраться хотя бы двум слушателям, но зачастую читала и одному лишь князю.

— Однако господин Чехов не жалует интеллигенцию, — со смехом прервал чтицу гость, молодой присяжный поверенный Казарин, черноволосый и черноусый красавец. — Смотрите, как он зло пишет: на первом месте в мечтах интеллигента сосны, а идеи — так и вовсе на последнем. А эта формула предела мечтаний интеллигента: болтать, болтать, болтать... Вот именно что ни на что большее мы не годимся, только на болтовню. Все равно с кем, даже и самый плохонький студент сгодится в собеседники, лишь бы можно было излагать свои великие мысли о нравственном обновлении. Я «Дуэль» уже дважды перечел и каждый раз хохочу в этом месте. А дальше будет один из моих любимых отрывков, безумно смешной! Продолжайте же, Александра Николаевна!

Сандра состроила очаровательную гримаску и тряхнула головой, отчего ее толстая медно-рыжая коса змеей шевельнулась по зеленому атласу платья.

— Вы все время вмешиваетесь со своими комментариями, Юлиан! Это выбивает меня из образа. Нельзя же быть таким противным!

Казарин изобразил на лице глубокое раскаяние.

— Все-все, умолкаю, дражайшая Александра Николаевна. Но не поручусь, что снова не перебью вас, когда дело дойдет до особенно замечательных пассажей. Если ваш отец не присоединится к нам в ближайшее время, то вы успеете прочесть еще парочку поистине восхитительных мест, где я не удержусь от смеха.

Сандра приняла серьезный вид и снова начала читать:

— «Ему казалось, что он виноват перед своею жизнью, которую испортил, перед миром высоких идей, знаний и труда, и этот чудесный мир представлялся ему возможным и существующим не здесь, на берегу, где бродят голодные турки и ленивые абхазцы, а там, на севере, где опера, театры, газеты и все виды умственного труда. Честным, умным, возвышенным и чистым можно быть только там, а не здесь. Он обвинял себя в том, что у него нет идеалов и руководящей идеи в жизни, хотя смутно понимал теперь, что это значит. Два года тому назад, когда он полюбил Надежду Федоровну, ему казалось, что стоит ему только сойтись с Надеждой Федоровной и уехать с нею на Кавказ, как он будет спасен от пошлости и пустоты жизни; так и теперь он был уверен, что стоит ему только бросить Надежду Федоровну и уехать в Петербург, как он получит всё, что ему нужно».

Казарин не выдержал и снова разразился смехом.

— Нет, господа, прошу меня простить, но это решительно гениально: честным, умным, возвышенным и чистым можно быть только там, где опера, театры и газеты! Господин Чехов всех нас наизнанку выворачивает в этой повести! Как хотите, а ничего более смешного я в жизни своей не читал. Зло, остроумно и необыкновенно точно подмечено и написано.

Сандра с досадой опустила на колени прошлогодний октябрьский выпуск «Нового времени», в котором начали печатать новую повесть Чехова. Печатали с продолжением, в пяти октябрьских и шести ноябрьских номерах, и остальные десять выпусков лежали на столе, ожидая своей очереди на чтение вслух. Конечно, повесть была давно прочитана всеми, кто ею интересовался, но слушать литературный текст в исполнении Сандры — удовольствие особенное. Воспитанница Николая Раевского с детства проявляла склонности к актерству, была необыкновенно музыкальной, при этом обладала отличной памятью, что позволяло ей быстро и накрепко заучивать и тексты, и ноты. Ее успехами в игре на фортепиано и пении мадемуазель Лансе, гувернантка Кати и Саши, была более чем довольна и усиленно рекомендовала нанять для девочки настоящего педагога по вокалу, уверяя Раевского и Гнедича, что речь может идти даже о блистательной карьере оперной певицы. Однако у князя и его племянника подобная перспектива восторга не вызывала: девушка из дворянской семьи не должна играть на сцене, это недостойно.

— Но ведь Сашенька — воспитанница, в ней нет крови Гнедичей и Раевских, — возражала гувернантка.

— В этом вы правы, но мы не знаем, кто ее настоящие родители. Они вполне могут оказаться дворянами, — уклончиво отвечал Николай Владимирович.

Тем не менее он посоветовался со знакомыми из Консерватории, и вскоре тринадцатилетняя Саша начала брать уроки вокала у весьма заслуженного профессора, к которому ездила в сопровождении мадемуазель Лансе трижды в неделю по вечерам. Раевский не был уверен, что поступил правильно, и очень переживал.

— Зачем только я вас послушался, дядя Поль, — сокрушался он. — Если б мы отдали Сашу в хороший пансион, ее там прекрасно выучили бы пению и всему тому, что должна знать и уметь девица из приличной семьи. Но вы настояли, чтобы Саша ходила в гимназию, — а для чего ей это классическое образование? Продолжать учение она не намерена, мы с вами оба видим, что науки ей неинтересны, на уроках она отвечает прилично только благодаря хорошей памяти, не понимая и половины того, что говорит.

— Ты должен был дать Сашеньке все возможности для развития, — возражал Гнедич. — Сейчас не те времена, что прежде, когда главная ценность женщины определялась тем, насколько она хорошая жена, мать и хозяйка дома. Все переменилось, Николенька, как ни прискорбно это сознавать. Теперь все иначе. И мы с тобой вынуждены с этим считаться. Много лет назад, когда я отдал имение в приданое твоей матери, сделав ее тем самым достойной партией, я считал, что полностью выполнил свой долг перед нею. С тех пор минуло без малого полвека, и нравы нынче иные. Да и вся жизнь стала иной. Женщины начали выбирать, как им жить. А для осознанного выбора необходимы хорошие знания.

Раевский горестно вздыхал, соглашался с правотой дяди и со страхом ждал, что настанет тот миг, когда Сашенька закончит гимназию и просто сбежит из дома, чтобы поступить в какую-нибудь театральную труппу. Ее, красавицу, одаренную музыкально и артистически, без разговоров возьмут в любой захудалый театришко, а дальше начнется разгульная жизнь актриски, которую станут покупать и перекупать друг у друга толстосумы и разные сомнительные личности. Разве так представлял он будущее девочки, которую взял когда-то на воспитание из приюта? Николай Владимирович тогда, восемнадцать лет назад, был уверен, что не сможет полюбить малышку. Он не ожидал, что пройдет время — и он не только привыкнет, но и искренне привяжется к этой непослушной и лукавой «рыжей бестии».

Однако через полтора года занятий с педагогом из Консерватории Сашенька охладела к академическому вокалу, хотя и достигла уже весьма значительных успехов.

— Я не собираюсь петь в опере, — заявила она, — а для драматической сцены мне голос достаточно поставили. Терпеть не могу все эти вокализы и фиоритуры с колоратурами.

Раевский с облегчением подумал, что коли интерес к вокалу так быстро пропал, то, возможно, есть надежда, что такая же участь постигнет и интерес к театру.

— В этом Сашенька очень похожа на тебя, — заметил тогда племяннику Павел Николаевич. — Еще профессор Спасович отмечал у тебя «быструю утомляемость интересов». Вот ведь удивительно! Она по крови тебе не родня, а выросла рядом с тобой и переняла многие особенности твоего характера.

— К сожалению, от своей матери она тоже немало унаследовала, — проворчал Раевский в ответ. — Меня пугает и настораживает ее любовь к притворству. Для сцены это, вероятно, неплохо, но вне сцены такая черта может сильно повредить.

В этих словах содержалась горькая правда: дочь Анны Рыбаковой, псевдокняжны Орбелиани, отъявленной лгуньи и притворщицы, с младых ногтей проявляла умение говорить неправду с таким ангельским выражением лица, что не только заподозрить ложь — даже сердиться на девочку было невозможно.

Как бы там ни было, времена волнений и тревожных ожиданий остались позади: после окончания гимназии Саша никуда не убежала и спокойно жила в доме Гнедичей, выполняя все то, что обычно выполняют благовоспитанные и благонамеренные барышни дворянского круга. Ее любовь к декламации и чтению вслух оказалась огромным подспорьем для Павла Николаевича Гнедича, который в семьдесят лет оставил кафедру и с тех пор проводил целые дни либо у себя в кабинете, либо в гостиной. Возраст и болезни брали свое, он стал плохо ходить, испытывая сильнейшие боли в суставах, да и зрение ослабело, так что послушать голосок воспитанницы, выразительно, с чувством читающей вслух книги, газеты и журналы, стало одной из немногих доступных ему радостей.

Он любил эти длинные зимние вечера, когда можно было сидеть в глубоком кресле у камина, а в гостиной собирались и разговаривали члены семьи и их гости. После смерти любимой жены Игнатий Раевский с сыновьями окончательно переселился в дом Гнедича, именно тогда и было решено называть Сашеньку Сандрой, а Александра, старшего сына Игнатия Владимировича, переименовали в Алекса. Алекс Раевский в минувшем году закончил обучение на юридическом факультете университета и мечтал посвятить себя карьере судебного следователя. Он был очень похож на своего отца: такой же неторопливый и основательный, интересующийся естественными науками — биологией и химией, вдумчивый и стремящийся заглянуть в глубь любого вопроса, однако Игнатий Владимирович был заметно разочарован, когда сын заявил, что медицина его не привлекает и он хотел бы получить образование юриста. Младший же сын Игнатия, Валерий, надежды отца оправдал полностью и поступил на медицинский факультет.

После переезда Игнатия дом Гнедичей стал шумным и многолюдным: перешедший после увольнения из прокуратуры в адвокатуру Николай Владимирович вел прием клиентов; Игнатий Владимирович, несмотря на службу в крупной московской больнице, тоже практиковал на дому, — пришлось делать новый ремонт и по-другому оборудовать комнаты. Особенно заметным переделкам подвергся флигель. Но зато, несмотря на значительные траты, теперь всем хватало места и даже удалось выкроить отдельные комнаты для каждого из четверых детей, хотя привыкшие к тесноте мальчики Игнатия вовсе не возражали против того, чтобы жить вместе.

Поначалу Алекс, которому в момент переезда было тринадцать, больше сблизился с Катей, своей ровесницей. Одиннадцатилетнего Валерия он считал мелюзгой, не достойной внимания, а десятилетнюю Сашеньку и вовсе почти не замечал. Сын Игнатия и дочь Николая стали неразлучны, даже уроки делали вместе, и каждый день после пяти часов пополудни можно было увидеть их в классной комнате, склонившихся над учебниками и тетрадками. Зрелище это неизменно умиляло инспекторов мужской и женской гимназий, а также классных наставников или директоров, которые иногда приходили для проверки: должным ли образом гимназисты и гимназистки ведут себя дома, приготовляют ли уроки, как полагается, с пяти до восьми часов, и носят ли гимназическую форму.

Но вот старшие дети закончили гимназический курс, и как-то незаметно дружба между ними стала не то чтобы охладевать, но ослабела. Алекс усердно учился в университете и много времени проводил с другими студентами — своими новыми друзьями, в то время как Екатерина стала помощницей и секретарем у отца, адвоката Николая Владимировича Раевского, по-прежнему слишком пылкого и непоседливого для кропотливой работы с бумагами и не любившего писанины. У девушки тоже появились новые друзья, и она постоянно ходила в свободное время на какие-то собрания и заседания кружков, где изучали то философию, то политэкономию, а то и математику, чем доставляла множество тревог дяде Полю и отцу: бывший товарищ прокурора, а ныне адвокат Раевский слишком хорошо знал, как часто внимание полиции привлекают молодые люди из таких вот именно кружков. А ведь подобные собрания, по сути, являются рассадником всяких революционных идей. Катя, того и гляди, начнет требовать у отца письменное разрешение на отдельное проживание, а там уж за ней и вовсе не уследишь... Вслед за Николаем начал беспокоиться и Игнатий, ведь революционные настроения студенчества всем известны. За Валерия можно было не особенно волноваться, все-таки медицинский факультет обычно не привлекал тех, кто собрался бороться за свержение строя. А вот студенты-юристы — совсем другое дело...

Сандра тоже повзрослела, и неожиданно Павел Николаевич заметил, что она как-то особенно, совсем по-новому смотрит на Алекса. Что ж, девическая влюбленность, ничего страшного в ней нет. Алекс же, казалось, вовсе не замечал этого и вел себя с Сандрой, как и прежде, слегка снисходительно и даже пренебрежительно...

Сегодня выдался поистине замечательный вечер, когда почти вся семья в сборе: Павел Николаевич Гнедич — на своем обычном месте подле камина; на диванах и креслах в уютной гостиной расположились Игнатий, его сыновья Алекс и Валерий, воспитанница Сандра. Николай Владимирович должен закончить прием клиентов, который он ведет в своем просторном кабинете во флигеле и вместе с Катей вот-вот присоединится к ним. Его уже ожидает присяжный поверенный Юлиан Казарин, частый гость в доме Гнедича, в недавнем прошлом — студент Павла Николаевича. Став сперва помощником присяжного поверенного, а затем и присяжным поверенным, Казарин продолжал приходить, чтобы получить советы как своего бывшего преподавателя профессора Гнедича, так и опытного адвоката Раевского, хотя в последнее время наблюдательный Павел Николаевич заметил, что юридические предлоги для участившихся визитов Казарина становятся все более надуманными, а вздохи и взгляды в сторону Сандры — все более выразительными. Сандра влюблена в Алекса, а Казарин — в Сандру. Обыкновенный треугольник, который, скорее всего, ничем не закончится и ни во что не превратится. Пройдет время — и молодые люди найдут себе новые увлечения, а о прежних будут вспоминать только с недоуменной усмешкой, удивляясь силе собственных давних переживаний и с высоты прошедших лет считая поводы для этих переживаний совсем уж пустяковыми и незначительными. Все это будет, непременно будет, но — позже. Потом. Когда-нибудь.

А сегодня — вот оно, тихое долгожданное счастье патриарха в кругу семьи, согревающее пламя камина, удобное глубокое кресло, красивый звучный голос Сандры:

— «Мы подружились, то есть он шлялся ко мне каждый день, мешал мне работать и откровенничал насчет своей содержанки».

И снова чтение прервал заливистый, даже с некоторым подвизгиванием, смех Казарина.

— Каково, а? Положительно, наш уважаемый Антон Павлович интеллигенцию презирает! Интеллигент даже дружить по-человечески не умеет. Смотрите, сколько тайного, подводного смысла в этой фразе: и неуважение к чужому созидательному труду, и пустое времяпрепровождение, выраженное словами «каждый день шлялся», и низкие нравственные качества, ибо человек высокой нравственности никогда не станет откровенничать с третьими лицами насчет своих возлюбленных. И даже неспособность интеллигента на высокое чувство, на действительную любовь — и это здесь просматривается, ведь женщина названа не возлюбленной, а всего лишь содержанкой. Так много сказано — и всего в одной фразе!

— Не понимаю, с чего бы господину Чехову так не любить интеллигенцию, — пожал плечами сидящий напротив Казарина Алекс Раевский. — Он же, насколько я знаю, сам доктор, медициной занимается, рассказы и повести пишет, то есть является представителем той интеллигенции, которую он, следуя вашей логике, не любит и даже презирает. Вам не кажется, Юлиан, что вы излишне категоричны, приписывая автору те помыслы, которых у него, возможно, и не было?

Сандра сердито посмотрела на Алекса.

— Ну вот... Ну опять начинается! Почему вы меня все время перебиваете? Ладно Казарин, он дурно воспитан, это всем известно, но ты, Алекс... Вот уж не ожидала от тебя.

— Премного благодарен за столь лестную характеристику, — весело отозвался Казарин, — особенно приятно услышать ее из уст такой очаровательной девицы, как Александра Николаевна. А вот позвольте, я вам зачту...

Он быстро вскочил со своего места, подошел к низкому столику, на котором сложены были выпуски «Нового времени» с текстом «Дуэли», нашел нужный отрывок и громко, с выражением, прочитал:

— «Вы знаете, до какой степени масса, особенно ее средний слой, верит в интеллигентность, в университетскую образованность, в благородство манер и литературность языка. Какую бы он ни сделал мерзость, все верят, что это хорошо, что это так и быть должно, так как он интеллигентный, либеральный и университетский человек. К тому же он неудачник, лишний человек, неврастеник, жертва времени, а это значит, что ему всё можно. Он милый малый, душа-человек, он так сердечно снисходит к человеческим слабостям; он сговорчив, податлив, покладист, не горд, с ним и выпить можно, и посквернословить, и посудачить...»

Юлиан Казарин аккуратно сложил газету, вернув ее точно на то место, где она была прежде, после чего обернулся к Сандре:

— Позвольте, Александра Николаевна, мне нужна еще одна фраза, но она должна быть в том отрывке, который вы теперь читаете. Я вот только ее еще оглашу и после сформулирую свой вывод, который, наверное, покажется вам очень простым, но тем не менее, думаю, он правилен.

Сандра послушно протянула ему газету, Казарин пробежал глазами по строчкам и почти сразу нашел то, что искал.

— Вот оно: «Такие субъекты, как он, с виду интеллигентные, немножко воспитанные и говорящие много о собственном благородстве, умеют прикидываться необыкновенно сложными натурами».

— И в самом деле злобно, — хмыкнул сидящий рядом с Сандрой Валерий Раевский. — Так каков же ваш вывод, господин Казарин?

— А вывод прост и очевиден: есть три сорта людей. Первые — те, кто стремится улучшать жизнь и строить новое будущее. Вторые — те, кто добросовестно и негромко, но ежедневно делает полезное дело, например, учит грамоте в школах или людей лечит, вот как сам господин Чехов. А третьи — пустые болтуны, неспособные ни к революционности, ни к повседневному труду, не имеющие руководящей идеи, умеющие только поговорить. У них за душой нет высоких нравственных начал, но они нагло именуют себя интеллигентами только лишь на основании кое-как полученного образования. Эти люди не умеют и не хотят ничего, кроме как напустить на себя видимость необычайной сложности и даже загадочности и непонятости. Да, чуть не забыл: еще они очень любят страдать, но непременно так, чтобы уж всем было заметно. Страдать оттого, что им плохо там, где они находятся, и много говорить о желании уехать туда, где их настигнет наконец долгожданное нравственное обновление. Только отчего-то сие сладостное место чаще всего обнаруживается за границей, куда все эти вялые духом интеллигенты уезжают надолго, а то и на всю оставшуюся жизнь. И продолжают слать оттуда письма о том, как они страдают, ибо и там столь вожделенное обновление отчего-то не сделалось. Нападки господина Чехова обращены именно на эту третью категорию людей.

— А пожалуй, я с вами и соглашусь, — кивнул Игнатий Владимирович. — Мне рассказывали, что издатель «Нового времени» Суворин состоит в активной переписке с Чеховым и иногда пускает в народ цитаты из писем автора. Например, если верить Суворину, Чехов называет интеллигентов слизняками и мокрицами, а также вялыми, апатичными и лениво философствующими субъектами, которые все отрицают именно из лености, так как для ленивого мозга легче отрицать, чем утверждать.

— Однако! — удивленно заметил Валерий Раевский. — Что ж выходит, что все нигилисты — просто умственные лентяи? Оригинальное суждение!

— Александра Николаевна, — обратился Казарин к Сандре, — рассудите нас, вы же среди всех самый большой знаток текстов господина Чехова, беспрестанно их вслух читаете. Да и память у вас, как нам известно, превосходная, любого за пояс заткнете. Найдете подтверждение словам вашего дядюшки?

Сандра сверкнула глазами и повернулась к Алексу.

— Где у нас книжки «Северного вестника»? Мне нужен шестой номер за восемьдесят восьмой год, его сразу видно, в нем голубая закладка должна быть.

Юлиан Казарин немедленно вскочил и направился к заваленному книгами и журналами столу в дальнем углу гостиной.

— Если позволите, я найду.

По лицу Сандры промелькнуло недовольное выражение. Гнедич понимал, что девушка обратилась к Алексу не случайно, она использовала любую возможность обратить на себя его внимание, и инициатива Казарина пришлась ей не по вкусу.

Через минуту Юлиан подал Сандре нужный выпуск журнала с торчащей между страниц голубой с серебряным рисунком закладкой. Девушка быстро отыскала нужное место и с выражением прочла длинный пассаж о том, что многие молодые люди ленятся мыслить и рассуждать последовательно и доходить до высшей ступени философствований, обдумывая и оценивая все предыдущие ступени, и закончила его выводом:

— «Наше же несчастие в том, что мы начинаем мыслить именно с этого конца. Чем нормальные люди кончают, тем мы начинаем. Мы с первого же абцуга, едва только мозг начинает самостоятельную работу, взбираемся на самую высшую, конечную ступень и знать не хотим тех ступеней, которые пониже».

Она принялась листать повесть, потом внезапно закрыла журнал и торжествующе улыбнулась:

— Не буду тратить время на поиски, своими словами скажу: после разных событий герой пытается обдумать произошедшее и вдруг с ужасом понимает, что он, считавший себя мыслителем, не усвоил еще даже техники мышления и что распоряжаться своей собственной головой он так же не умел, как починять часы. Первый раз в жизни герой мыслил усердно и напряженно, и это казалось ему такой диковиной, что он думал: «Я схожу с ума!»

Игнатий Владимирович расхохотался и ударил себя ладонями по коленям.

— Вот даже как! Жаль, что я эту повесть не читал, а то повеселился бы вдоволь! Умственный труд, правильно организованный мыслительный процесс ему в диковинку оказался! И что же, этот герой действительно полагал себя мыслителем? Сколько же лет сему первооткрывателю от мысли?

— Двадцать шесть, — моментально ответила Сандра.

— Почему вы полагаете, что этот персонаж непременно был нигилистом? — продолжал допытываться Валерий. — Там про это прямо написано?

Сандра выразительно пожала плечами и снова открыла журнал.

— Не веришь — так я тебе зачту: «Мне было тогда не больше двадцати шести лет, но я уж отлично знал, что жизнь бесцельна и не имеет смысла, что всё обман и иллюзия, что по существу и результатам каторжная жизнь на острове Сахалине ничем не отличается от жизни в Ницце, что разница между мозгом Канта и мозгом мухи не имеет существенного значения, что никто на этом свете ни прав, ни виноват, что всё вздор и чепуха и что ну его всё к чёрту! Я жил и как будто делал этим одолжение неведомой силе, заставляющей меня жить: на, мол, смотри, сила, ставлю жизнь ни в грош, а живу!»

Она захлопнула книжку и повернула к брату сердитое личико.

— Ты никогда никому не веришь, все время требуешь каких-то доказательств. Ну что, убедился теперь?

Гнедич по выражению лица Валерия понял, что тот собирается задать еще какой-то вопрос, но в этот момент дискуссия прервалась появлением Николая Владимировича Раевского и его дочери Кати, стройной миловидной девушки, внешний облик которой изрядно портили скучное коричневое суконное платье и серьезное, даже какое-то угрюмое выражение лица.

— Что читаем? — весело поинтересовался Раевский, потирая озябшие руки: январский мороз был трескучим, а для короткого перехода из флигеля в дом адвокат перчатки не надевал.

— Теперь «Огни» Антона Павловича Чехова, — тут же доложил Казарин. — А до этого «Дуэль» читали.

— Превосходно! Ну что, все в сборе? Сказать, чтобы подавали ужин?

— Дядя, мы еще одного гостя ждем, — сказал Алекс. — Я пригласил товарища, с которым познакомился несколько лет назад, он из Сызрани, приехал в Москву по торговым делам.

Раевский-старший недовольно нахмурился.

— По торговым? Он что же, из купцов?

— Да, он купеческого сословия. — В голосе Алекса зазвучал вызов. — И что с того? Он учился в Петровской академии, теперь вернулся домой, в Сызрань, и смею вас заверить, это порядочный и образованный человек.

— Перестань, Николай, — вмешался Игнатий Владимирович, — откуда в тебе эти сословные предрассудки?

Гнедич с интересом следил за перепалкой племянников. Вот так всегда: Николай сперва говорит или делает, а уж только потом думает. Ведь их гость Юлиан Казарин отнюдь не дворянин, он из разночинцев, дед его и вовсе был крепостным, однако ж это не помешало графу Раевскому оценить способности и трудолюбие молодого юриста, приглашать его к себе домой и оказывать помощь и советами, и делом. И теперь в присутствии того же Казарина Николай высказывает сомнение в уместности приглашения в их дом человека из купечества. Ну как так можно! Выйдет неловкость... И что самое обидное: неловкость выйдет именно из-за глупости и неосмотрительно сказанного слова, ибо Павел Николаевич знал, что истинной дворянской спеси в его старшем племяннике нет.

Всю жизнь Павел Николаевич Гнедич презирал себя за собственную трусость и за нежелание громко заявлять свое мнение и отстаивать его. Однако теперь, к старости, он не мог не признать очевидного: именно его сдержанность в суждениях и скрытность в отношении собственных оценок сделали возможным полную откровенность внучатых племянников, твердо знающих: от дядюшки Поля можно не иметь никаких секретов; дядюшка Поль не станет читать нотации или, что еще хуже, угрожать лишением наследства и карами небесными; старый мудрый невозмутимый дядюшка Поль примет все, как есть. Именно поэтому о знакомстве Алекса Раевского с неким Ерамасовым Павел Николаевич Гнедич знал давно.

Алексей Ерамасов был сыном очень богатого купца из Сызрани, учился в Петровской академии в Москве, был членом землячества Симбирской губернии, интересовался деятельностью революционных студенческих кружков и социалистическими идеями. После того как выяснилось, что покушение на царя готовил некий студент Ульянов, приехавший из Симбирска, член того же землячества, только не в Москве, а в Санкт-Петербурге, всех студентов из Симбирской губернии взяли под строгий полицейский надзор. Те, кто вызывал хотя бы малейшее сомнение в благонравии, немедля высылались домой. Именно поэтому студент Ерамасов был вынужден прервать учебу в академии и вернуться в Сызрань. Но интереса к социалистическим идеям и революционным преобразованиям он не утратил, напротив, войдя в дело отца и получив доступ к деньгам, начал активно финансировать кружки, создаваемые для изучения марксизма. Он часто бывал в обеих столицах по делам своего торгового дома, и нет ничего удивительного, что он свел знакомство с Алексом Раевским, учившимся на юридическом факультете. Алекс к идеям социалистической революции был равнодушен, в опасных сообществах не участвовал, в Ерамасове же младшего Раевского привлекали чисто человеческие качества: он был добрым и надежным товарищем, чрезвычайно приятным собеседником, весьма умным и при этом скромным. Кроме того, Алекс посвятил дядюшку Поля в свой план ехать в Америку, а затем в Европу, чтобы продолжить образование и научиться всему передовому, что есть на сегодняшний день в деле раскрытия преступлений. В России в 1890 году был введен антропометрический метод уголовной регистрации, внедренный в середине 1880-х годов во Франции и известный под названием «бертильонаж», и Алексу хотелось побольше узнать об особенностях применения этого метода. Кроме того, совсем недавно, только лишь в прошлом году, появилась статья Фрэнсиса Гальтона об использовании пальцевых узоров для идентификации личности, и, конечно же, Алекс Раевский имел намерение посетить Лондон, чтобы, по возможности, ознакомиться с новой теорией поглубже. Третьим пунктом плана было изучение новейших технических приспособлений для фотографирования, ибо молодой Раевский был сильно впечатлен фактом открытия первой судебно-фотографической лаборатории. Лаборатория существовала пока только за счет своего создателя, Евгения Федоровича Буринского, но Алекс не сомневался:

пройдет совсем немного времени, и никакое расследование преступлений не сможет обходиться без этого научного метода, так что к его широкому применению следует хорошенько подготовиться, усовершенствовав собственные знания в области механики, оптики и химии. Ну и, разумеется, будущему судебному следователю следует изучить методы работы сыскной полиции в Европе и Америке, ведь в России сыскная полиция существует совсем недавно и опыт имеет пока еще небольшой. Поедет Алекс, разумеется, не один, их будет несколько человек, в том числе и Ерамасов, выразивший готовность материально поддержать некоторых недостаточных членов их группы. Ехать предполагали в следующем году, и Игнатий Владимирович о грандиозных замыслах старшего сына покамест ничего не знал.

Идея пригласить Ерамасова, когда молодой человек в очередной раз приедет в Москву, принадлежала самому Гнедичу: ему было любопытно взглянуть на хорошо образованного, революционно настроенного сына богатого купца. Да при этом еще и скромного человека... Неужели такие люди и вправду бывают на свете?

Между тем Игнатий Владимирович продолжал методично высказывать свою точку зрения на недопустимость сословных предрассудков для человека, постоянно по долгу службы имеющего дело как с самыми высокими, так и с самыми низменными душевными порывами и сторонами людей. Гнедич видел, что Николай Владимирович все более раздражается и на брата, изрекающего очевидные, но от этого не менее справедливые истины, и на самого себя — за неосторожные и неуместные слова, произнесенные бог весть почему, и на Казарина, присутствие которого только усугубило неловкость.

Положение, однако, спас сам Казарин, довольно, впрочем, невежливо перебив доктора Раевского:

— Да полно, Игнатий Владимирович, не утруждайте себя, все ведь понимают, что вы меня имеете в виду. Дескать, присяжный поверенный Казарин тоже происхождения низкого, однако ж вхож в этот дом — так почему купеческому сыну нельзя? Я не в обиде, что ж, происхождение мое неизменно, другим оно уж не станет, сколько слов ни произноси. Буду успешен в службе — глядишь, личное дворянство выслужу, а то и потомственное. Какие наши годы!

Он весело улыбнулся, сверкнув белоснежными зубами из-под угольно-черных усов.

— Вот мы теперь господина Чехова читаем, — продолжал он, — у него хорошо сказано о ценности человека, какого бы происхождения он ни был. И вообще, у него множество полезных вещей написано, в том числе и для нашей работы по судебной защите.

Гнедич по достоинству оценил изящество такого хода: подобный поворот позволял легко и безболезненно уйти от неловкости, которую допустил Николай. Алекс тут же подхватил разговор, выразив удивление:

— Разве у Чехова есть судебные очерки? Я не читал.

— Да не судебные, — живо откликнулся Казарин, — это в его рассказах и повестях написано.

Я это наверное знаю, потому что сейчас готовлюсь к защите по делу об убийстве из ревности, так Николай Владимирович мне посоветовал побольше ссылаться на литераторов, потому как они — первейшие знатоки темных изгибов человеческих душ.

Гнедич незаметно улыбнулся, узнав в словах молодого присяжного поверенного то, что когда-то услышал от Владимира Даниловича Спасовича и с тех пор усиленно втолковывал каждому поколению своих студентов.

— Вот я и обратился к прозе Чехова, все-таки он наш современник и душу описывает именно того человека, который живет в наше время, а не когда-то там давно, — продолжал Казарин. — И не поверите — разжился прелестными цитатами, которые можно красиво использовать в защитительной речи. И мой глубокоуважаемый профессор Павел Николаевич, и вы, Николай Владимирович, всегда учили меня при подготовке к процессу обращать внимание на психологию, а ежели моих собственных знаний человеческой души не хватает, так у литераторов заимствовать и непременно ссылаться на первоисточник. Народ у нас литераторов уважает, считает их самыми умными, чуть ли не глашатаями высших истин, а мнение их — неопровержимым. Вот я и понадергал цитат, да каких! Пальчики оближете!

Он говорил нарочито вульгарно, и Гнедич подумал, что это, вероятно, от волнения. Прервать на полуслове доктора Игнатия Раевского, указать на неловкость, созданную адвокатом Николаем Раевским, защитить неведомого пока еще гостя, при этом привлечь все внимание на себя, да еще на глазах у девицы, в которую безответно влюблен, — на все это и по отдельности требуется немалое мужество, а уж все вместе — задача почти невыполнимая. Однако же Юлиан Казарин с ней вполне справился.

Тут же посыпались просьбы привести хоть одну подобную цитату. Молодой юрист вытащил из кармана свернутые в трубочку листы бумаги и принялся зачитывать:

— «...Он понимал, почему иногда любовники убивают своих любовниц. Сам бы он не убил, конечно, но, доведись ему теперь быть присяжным, он оправдал бы убийцу».

— Отрадно видеть, что молодое поколение следует советам, какие даем им мы, старики, — усмехнулся уже вполне овладевший собой Николай Владимирович. — Когда я только начинал свою деятельность на адвокатском поприще, замечательных текстов господина Чехова не было и в помине, так я все больше из Тургенева цитаты брал. Тоже, знаете ли, богатейший материал!

— Да уж, — со смехом подхватил Игнатий Владимирович, — к счастью, наши присяжные в то время не думали, а возможно, и не знали о том, каков господин Тургенев на самом деле. Они искренне полагали, что коль известный писатель — то уж непременно образец высокой нравственности и к его словам надобно прислушиваться. Как будто человек безнравственный априори не может никогда высказать правильную мысль, зато уж нравственный какую идею ни родит — все бриллиант. Вряд ли можно причислить к образцам высокой нравственности человека, который постоянно выпрашивал деньги у матери, годами жил в доме своей любовницы и ее мужа, а потом еще и пристроил к ним на воспитание свою незаконнорожденную дочь, прижитую от крепостной в имении все той же матушки. Любопытно было бы услышать, любезный брат, какие именно мысли господина Тургенева можно было использовать в судебной защитительной речи. Уж коли мы все равно не ужинаем, гостя ждем, так можно и о Тургеневе поговорить, отчего нет? Какое время ты ему назначил, Алекс?

— Я просил Ерамасова быть к девяти.

— Стало быть, больше четверти часа еще ждать, — недовольно заметил Валерий. — Я голоден, как сто чертей! Так что ж, дядюшка Николай Владимирович, порадуете нас цитатами из творений господина Тургенева?

Гнедич заметил, что Катя, вошедшая в гостиную вместе с отцом, не принимает участия в разговоре, а тихонько, присев рядом с сестрой, шепчется о чем-то. Ах, эти милые девичьи секреты! Как он мечтал когда-то, что у них с Лизой будет большая семья, и станут они вечерами собираться в гостиной, и сыновья будут вести беседы о науках и искусствах, а девочки, склонившись друг к другу, будут обсуждать свои забавные тайны: кто, как и на кого взглянул, кто кому прислал записку... Прошло пятьдесят лет, Лиза умерла на чужбине, сам он, Павел Гнедич, состарился и одряхлел, теперь его семья — племянники и их дети. У него есть еще и три племянницы, но они далеко, и с ними не возникло такой близости, как с Николаем и Игнатием. Дочери сестры Варвары для Гнедича — именно племянницы. А вот мальчики — его сыновья, они росли рядом с ним, и он любит их, как любят отцы своих детей. Николай и Игнатий — зрелые мужчины, рано женившиеся и успевшие вырастить Катеньку, Сандру, Алекса и Валерия, которые уже стали взрослыми, но для Павла Николаевича племянники навсегда останутся мальчиками.

И все-таки интересно, о чем шепчутся Сандра с Катенькой? Лицо Кати то и дело озаряется мрачной улыбкой, а рыжевато-зеленые глаза Сандры становятся, кажется, еще больше, и в них разгорается какое-то неведомое пламя...

Адвокат Раевский между тем не спеша расхаживал взад и вперед и рассказывал о деле, для судебной речи по которому он впервые использовал слова Ивана Сергеевича Тургенева. В последнее время Николай Владимирович стал уставать от долгого пребывания в неподвижности, и после окончания судебного заседания или приема доверителей его обычно трудно было усадить куда-нибудь: он беспрестанно двигался, что-то рассказывал и бурно жестикулировал, давая выход накопившейся энергии.

— ...И вот мой подзащитный, человек спокойный и уравновешенный, о котором все отзывались как о добром и порядочном, не выдерживает всего этого любовно-романтического хаоса и стреляет в даму сердца. Я только-только перешел в адвокатуру, опыт прокурорский у меня огромный, больше десятка лет, а адвокат я еще совсем неопытный, только и багажа у меня что знание всех приемов и уловок, взятых на вооружение стороной обвинения. Это бывает хорошо для произведения впечатления на судей, которые знают законы и разбираются в тонкостях их применения. Однако ж совершенно не годится для воздействия на присяжных: они обыватели, в юриспруденции несведущи, тут надо апеллировать только к жизненным реалиям, к чувствам, к их душевному опыту. Как я ни копался в собственной голове — не мог найти аргументов, объясняющих поведение подсудимого. И тут вычитал у Тургенева: «Людям положительным не следовало бы увлекаться страстью; она нарушает самый смысл их жизни... Но природа не справляется с логикой, с нашей человеческою логикой: у ней есть своя, которую мы не понимаем и не признаем до тех пор, пока она нас, как колесом, не переедет». Прочел — и понял, в чем моя ошибка: я хотел найти объяснение, согласное с логикой и вытекающее из нее, а господин Тургенев мне разъяснил, что там, где страсть, там наша человеческая логика не действует, не годится.

Николай Владимирович сделал эффектную паузу и остановился ровно напротив брата, глядя на него насмешливо.

— Так что твои, дорогой Игнатий, пассажи о низкой нравственности господина Тургенева принять никак не возможно. Он питал страсть к Полине Виардо, страсть темную, всесильную, всепоглощающую и неуправляемую, и действовал под ее влиянием, а ты пытаешься судить о нем с позиций человеческой логики.

— Папенька, — раздался звенящий от возбуждения голосок Сандры, — а еще какую-нибудь любовную историю расскажите!

Все рассмеялись, кроме Кати, бросившей на сестру неодобрительный взгляд.

— Пустые это разговоры. — Голос девушки прозвучал сухо и сурово. — Для чего вообще надо любить — не понимаю. Толку от вашей любви никакого, одни лишь терзания, да и те бессмысленные. Если уж вам так хочется непременно Тургенева цитировать, то вот вам его слова: «Человек слаб, женщина сильна, случай всесилен, примириться с бесцветною жизнью трудно, вполне себя позабыть невозможно... А тут красота и участие, тут теплота и свет, — где же противиться? И побежишь, как ребенок к няньке. Ну, а потом, конечно, холод, и мрак, и пустота... как следует. И кончится тем, что ото всего отвыкнешь, все перестанешь понимать. Сперва не будешь понимать, как можно любить; а потом не будешь понимать, как жить можно».

Катя обвела строгим и каким-то даже вызывающим взглядом всех присутствующих, словно призывая сделать выводы из только что оглашенного отрывка.

— Любовь ваша, — продолжила она, — это не более чем яркая красивая игрушка, в которую ребячески незрелые личности играют от скуки, от душевной незаполненности, от ощущения пошлости всей жизни. Потом игрушку отнимают, и привыкший жить с ней ребенок плачет, рыдает, бьется головой об пол и не понимает, как можно без нее существовать, ему скучно без любимой игрушки, он не знает, чем себя занять. Если вовремя научить ребенка читать или рисовать, то утрата игрушки пройдет незамеченной. И с любовью происходит в точности то же самое. Так что любовь — это глупость, недостойная мыслящего человека. Страсть отрицать не стану, она есть, но она — явление природное, к высокому человеческому духу отношения не имеет и потому так же недостойна, как и любовные страдания.

— Бог мой, Катерина Николаевна, откуда в вас столько цинизма! — в изумлении воскликнул Казарин. — Мы тут давеча одну повесть Чехова разбирали и дружно согласились с тем, что все так называемые «высокие» мысли о бренности, ничтожности и бесцельности жизни, о загробных потемках и прочем хороши и естественны в старости, когда они являются продуктом долгой внутренней работы, выстраданы и в самом деле составляют умственное богатство; для молодого же мозга, который едва только начинает самостоятельную жизнь, они просто несчастие!

— Это не цинизм, а всего лишь ясное понимание неизбежности смерти. В свете этого понимания многое видится таким, каковым является на самом деле, то есть мелким и ничтожным, — резко ответила Катя. — Впрочем, вам, господин Казарин, всегда весело, вы в каждую минуту готовы смеяться и радоваться, а это означает, что о смерти вы вообще не задумываетесь, словно она не про вас. Умрут, разумеется, все, а вы останетесь, верно? Куда честнее было бы добровольно умереть, нежели делать вид, что жизнь прекрасна и состоит из одних только радостей. На самом деле жизнь пошла и низка, и только в смерти есть высочайшее начало.

Гнедич вздрогнул. Нет, для него давно уж не новость увлечение Кати идеями смерти. Смерть нынче в моде, стихи поэта Надсона о бессмысленности и бесцельности жизни расходятся невиданными тиражами, большими даже, чем тиражи Пушкина и Лермонтова. Гимназистки и курсистки поголовно списывают в тетрадки и заучивают наизусть:

> Чего ж мне ждать, к чему мне жить,
> К чему бороться и трудиться:
> Мне больше некого любить,
> Мне больше некому молиться!

Что ж, такова нынешняя мода на образ мысли, и надо ли удивляться, что Катенька заразилась подобными идеями. Мода на смерть, мода на самоубийства... Всякий раз, когда речь так или иначе заходит о самоубийствах, Павлу Николаевичу делается невыносимо больно. Не дают ему покоя воспоминания, терзают, мучают, разъедают душу.

— Господин Ерамасов пришли, — доложил вошедший в гостиную лакей.

— Проси же! — живо отозвался Алекс, расцветая улыбкой.

Часы начали бить, обозначая наступление девяти часов. Гнедич по достоинству оценил пунктуальность гостя и уже заранее расположился к нему.

Алексей Ерамасов оказался худощавым невысоким молодым человеком с невзрачным лицом, но необыкновенно обаятельным. В руках он нес несколько книг и коробок, которые тут же сложил на столик у двери, оставив у себя только один томик.

Алекс первым делом подвел гостя к Павлу Николаевичу.

— Дядюшка Поль, позвольте представить моего друга.

— Ерамасов, — коротко кивнул новоприбывший и протянул Гнедичу книгу. — Не сочтите за дерзость, ваше сиятельство, но я позволил себе принести вам это редкое издание в знак моего глубокого уважения к вашему профессиональному пути.

Гнедич поднес к глазам висящее на шнурке пенсне — без стекол он уже не мог читать — и внимательно изучил подарок: толстый томик небольшого формата, «Храм правосудия, или Зрелище судебных делопроизводств, тяжеб и открытых преступлений», изданный в 1803 году. Действительно, великолепный подарок!

— Душевно благодарен, — сказал он Ерамасову. — Где же вы раздобыли такой раритет?

— У нас в Симбирской губернии можно найти много редких книг. Ознобишины, Языковы, Карамзины и многие другие составляли прекрасные библиотеки.

Ерамасов был представлен по очереди всем членам семьи, и каждый получил от него подарок. Особенно понравилось Гнедичу врученное Кате трехтомное собрание сочинений Данте Алигьери — роскошное издание 1850 года с иллюстрациями Густава Дорэ, в переплете из марокена, с золотым тиснением и золотыми обрезами.

Лакей объявил, что ужин подан, и все перешли в столовую. Во время трапезы Павел Николаевич исподволь наблюдал за гостем из Сызрани. Ерамасов не привлекал всеобщего внимания, ничего не рассказывал «для всех», но при этом постоянно вел негромкую беседу то с Алексом, сидящим справа от него, то с занявшей место слева Сандрой. Манеры Ерамасова были, на взгляд князя, вполне удовлетворительны, а коль он действительно приятный собеседник, то нет ничего удивительного в том, что Алекс так увлечен этим молодым человеком.

Однако стоило лишь общему застольному разговору коснуться готовящейся городской реформы, как Ерамасов умолк и начал внимательно вслушиваться в то, что говорил доктор Раевский, реформу не одобрявший.

— Исключить из состава избирателей низшие сословия — это недостойно государства, считающего себя цивилизованным, — категорично заявил Игнатий Владимирович. — Сперва четыре года назад Министерство народного просвещения издало циркуляр о запрете «кухаркиным детям» поступать в гимназии, а теперь еще и это!

— Здесь есть логика, — подал голос Ерамасов. — Правда, она кривая, ущербная, и мыслящий человек никак не может и не должен с нею согласиться. Но кто возьмется утверждать, что те, кто принимает подобные законы, являются истинно мыслящими людьми?

— И какова же эта логика, позвольте спросить? — поинтересовался Валерий.

— Да очень простая. — Ерамасов обезоруживающе улыбнулся. — Для того чтобы отнять у какого-нибудь социального слоя избирательное право, необходимо иметь основания утверждать, что представители этого слоя не в силах участвовать в свободных и осознанных выборах, потому что ничего не знают и не понимают. Они умственно недостаточны, их интересы низки, кругозор ограничен и все в таком роде. Потому вполне логичным выглядит сделанный предварительно запрет представителям этого слоя получать образование в гимназии. Пусть остаются плохо образованными, оставим им реальные училища, а многим и начальной школы достаточно. Чем плохо? Они будут работать, а мы будем иметь полное право говорить об их недостаточном уме и узком кругозоре. И тем самым защитим себя от нежелательных результатов выборов, а то ведь, не ровен час, проголосуют за какого-нибудь социалиста, который начнет подрывать устои и призывать к революции.

— Вы — марксист, господин Ерамасов? — спросил Николай Владимирович.

Гнедич заметил предостерегающий взгляд, брошенный Алексом на сидящего рядом гостя.

— Я — экономист, — невозмутимо ответил Ерамасов. — И в полной мере отдаю себе отчет, что никакие меры запретительного характера, изобретаемые в правительстве и отнимающие у части населения политические права, не улучшат экономическую ситуацию. Если же ее не улучшать, то революционные настроения и призывы к социалистическому строю погасить не удастся никогда. Это просто несовместимые вещи. Коли хотите, чтобы народ не бунтовал, накормите его, дайте ему достойное жилище, образование и медицину. А как это сделать без экономических преобразований? Никак не возможно. Отсюда и мое скептическое отношение к политическим реформам.

«Умен, — одобрительно подумал Гнедич. — Осмотрителен. Сдержан. Обаятелен, улыбается хорошо. И конечно, он марксист, социалист, это очевидно. Как бы не втянул Алекса...»

Когда подали чай, Павел Николаевич каким-то неведомым чутьем уловил перемену в настроении, витавшем в комнате. Он знал за собой эту особенность: во время чтения лекций профессор Гнедич мгновенно ощущал любое малейшее изменение в аудитории, будь то утомление от излишней сложности материала, недовольство услышанным или переключение внимания на гуляющую по рядам записку. Он вообще хорошо понимал молодежь, умел чувствовать ее, вероятно, оттого, что сорок лет существовал бок о бок со студенчеством и постоянно много общался с учениками. Вот и теперь Павлу Николаевичу показалось, что буквально минуту назад все стало иначе. Но что? С кем из его родных? Или перемена произошла с одним из гостей?

Гнедич с тревогой всматривался в лица, вслушивался в голоса, обращал внимание на мелочи, казалось бы, не имеющие никакого значения, но представлявшиеся ему отчего-то важными... Вот Катя берет с блюда сухарик... Она не ест варенья, вообще не любит сладкого... Вот Николай слишком поспешно делает большой глоток из чашки и обжигается, торопыга, всегда бежит куда-то, словно боится опоздать... Игнатий задумчиво переводит взгляд с одного пирога на другой, размышляя, какому отдать предпочтение... Ерамасов просит Сандру положить ему черничного варенья... Сандра наполняет сперва его вазочку, затем свою... Странно, она никогда не ела прежде варенье из черники, оно ей не нравилось...

Неужели это именно то, что почуял Гнедич?

— У меня голова разболелась, — внезапно заявила Сандра, поднеся ладонь ко лбу. — Наверное, от этих ваших умных разговоров!

— Ну, если головная боль от умных разговоров, то при такой хворобе холодный снег хорошо помогает, — рассмеялся доктор Раевский. — Вот ежели б от кровяного давления боль была, я бы пиявки прописал, а от заумностей есть только одно лекарство: холод, лед или снег.

— И правда ваша, дядюшка Игнатий Владимирович. — Сандра поднялась из-за стола. — Вы позволите, я вас покину? Пойду во двор выйду, хоть на крыльце постою.

— Разрешите сопроводить вас? — тут же подхватился Казарин.

— И что вы будете там вдвоем делать? — ехидно осведомился Алекс. — Общими усилиями головную боль моей сестрицы лечить?

— А мы в снежки играть будем, — радостно откликнулся Юлиан. — Правда, Александра Николаевна?

— Правда!

Она обвела глазами собравшихся за столом.

— Мы будем играть в снежки! Кто с нами?

Еще вчера, еще час назад Гнедич был бы уверен, что подобное приглашение относится в первую очередь к Алексу, который, однако, даже не пошевелился, сделав вид, что не услышал. Катя в ответ на предложение выйти во двор лишь презрительно усмехнулась, Валерий вежливо отказался, сославшись на усталость — весь день провел на ногах, занимаясь в анатомическом театре. Зато поднялся Ерамасов.

— Извольте, — проговорил он, аккуратно складывая крахмальную салфетку. — Примете меня в свою компанию?

Глаза Сандры сверкнули задорно, личико светилось нескрываемым удовольствием. Вот, стало быть, как...

Все меняется в одно мгновение. Сомнений у Гнедича не осталось: воспитанница Николая Раевского с первого взгляда влюбилась в сына богатого купца из Сызрани. Кто знает, хорошо это или плохо?

* * *

Вечера, подобные нынешнему, случались теперь все реже и реже. Обыкновенно Гнедич коротал остаток дня в одиночестве или в обществе то Сандры, то бывших учеников, частенько навещавших своего профессора.

Николай Владимирович Раевский так и не женился больше, хотя развод все-таки оформил, но вовсе не для того, чтобы вступить в новый брак, а исключительно потому, что сбежавшая супруга внезапно объявилась и попросила не препятствовать ее личному счастью. Счастье ее составил, разумеется, вовсе не тот ушлый не то журналист, не то писатель, ради пышных усов которого она когда-то покинула дом в Калуге, мужа и дочь. Случилось это в 1875 году. Никаких чувств к маленькой Катеньке бывшая жена Раевского не испытывала и даже не попыталась увидеть ребенка, а известие о том, что Николай взял на воспитание девочку из приюта, вызвало на ее все еще прелестном личике лишь гримаску брезгливого недоумения: детей она не любила и присутствие их в своей жизни почитала обременительным и ненужным. Тот, за кого она собиралась замуж, был стар годами, дважды вдов, имел множество детей и внуков и ни на какое потомство в браке с молодой супругой не рассчитывал, желая всего лишь приятно скоротать оставшиеся годы жизни. По российским законам сторона, виновная в разводе, не имела права на церковный брак в будущем, но поскольку жена Раевского намеревалась выйти замуж в другой стране, признание супружеской измены ее не затруднило.

Освободившийся от брачных уз Николай Владимирович с удовольствием пользовался преимуществами холостяцкой жизни, проводя много времени в театрах и в светских салонах. Он по-прежнему легко увлекался и быстро остывал, но, памятуя собственные болезненные переживания калужского периода, никогда не заводил интрижек с замужними дамами, отдавая предпочтение одиноким девицам или молодым вдовушкам. Гнедич не считал себя вправе заводить с племянником разговоры о его личной жизни, но в глубине души желал бы, чтобы в доме появилась настоящая хозяйка.

До тех пор, пока Катя и Алекс не выпустились из гимназий, они довольно редко проводили вечера вне дома. Когда же Катя начала работать со своим отцом, а Алекс поступил в университет, интересы их стали все более отдаляться от уютной гостиной и общества членов семьи. Алекс возвращался почти всегда поздно, а Катя, если была дома, а не на собрании какого-нибудь очередного кружка, предпочитала проводить время в своей комнате, читала и что-то писала.

Игнатий Владимирович после смерти жены наотрез отказался даже обсуждать вопрос о новой женитьбе, сославшись на то, что мальчики уже выросли и в женском пригляде не нуждаются, а сам он никогда и ни на кого больше не посмотрит как мужчина — слишком сильна была его привязанность к Наденьке. Вечера Игнатий проводил, как правило, дома, но он много работал и к концу дня так уставал, что не всегда находил в себе силы для бесед, все больше сидел молча и думал о чем-то или читал новинки медицинской литературы на немецком, английском или французском. Частенько в последнее время Валерий, ставший студентом медицинского факультета, что-то обсуждал с отцом и даже жарко спорил с ним о каких-то хирургических приемах и методах, но эти разговоры были непонятны Гнедичу и оттого скучны.

Редко, до обидного редко бывали теперь такие вечера, когда вся семья в сборе и разговор идет общий, в котором все участвуют и по предмету которого каждый имеет свое мнение. Нет, не в том дело, что Павел Николаевич скучает, это состояние ему неведомо. Тоскует он именно о семье, большой, теплой, многолюдной и разновозрастной, в которой все друг друга любят и поддерживают, делятся переживаниями, рассказывают о прожитом дне, просят советов и щедро дарят знания, опыт и душевные силы.

Такая семья была в его мечтах когда-то, полвека назад... Потом, когда он понял, что семьи у него не будет, пришли другие мысли и планы. Никаких особенных радостей от жизни Павел Гнедич тогда не ждал, полагая, что ничего хорошего и светлого ему уже не видать. До сих пор иногда приходила на память та неделя Масленичных балов, когда молодой князь Гнедич каждый день встречал Лизаньку

Шувалову, танцевал с ней, прикасался к ее руке, обмирая от счастья и восторга, и понимал, что объяснения не избежать и что после все будет только мрак и пустота. Более того, Павел сознавал, что чем дольше тянет с объяснением, тем хуже, больнее и горше будут последствия этого тяжелого разговора. И ничего не мог с собой поделать, малодушно оттягивая решительный момент и говоря себе самому: «Еще сегодня, еще только сегодня я буду наслаждаться нашей любовью, пусть еще хотя бы сегодня будет хорошо и покойно, а завтра уж непременно скажу...» Но наступал следующий день, молодой князь Гнедич ехал на следующий бал, и ему снова хотелось пережить эти минуты глубокого и всепоглощающего восторга, и не мог он от них отказаться... А воротившись домой после очередного бала, Павел у себя в комнате лил горькие и неостановимые слезы над строками Лермонтова:

> ...За каждый светлый день и сладкое мгновенье
> Слезами и тоской заплатишь ты судьбе...

Ему казалось, что эти стихи поэт написал именно про него, Павла Гнедича...

После свадьбы сестры Вареньки и смерти Аполлинарии Феоктистовны он остался совсем один, и долгие годы Гнедичу казалось, что так отныне будет всегда и никакой другой семьи у него не будет. Разумеется, принято было держать в доме разных бедных родственников и приживалов, но Павел этот обычай не соблюдал, помня о своем обещании жить скромно и не тратить лишнего. Потом к нему привезли мальчиков — Николеньку и Игнатия, — и дом будто бы ожил, наполнился голосами, чувствами, мыслями и радостью жизни. Но племянники выросли, и Павел Николаевич вновь остался один. Он полагал, что теперь уж определенно ничего хорошего в его жизни не случится и годы пребывания с мальчиками так и останутся самыми «семейными» в его биографии. Свое же собственное детство, проведенное с отцом, матушкой, сестрой и братом, Павел Гнедич и вовсе за «семейность» не считал: родители не обращали на детей ни малейшего внимания, отец много времени уделял службе и подолгу находился за границей, Аполлинария Феоктистовна вела бурную светскую жизнь, которой дети только мешали. В этом не было ничего особенного, так жили все дворянские семьи, по крайней мере, в Москве, а других семей Павел и не видел. Но откуда-то, то ли из книг, то ли из сновидений, пришла и поселилась в его душе мечта о другой семье, и молодой князь Гнедич надеялся, что сможет ее построить, создать и оберегать.

Когда же им было принято решение не вступать в брак и не заводить семью, пришло и понимание того, что с красивой мечтой придется расстаться. Он больше не надеялся ни на что, не ждал ничего и не лелеял пустых мыслей. И вот вдруг, неожиданно, судьба обратила к нему свой благосклонный лик и привела под кров дома Гнедичей обоих племянников и их детей. И снова прошли годы, дети выросли, и все ближе и ближе тот час, когда они начнут один за другим покидать родовое гнездо...

Да, этот час приближается. Но он еще не настал! И еще есть возможность насладиться и осознать каждый прожитый день как благословение, а каждый вечер, подобный сегодняшнему, как счастье, незаслуженное и потому еще более острое. Павел Николаевич знал, что в минуты душевной слабости хорошим лекарством для него бывают дневники Кюхельбекера, впервые опубликованные лет пятнадцать тому назад. Едва закрадывалась в голову первая из стройной вереницы мыслей о безнадежности будущего, он открывал книгу и читал: *«Страшно подумать, как я ко всему стал равнодушен... Сердце окаменело: бьешь в него, требуешь от него воды живой, сладких, горьких слез, — а сыплются только искры...»* Эти слова отрезвляли, словно ведро ледяной воды, разом вылитой на горячечную голову. «Вот пример той черты, до которой нельзя себя допускать мыслящему человеку, — говорил себе Гнедич. — Вот образец того, чему следовать не надо». Он так хотел быть счастливым! И в то же время считал себя великим грешником, не имеющим права на счастье. От этого каждая яркая и сладостная минута ощущалась им украденной у кого-то и незаконно присвоенной, и порой самобичевание заводило князя так далеко, что приходилось значительным душевным усилием останавливать себя.

Все чаще и чаще, под влиянием Игнатия, любящего задавать сакраментальный герценовский вопрос «Кто виноват?», Павел Николаевич стал задумываться о том, нет ли и его вины в том, как сложилась жизнь близких ему людей. Лиза прожила много лет с нелюбимым мужем, и не было в ее браке, наверное, ни одного счастливого дня. Она умерла там, за границей, в полном одиночестве: Елизавета Васильевна не сообщала живущим в России детям о своей болезни, и приехать они успели лишь на похороны. Если бы Лиза стала женой Гнедича, у них родились бы дети и вряд ли он попросил бы сестру прислать племянников в Москву из Вершинского. Мальчики выросли бы совсем другими, получили другие знания и сформировали другие характеры, и семейная их жизнь тоже наверняка сложилась бы совсем иначе. Лучше? Хуже? Этого никто не знает. Но каждый раз, когда Павел Николаевич думал: «Сейчас они живут так, как живут, именно потому, что я тогда принял решение не жениться», ему становилось страшно до озноба. «Я принял такое решение, потому что на мне был великий грех. Такие грешники не имеют права стоять перед алтарем и уж тем более заводить и воспитывать детей, — говорил он сам себе. — А грех на моей душе появился из-за моей слабости и трусости, из-за того, что я не нашел в себе сил противостоять матушке, хотя и понимал, что она поступает дурно. Понимал — и помогал ей. В этом тоже мой грех. Откуда во мне родилась такая слабость и покорность? Только ли от воспитания? Но ведь во всех русских семьях детей растят в покорности и послушании, однако ж не все вырастают покорными. Значит, причина во мне самом, во мне какой-то дефект, какой-то порок. Я виноват...»

Бессонница по-прежнему мучила Павла Николаевича, и все домашние знали, что можно заходить к дядюшке Полю глубоко за полночь, не боясь его потревожить и разбудить. Поэтому Гнедич, рассеянно листавший за письменным столом «Храм правосудия», ничуть не удивился, когда раздался тихий стук и к нему в кабинет вошел Алекс.

— Дядя Поль, я хотел поговорить с вами об Ерамасове. Он вам понравился?

— Понравился, — кивнул Гнедич с улыбкой. — Очень славный молодой человек. Вот видишь, читаю подаренную им книгу и черпаю для себя много интересного. Приятно, когда подарки выбирают с душой.

— Значит, я могу рассчитывать, что вы меня поддержите, когда я скажу отцу о своем намерении ехать вместе с Ерамасовым учиться за границу?

— Алекс, твой друг, несомненно, относится не к вяло мыслящим субъектам, которых мы сегодня обсуждали, а именно к деятельным натурам, любящим и умеющим трудиться и созидать. Это весьма похвально и заслуживает огромного уважения. Но ты сам рассказывал мне о его близости к разным социалистическим кружкам. И из его речей сегодняшним вечером идеи его вытекали вполне ясно.

— Дядя Поль...

— Не перебивай, — остановил его Гнедич. — Ты сам выбираешь, как тебе жить и с какими идеями. Я не вправе вмешиваться и указывать тебе, это твоя жизнь и твой путь. Но я хочу только предостеречь тебя. Ерамасов умен, образован и обладает очень сильным обаянием, он способен увлечь своими идеями любого, с кем будет общаться. И мне бы хотелось, чтобы ты это осознавал, чтобы ты мог различить: где твое истинное убеждение, а где — мысли, внушенные умным и обаятельным собеседником. Потому что будет необыкновенно жаль, если ты потратишь часть своей жизни на выбранный под влиянием чужого обаяния ложный путь, в котором впоследствии разочаруешься.

Если же путь окажется истинным — то благослови тебя Господь.

— Спасибо, дядя Поль. И еще я хотел спросить... Юноша замялся, подыскивая слова.

— Ну-ну, — подбодрил его Павел Николаевич.

— Я о Сандре хотел сказать.

— А что о Сандре?

— Вам не показалось, что между ней и Ерамасовым...

— Да, — кивнул Гнедич, — показалось. Тебя это отчего-то пугает? Расстраивает?

— Нет, но... Мне казалось, Юлиан... Он влюблен, это видно. И он был бы Сандре хорошей партией... Теперь не знаю... Если Ерамасов не ответит на ее чувство, это разобьет ей сердце.

Гнедич рассмеялся.

— Ну, уж насчет этого ты не беспокойся! Безответная любовь никогда не разобьет сердечко нашей Сандры.

— Как вы можете знать?

— Да бог с тобой, Алекс, она столько времени была влюблена в тебя, а ты даже не замечал?

— Сандра?! — воскликнул юноша. — В меня? Влюблена? Да с чего вы взяли, дядя Поль?

— Это видел весь дом, не только я один. И как видишь, наша Сандра вполне здорова и полна сил, сердце ее не разбито. Оно живо и полнокровно бьется, причем настолько живо, что сегодня в начале вечера она еще была увлечена тобой, а к концу вся была поглощена твоим другом Ерамасовым. Позволь задать тебе вопрос, Алекс: ты уверен, что беспокоишься о Сандре? Или ты на самом деле ревнуешь? Ты недоволен, что твой друг Ерамасов обратил внимание на кого-то другого и находит удовольствие в общении с кем-то еще, помимо тебя?

Это было жестоко. Но таков уж стиль, избранный Павлом Николаевичем Гнедичем для общения с членами семьи: никаких нравоучений и указаний, но и никакой жалости. Игнатий часто говорил ему: «Дядя Поль, напрасно вы тратите свою жизнь на юриспруденцию, по вашему мышлению из вас вышел бы превосходный хирург! Вы всегда исходите из того, что для излечения приходится делать больно или на крайний случай неприятно».

— Я понимаю твои чувства, — продолжал он, с мягкой улыбкой глядя на пришедшего в замешательство внучатого племянника. — Когда в мужскую дружбу вторгается женщина, это всегда болезненно. Но это неизбежно, и с этим приходится примиряться. Примирись и ты.

— Но, дядя Поль... Я не понимаю, как мне поступать... — растерянно заговорил Алекс. — Хорошо или дурно, что она влюблена? Я не могу понять, и оттого в замешательстве... Сандре я брат, Ерамасову — друг, и если между ними что-то возникнет, я как брат должен на это реагировать, а как друг — помогать и способствовать. Я не могу решить...

Гнедич рассмеялся, потянулся к книжной полке и достал старенький, изрядно потрепанный томик первого издания романа Герцена «Кто виноват?». Когда-то двадцативосьмилетний Павел Гнедич многократно перечитывал этот роман, пытаясь найти в нем ответы на свои мысли, а вместо этого находя все новые и новые вопросы. Кто виноват в том, что много лет живешь в определенном убеждении о своих чувствах, а потом начинаешь думать и чувствовать иначе? И может ли кто-нибудь быть виноват в этом? И вообще, уместно ли говорить в таком деле о вине и искать виноватых?

— Читал? — спросил он Алекса, листая страницы в поисках давно знакомого места.

Юноша презрительно пожал плечами.

— Нет, конечно. Кому нужно это старье? Как революционер и социал-демократ Герцен, безусловно, фигура значительная, хоть и превратился под конец жизни в занудливого брюзгу, а как романист — увольте! Я такое читать не стану.

— Может быть, ты и прав, — согласился Павел Николаевич. — Но тебе должно быть, по крайней мере, любопытно, как жили, думали и чувствовали люди в то время.

Он непременно хотел зачитать дословную цитату, а не пересказывать ее смысл своими словами, ибо как юрист привык к определенному стилю, требующему точного воспроизведения чужих слов, а никак не приблизительного их изложения. К этому же он приучал и племянников, и их детей, и своих учеников в университете.

— Вот, послушай, — продолжал Гнедич, — как сорок пять лет тому назад говорили и думали о женщинах: *«Да и притом, как ни толкуй, а дочерей надобно замуж выдавать, они только для этого и родятся; в этом, я думаю, согласны все моралисты»*. Сравни теперь с повестью, которую мы сегодня читали, — один из персонажей пропагандирует гражданский брак и при этом оправдывает свое мнение: «Надо быть без предрассудков и стоять на уровне современных идей». Ты понимаешь? Церковный брак сегодня считается предрассудком, в обществе идут разговоры о том, что процедуру развода надо упростить и ускорить, и такие вот повести печатаются без всяких цензурных ограничений, а это означает, что при дворе Императора царит такое же мнение. Твоя личная точка зрения на этот счет может быть какой угодно, такой же или иной, но ты не можешь не считаться с тем, какая позиция разделяется обществом. Это объективная реальность, и не имеет смысла, а порой даже вредно делать вид, что ты ее не замечаешь. Идеи о месте женщины и о ее праве распоряжаться собой претерпели большие изменения, так что ты можешь быть спокоен: Ерамасов и Сандра прекрасно разберутся без твоего участия. И чем бы это ни кончилось, твоей вины здесь не будет.

— Вы правы, дядя Поль... Но... Я не знаю, как к этому отнесется дядя Николай... Если ему не понравится, что Сандра сблизилась с сыном купца, он начнет требовать от меня, чтобы я принял меры... Ведь Ерамасов мой друг... А вы сами слышали сегодня, как дядя Николай резко выразился о нем... Сандра хоть и не родная дочь ему, но он ее вырастил и любит, да мы все ее любим, всегда считали ее нашей сестрой, не делали разницы между нею и Катей...

Гнедич нахмурился.

— Кажется, я понимаю истинную причину твоего беспокойства. Ты не хочешь поссориться с Николаем Владимировичем, потому что он — человек со связями в том мире, в котором ты намерен делать карьеру. Я правильно тебя понял? Не смущайся, в этом нет ничего стыдного. Так я прав?

Алекс молча кивнул. Ну что ж, подумал Павел Николаевич, все закономерно, этого следовало ожидать. Таков уж он, Александр Раевский: он не умеет любить людей теплом своего сердца, он не умеет вкладывать в отношения с ними любовь, рождающуюся в душе. Он любит только умом, только интеллектуальными потребностями: отвечает человек этим потребностям — значит, он хорош. С Ерамасовым ему интересно — стало быть, он числится в друзьях. Дядюшка Николай Раевский — юрист со связями и знакомствами; выходит, надо поддерживать в нем хорошее впечатление о себе. В этом нет меркантильности и какой бы то ни было низменности, просто Алекс такой от природы. Свою двоюродную сестру Катю он любил ровно до тех пор, пока с ней можно было обсуждать правильность перевода с древнегреческого и с латыни или реформы Екатерины Второй. Сандру же не любил и не замечал вовсе, ибо говорить с ней было не о чем.

Хорошо это или плохо? Как знать... Впрочем, неизвестно, что произойдет в будущем, если с Алексом случится то самое, о чем Тургенев так хорошо сказал: «...пока колесом не переедет...» Попадет мальчик под это колесо, и кто может предугадать, что станется с его устремленностью к профессиональным знаниям и с его убежденностью в том, что хорошо только то, что дает пищу уму...

— Я думаю, тебе пока не о чем волноваться, — мягко проговорил Павел Николаевич. — Сандра во многом похожа на Николая Владимировича, и может статься, что ее увлечение Ерамасовым довольно быстро пройдет. Беспокоиться заранее — пустое дело, поверь мне. Беспокоиться вообще нет смысла. Если случается неприятность — следует принимать меры к ее исправлению. Хорошо бы, может быть, заранее подумать о том, как повести дело, чтобы оно не обернулось неприятностью. Но, уж во всяком случае, не беспокоиться. Только лишь думать и делать.

* * *

Оставшись один, Гнедич снова взялся было за «Храм правосудия», но взгляд его упал на лежавший перед ним роман Герцена. Как сказал Алекс? Великий революционер к концу жизни превратился в несносного брюзгу? Может, и так, однако в проницательности и умении чувствовать людей Александру Ивановичу Герцену отказать никак нельзя, это было бы несправедливо. Взять хоть историю с Сергеем Нечаевым: Герцен был одним из очень немногих, кто разглядел в нем опасного типа с уродливой душой и искривленным мышлением. Нечаев смог очаровать многих, в том числе и Бакунина, смог убедить в правдивости своей лжи, умел заставить смотреть себе в рот даже тех, кто превосходил его и возрастом, и образованием, и жизненным опытом. Словно какое-то злое колдовство окутывало Нечаева, заставляя людей верить ему и послушно идти за ним. Герцен предостерегал соратников от близости с этим человеком, но его не слышали, считая впавшим в человеконенавистничество стариком, который просто не может смириться с тем, что стал не нужен молодому революционному движению, и от злости поносит всех, кто стоит во главе новой русской революционности.

А потом Нечаев, вернувшись в Россию, совершил убийство. Да не какое-нибудь политически вызывающее, не террористическое, а самое обычное, к тому же обставленное весьма некрасиво: сперва оболгал соратника перед другими членами организации, обвинив его в предательстве, а затем потребовал, чтобы они вместе с ним убили «изменника». Все под суд пошли... Выходит, прав был Герцен в своих оценках. Но нынешняя молодежь считает его «стариком» и никому не нужной рухлядью. А между тем если бы они прочли роман «Кто виноват?», то наверняка вынесли бы для себя много полезных мыслей и наблюдений, даже несмотря на то что написан он был 45 лет тому назад.

Гнедич усмехнулся собственным мыслям: в России для многих, в том числе и для него самого, литература заменяет недостаток жизненного опыта. Или это особенность не только России?

Глава 4
1898 год, июль

> Привязанность, благодарность и любовь могут слагаться в сердце человека совершенно помимо кровных уз и вдалеке от них.
>
> *Из защитительной речи С.А. Андреевского на судебном процессе по делу Ефимьева*

Поезд опаздывал почти на три часа, и стоявшие на платформе агенты охранного отделения изнывали от июльской жары и обычно не свойственной

Москве духоты. Они получили указание «встретить» ехавшую из Сызрани молодую женщину, известную в кругах революционеров под псевдонимом «Рада». Благодаря тщательной работе по перлюстрации почты, в особенности адресованной лицам, находящимся под полицейским надзором, была получена информация о том, что в Сызрань для встречи с руководителями революционных групп Поволжья поехала связная «Рада» с письмами от московских, петербургских, киевских и харьковских революционеров, а также с деньгами, собранными для поддержания поволжских соратников. К сожалению, перехват и задержка письма привели к тому, что встретить Раду в Сызрани охранка не успела, но в том же письме содержалось и указание на день, когда связная отправится в обратный путь, а также упоминание о том, что возвращаться она будет налегке, без багажа, поэтому от Казанского вокзала до явочной квартиры, где Раде следует оставить привезенную ответную почту, она дойдет пешком, «там ходу минут десять, не более». Главной же ценностью перехваченной информации была фраза: «Хотя с ее броской цыганской красотой, черными вьющимися волосами и горящими черными глазами вряд ли ей удастся дойти от вокзала до квартиры Миртовского так быстро: ее беспрестанно останавливают встречные мужчины с предложением проводить или оказать помощь, да и в поезде наверняка какой-нибудь любитель легкой поживы привяжется, так что Раде придется потратить некоторое время на то, чтобы отделаться от назойливого ухажера. К сожалению, внешность у нее такая, что ее с первого же взгляда принимают за доступную девицу, и, как мы ни бились, чтобы сделать ее более похожей хотя бы на приличную мещанку, а лучше — на дворянку, все усилия наши провалились».

Тотчас же в Сызрань поступило указание посадить в нужный поезд агента, который за время следования до Москвы должен будет отыскать среди пассажиров эту самую Раду и не спускать с нее глаз, при самом же лучшем стечении обстоятельств следовало познакомиться с нею и войти в доверие. Однако на первой же станции посаженный в поезд агент сошел и был срочно отправлен в больницу с острой болью в животе. Он был совсем плох, но прежде, чем потерять сознание, успел сообщить, что ни в первом, ни во втором классе Рады он не обнаружил, а в третьем классе народу столько, что очень трудно выявить объект с одного раза, необходимо находиться в вагоне долго, а он не успел...

Ну, ничего, особа яркая, приметная, филеры и в Москве на вокзале отлично ее разыщут. Вот только досадная поломка задержала состав, и пришлось ждать на жаре лишних три часа.

Наконец показался паровоз. Агенты переглянулись и заняли заранее расписанные инструкцией места, чтобы ни один вагон не остался без присмотра. Сообщение о том, что в первом и втором классе объект не обнаружен, совсем не означало, что ее там в действительности не было. Все уловки такого рода персонажей были охранке хорошо известны: человек мог прятаться от филеров, заходя то в туалет, то в ресторан, то отираясь в третьем классе, имея билет во втором, и довольно долго не попадаться на глаза. Чтобы обнаружить его, следовало проходить по вагонам не один раз, да при этом сделать так, чтобы не бросаться в глаза и чтобы пассажиры тебя не запомнили.

Состав остановился, кондукторы открыли двери, вышли на платформу, одернули кители, поправили фуражки и стали помогать выходить пассажирам первого и второго классов. Из вагонов третьего класса повалил простой люд, которому помощь не полагалась...

Вот и последняя пассажирка третьего класса — беременная баба с некрасивым отекшим веснушчатым лицом, с трудом вылезла из вагона, вытащила огромный чемодан, широким жестом утерла потное лицо. «Надо же, с таким пузом — и тяжесть попрет», — сердобольно подумал один из агентов.

Мимо беременной важно прошествовал носильщик с пустой тележкой. На бабу он даже не посмотрел: сразу видно, что платить не будет, беднота голозадая. Для таких, как она, 5 копеек — трата заметная. Баба растерянно проводила носильщика взглядом и перевела глаза на агента, придвинувшегося поближе к вагонной двери: а вдруг Рада не выходит, ждет, когда все разойдутся, в том числе и филеры? Хотя, по правилам конспирации, такие пассажиры выходили в толпе, стараясь не привлекать внимания, но кто ее знает, эту цыганистую деваху, вдруг она и вправду из таборных, у них понятия могут быть другими.

— Тяжело, небось, с пузом в вагоне-то трястись? — обратился он к беременной. — Или цыганка тебе нагадала, что родишь благополучно?

— Кака така цыганка? — испуганно ответила баба.

Говор у нее был не московский.

— Да та, что в вагоне ехала с тобой, — с деланой беззаботностью пояснил агент. — Поди, всем пассажирам гадала, ручку позолотить просила, знаю я эту породу, как прицепятся — так никакого житья от них нет.

Баба, казалось, растерялась еще больше. Потом немного успокоилась и кивнула.

— Была, батюшка, была, да только она в Коломне сошла, кажись. И не гадала она мне, глаз у нее черный, боялась я, что сглазит.

— А предлагала?

— Предлагала. Юбками все трясла да монистами своими. Потом, как поезд к Коломне стал подходить, подхватилась и сошла. Мы вещи-то стали сразу проверять, не украла ли чего, уж больно торопилась она. Да и подозрительно: сказывала, что в Москву едет, а сошла в Коломне.

— И что, целы вещи оказались?

— Целы, батюшка, у всех в сохранности, никто не жаловался.

«Упустили, — с досадой подумал агент. — Почуяла что-то, стерва. Баба говорит — в спешке выскочила, стало быть, решение приняла внезапно. Вот уж точно, что цыганка эта Рада, они нюхом чуют, как звери».

Он махнул рукой, подзывая носильщика.

— Багаж возьми, — приказным тоном сказал филер.

— Нет! — воскликнула баба, прижимая руки к груди, где, судя по всему, прятала деньги. — Не надо! Я сама, сама... У меня денег только на извозчика хватит...

Агент усмехнулся. Все равно от начальства нагоняя не избежать, так хоть дело доброе сделает. На небесах зачтется, если что.

Вынув пятак из кармана, сунул его носильщику.

— До извозчика проводи да погрузить помоги, видишь, женщина в тягости.

— Все сделаем, ваш-бродь, не извольте беспокоиться, — бодро отозвался носильщик.

Баба сделала попытку сперва бухнуться в ноги, потом поцеловать ручку благодетелю.

— Век за вас Бога молить буду, за доброту вашу, — бормотала она.

— Перестань. — Агент хотел поморщиться, но помимо воли по его лицу расплылась довольная улыбка. — Не надо вот этого ничего... Мужику своему скажи, чтоб не давал тебе самой тяжести такие таскать. Чего ж не встретил тебя никто?

— Так опоздал поезд-то, муж мой, видать, ждал-пождал, да и на работу вернулся, хозяин-то у него строгий, отпустил на часок, чтобы меня встретить, а оно вишь как обернулось...

Баба явно приободрилась, поняв, что ее чемодан все-таки дотащат до извозчика. Тележка двинулась в сторону выхода с платформы, и пассажирка потрусила рядом с носильщиком той особенной походкой, которая свойственна только беременным.

«Экий я дурак, — с досадой на самого себя думал филер, провожая ее взглядом, — пятак истратил невесть на что... Но, может, и правда, помолится за меня эта дура деревенская».

* * *

«Экий, право, дурак, — злорадно думала Сандра Рыбакова, пока извозчик вез ее на окраину Москвы, — небось думает, что сделал доброе дело и теперь ему многое простится. Ничего тебе не простится, выкормыш зубатовский, судейкинское отродье. Парился на жаре, Раду ждал, потом весь истек. Кого обмануть захотел? Меня? Сандру? «Товарища Самарину»? Руки коротки! Да я этих филеров за версту вижу, как они ни стараются замаскироваться, а рожи их все равно выдают. А молодец я все-таки, хорошо с письмом придумала, хотя никто не верил, что сработает. Господи, как жарко-то... Скорей бы уж доехать, переодеться и накладку снять».

В домике на окраине города ее ждали. Едва извозчик остановился у калитки, из домика выскочила простоволосая женщина и громко запричитала:

— Ой, батюшки, Марфуша, да что ж так долго-то, мы уж все глазоньки проглядели!

Пока стаскивали багаж, Сандра все тем же «не московским» говорком пожаловалась на трехчасовую задержку поезда. Едва извозчик отъехал, девушка заговорила как обычно.

— Пойдем в дом быстрее, мне надо помыться и переодеться, по такой жаре да в третьем классе... я вся потная, бррр...

— Сама так захотела, — с улыбкой возразила встретившая ее женщина. — Это была твоя идея. Могла бы ехать барышней в первом классе или хоть во втором, это же ты так решила — беременную изображать. Ох, товарищ Самарина, и как тебе не надоест актерствовать? Ничего в простоте не сделаешь!

— Много ты понимаешь, — усмехнулась Сандра, втаскивая в дом тяжелый чемодан. — Вкуса к жизни у тебя нет, Зина. С задором надо жить, с огоньком, иначе преснятина и тоска! Творчество нужно вносить в повседневную жизнь, тогда дело будет спориться. А так — одно болото... Меня ждут?

— Так заждались уже, — откликнулась Зина. — Третий раз самовар ставлю, в такую жару только горячим чаем и спасаешься, это меня в Туркестане научили. Иди, я тебе помыться солью. И правда, несет от тебя...

Зина принесла чистое полотенце и кусок мыла.

— Я все хотела спросить у тебя, почему ты выбрала псевдоним «Самарина»? — спросила она. — Твоего настоящего имени я не знаю, но ведь это же не настоящая фамилия, правда?

— Правда, — кивнула Сандра, стаскивая с себя пропотевшую и пропыленную в поезде одежду. — Иван Васильевич Самарин был известным актером, в Малом театре служил. Вот и выбрала в его честь.

Зина пожала плечами.

— Да мало ли известных актеров было, Щепкин там, Садовский, Мочалов... Почему именно Самарин?

— Потому что я его видела, вот как тебя, — пояснила Сандра. — Он на Тверской жил, нас с сестрой повезли в кондитерскую, чтобы мы сласти выбрали, у сестры именины были как раз, а потом к Филиппову пошли за калачами, и вот там Самарина и встретили. Он, оказывается, с дядюшкой нашим был хорошо знаком. Такой огромный, толстый, лицо веселое, все в складках, радость от него так и брызжет! Я маленькая, лет десяти, наверное, сестра постарше, так он нас обеих разом подхватил, поднял и чуть ли не подбросил. От него так хорошо пахло!

Сандра мечтательно прищурилась и втянула носом воздух, словно прямо сейчас в тесном чуланчике разливался аромат одеколона, которым пользовался артист.

— Они с дядюшкой поговорили о чем-то, и меня насмешило, когда он сказал: «Днями в Николаев отправлюсь, там решили моего "Лубу" ставить». Мне отчего-то так весело сделалось, я сидела у Самарина на руке и хохотала, все пыталась представить себе, что такое «луба» и как можно ее ставить. Потом уже дядюшка объяснил, что Иван Васильевич не только на сцене играл, но и пьесы сочинял, одна из них называлась «Самозванец Луба», и ее даже в некоторых провинциальных городах охотно ставили.

Девушка помолчала, потом добавила с легкой грустью:

— Я долго эту встречу забыть не могла. Помнила необыкновенное ощущение радости, которая как будто исходит от этого человека и окутывает тебя с ног до головы. А вот на сцене увидеть его так и не довелось, он очень болел и уже не выступал, а года через два после той встречи Иван Васильевич скончался.

Зина покачала головой, и непонятно было, чего больше в ее лице: сочувствия или неодобрения.

— К Филиппову за калачами, стало быть... — с какой-то злой усмешкой проговорила она. — А мы-то народ простой, в лавку за хлебом только после обеда ходим, после обеда-то берут по две копейки за фунт, а с утра, пока свежий да мягкий, аж по четыре копейки, нам это дорого. И дядюшка с известными артистами знался. Выходит, ты из богатой семьи. Дворянка, что ли? Как же тебя к нам занесло?

Вот этого Сандра Рыбакова терпеть не могла! Она сама не была завистливой и всегда отчетливо примечала малейшие признаки этого низкого чувства. Более того, порой зависть виделась ей даже там, где ее и вовсе не было.

— Моя мать, — медленно проговорила она, намыливая руки, — застрелила своего любовника и на каторге умерла, так что ты со мной не шути, поняла? Яблоко от яблони недалеко падает. И про семью меня расспрашивать больше не смей, не твое это дело, для тебя я — товарищ Самарина.

Через некоторое время Сандра, смывшая грим, делавший лицо веснушчатым и опухшим, уже переодетая в свое обычное платье «барышни из хорошей семьи», вошла в комнату, где ее ожидали два члена комитета. Перед ними на столе стоял раскрытый чемодан, в котором виднелись банки с вареньем и соленьями.

— Товарищ Самарина, как же ты везла такую тяжесть? — спросил один из них, черноволосый и черноусый красавец.

— А что прикажешь делать? — сердито ответила она. — Что простая баба может везти из Сызрани в Москву? Не сало же с маслом по такой жаре. Если бы начали обыскивать, так хоть понятно, что ездила к родне и везу гостинцы. Или ты бы предпочел, чтобы я везла литературу? Или, может, детали к типографской машине? Я при обыске должна быть чиста, как сказал бы мой кузен Валерий, как в стерильной операционной. Ну что, готовы записывать?

Оба члена комитета, один из которых был Юлианом Казариным, тем самым присяжным поверенным, бывшим учеником ныне покойного Павла Николаевича Гнедича, кивнули и дружно взялись за карандаши. Сандра начала диктовать:

— От Юрьева к Мартинсону...

Ее феноменальная память, развившаяся и укрепившаяся с годами, позволяла девушке без усилий запоминать большие объемы письменных текстов, и ее частенько использовали для передачи сообщений в другие города, если стремились избежать риска перлюстрации. В Сызрани она таким же манером продиктовала около десятка писем, прочитанных в Москве и тут же сожженных. Теперь она привезла ответы. Держа все в голове, она совершенно не боялась обысков, если какому-нибудь деятелю политической полиции вдруг пришло бы в голову хоть в чем-то ее заподозрить.

— ...Спешу уведомить тебя, что по сведениям, полученным от моего доверенного лица, приближенного к старшему цензору Санкт-Петербургского почтамта, в «алфавит» по Поволжской губернии внесен издатель нашей либеральной газеты...

«Алфавитом» именовался список тех, чья корреспонденция, вся без исключения, подлежала обязательной перлюстрации.

— ...Непременно сообщите, какие еще нововведения придумал это чудовище Зубатов, чтобы мы могли принять упреждающие меры...

Казарин невольно покачал головой, записывая текст адресованного именно ему письма.

— Если б я был личным другом Зубатова, вопрос решался бы быстро и просто. А так мне нужно платить своим осведомителям из зубатовского окружения. Из своего кармана, что ли?

— Ах, Юлиан, не будь таким занудой, — весело ответила Сандра. — Будут тебе деньги, я от Алексея привезла, и он обещал в ближайшее время с оказией еще прислать.

— Да вот только благодаря Ерамасову и держимся, — проворчал Казарин. — Все средства идут из центра на периферию, а мы тут, в обеих столицах, побираемся подачками от сочувствующих. Да и Ерамасов вот-вот сорвется, он же нам помогает только из любви к тебе и из старой дружбы с твоим кузеном.

— А ты ревнуешь? — усмехнулась Сандра. — Не ревнуй, Юлиан. Ты же знаешь, у меня с Алексеем давно все кончено. Так, следующее письмо на французском. Будете записывать оригинал или сразу перевод?

Второй член комитета был из рабочих, французским не владел, поэтому Казарин попросил продиктовать письмо по-русски.

— ... Я категорически против централизации движения и концентрации его вокруг новоявленного лидера из числа рабочих на этом заводе. Мне слишком известна манера, привитая нашей полиции Рачковским и поддержанная Зубатовым: собрать революционно настроенные слои под свой контроль и под руководство поставленных охранкой людей. Любое предложение о централизации или хотя бы об объединении я рассматриваю как действие, осуществленное под влиянием нашего врага...

Сандра диктовала легко, без малейшего напряжения, словно произносила текст давно и хорошо заученной роли. Казарин, до сих пор влюбленный в нее, не переставал поражаться этой способности. Интересно, она хотя бы понимает смысл того, что произносит? Знает ли, например, кто такой Рачковский и о какой «его манере» идет речь? Юлиан помнил, как правдами и неправдами ему удалось получить список с секретной докладной записки заведующего заграничной агентурой Рачковского, поданной еще в 1892 году на имя директора Департамента полиции Дурново о постановке работы органов сыска в связи с возникновением в Петербурге «Группы народовольцев». В записке, помимо всего прочего, говорилось: «Сколько бы ни возникало на пространстве России отдельных и замкнутых революционных кружков, политическая полиция данной местности всегда имеет возможность объединить их для безошибочного контроля и своевременно пресекать преступные замыслы. Сосредоточивая путем внутреннего воздействия самые разнородные революционные элементы в центральные группы, органы названной полиции должны сделаться распорядителями положения, а не быть рабами революционных предприятий». И далее: «Каждый революционер, действующий... на собственный страх, непременно примкнет к искусственному центру, находящемуся в ведении местного руководителя розыскной деятельностью, и наиболее опасные конспираторы всегда будут на виду для соответственных против них мероприятий». Разумеется, все соратники были уведомлены о содержании докладной записки, но толку от этого оказалось немного: лишь отдельные руководители помнили о предупреждении, многие же попадались на полицейские провокации.

Когда все письма были продиктованы и записаны, Сандра собралась уходить. Уже стемнело, и можно было идти без опаски, что кто-то заметит, как выходит барышня, которая сюда вроде бы и не входила.

— Куда ты теперь? Домой? — спросил Казарин.

— Дома пусто, — улыбнулась в ответ Сандра, — все на даче, одна прислуга осталась. Я обещала на дачу только завтра приехать, сегодня меня и не ждут, да и поздно, так что поеду к подруге, у нее переночую.

Она лукаво посмотрела на Казарина, вернее, на его отражение в зеркале, перед которым надевала и прикрепляла шпильками шляпку.

— Ты меня проводишь, надеюсь?

— Разумеется, друг мой. Более того, у меня есть к тебе встречное предложение...

— Я его принимаю, — быстро ответила девушка. — Ты уже решил, где? К тебе я не поеду, ты же знаешь.

— Тогда как обычно, в «Звезду», если ты не против. Иди к скверу у церкви, жди меня там, я твой саквояж принесу. Там и извозчика возьмем.

Для всех домашних Сандра, активная участница различных литературно-художественных кружков, ездила в Сызрань для того, чтобы присутствовать на мастер-классе по сценическому мастерству, провести который уговорили одну известную актрису, некоторое время назад ушедшую с подмостков, осевшую у родственников в Поволжье и дававшую частные уроки декламации. Из дома Сандра уехала с небольшим красивым саквояжем, в который сложила все необходимое молодой девушке для такой короткой поездки. Саквояж, как и платье, оставался в доме Зины и ждал возвращения хозяйки.

Завязавшийся в 1892 году роман с Алексеем Ерамасовым длился почти три года, после чего Сандра остыла, но сохранила с молодым купцом отношения дружеские и доверительные. Через Ерамасова она вошла в круг революционно настроенной молодежи, сперва пыталась вникнуть в суть их идей и воззрений, а потом внезапно оказалось, что хотя сами эти воззрения были ей не во всем понятны, но, служа им, можно было испытывать настоящий восторг, соединяя две главные составляющие характера Сандры Рыбаковой: страсть к актерскому перевоплощению и безудержное стремление к риску, опасности, ощущению края перед бездной. Иногда, в минуты ссор или, напротив, безмятежного веселья, когда можно шутить на любые темы без опасений, что тебя неправильно поймут, Юлиан Казарин говорил ей:

— Это счастье, что первыми тебя взяли в оборот наши, а не зубатовцы. Ты же безыдейная мещанка, тебе все равно, какому богу служить, лишь бы актерствовать и веселиться. Ты и в охранку пошла бы сотрудничать, и с таким же успехом использовала бы свое притворство в целях борьбы с революционным движением. Уверен, ты была бы у них лучшим агентом.

Если говорились эти злые слова в пылу конфликта, Сандра гордо поднимала голову и молча уходила. Но случалось это все же чрезвычайно редко, а чаще всего звучали подобные соображения в таких обстоятельствах, при которых девушка, приняв соблазнительную позу, со смехом отвечала:

— Скажи спасибо, что первым, кому я попалась в руки, был Ерамасов, а не ты. Был бы ты первым — и что получилось бы? Женитьба, скука, домоводство и походы в церковь по воскресеньям. А Алексей привел меня к борцам за освобождение народа, а потом и тебя втянул, и вот результат: мы с тобой вместе. И если уж на то пошло, то будь я мужчиной — работала бы не хуже Клеточникова, а может, даже и лучше.

Народоволец Николай Васильевич Клеточников, поступивший, по совету революционеров, на службу в агентурную часть 3-й экспедиции Третьего отделения чиновником для письма, зарекомендовал себя с самой лучшей стороны: был исполнительным и четким в работе, получал поощрения от руководства и очень скоро, после упразднения Третьего отделения, стал продвигаться по карьерной лестнице, что дало ему в руки всю секретную информацию, в частности, и о политических розысках, производившихся во всей империи. Понятно, что сведения, передаваемые Клеточниковым, были бесценны для революционеров. Но, к сожалению, агент проработал недолго, был разоблачен, предан суду по «процессу двадцати», приговорен в числе других подсудимых к смертной казни, затем помилован. В скором времени он умер в зловещем Алексеевском равелине Петропавловской крепости.

Девушке казалось, что она способна на настоящие подвиги и, будь у нее возможность, в одиночку заменила бы сотню агентов. Однако говорить о своих амбициях она могла только с Юлианом, да и то чаще в шутливой форме.

Близкие отношения Сандры и Юлиана Казарина не были секретом ни для кого в семье Раевских, но встречались молодые люди обычно в гостинице, где Казарин снимал номер когда на ночь, а когда и на пару дней. О женитьбе ни он, ни она не заговаривали.

* * *

К вечеру жара немного спала, в воздухе задрожали робкие, неуверенные, но все же несомненно прохладные струйки. Пока ехали на извозчике до гостиницы, негромко разговаривали о всякой безопасной ерунде: Юлиан расспрашивал Сандру о семейных делах, и девушка охотно, в лицах, ловко меняя интонации и тембр голоса, рассказывала о жене Алекса, которую кузен привез из поездки по Европе. Элиза, полунемка-полуполька, была сухопарой и некрасивой, совершенно лишенной какого бы то ни было женского обаяния, но чрезвычайно образованной и очень умной. И характер у нее был мирным и спокойным. Она серьезно занималась математикой, физикой и химией и с большим интересом участвовала во всех изысканиях своего мужа, судебного следователя Александра Раевского, в области прикладной криминалистики. Элиза довольно быстро выучила русский язык и говорила бегло и почти без ошибок, но с очень сильным акцентом, подражание которому неизменно вызывало смех у Сандры. В 1895 году родилась первая дочь, Ольга, и теперь Элиза носила второго ребенка, ни на один день не оставляя своих ученых занятий.

— Только подумай, она скоро родит второго! — весело щебетала Сандра. — Глядя на нее, можно подумать, что она годится только для науки и для ученых разговоров. Ан нет, она и как жена Алексу подошла. Никогда я вас, мужчин, не пойму! На голову становитесь, жертвуете всем, чтобы добиться расположения какой-нибудь красотки, даже стреляетесь из-за любовной неудачи, а женитесь бог знает на ком!

— Игнатий Владимирович тоже на даче живет? — спросил Казарин.

— Нет, у него работы много, он в городе, только на воскресенье приезжает, да и то не каждую неделю. Если есть тяжелый пациент, то дядюшка Игнатий его даже на несколько часов не оставит.

— А жена его?

— С ним, — усмехнулась Сандра. — Ни на шаг от него не отходит. Папенька предлагал ей жить на даче с нами постоянно, но разве она оставит своего обожаемого доктора... А что, кому-то нужна помощь?

— Может понадобиться, — неопределенно ответил Юлиан, делая глазами знак в сторону извозчика.

Игнатий Владимирович, проскорбев по любимой Наденьке около десяти лет, все же сошелся с милой женщиной, сестрой милосердия, работавшей в той же больнице. Правда, женщина была замужем... Но в те годы это уже мало кого могло остановить: к концу столетия незыблемость церковного брака ставилась обществом под сомнение, а любовные связи неразведенных, но расставшихся супругов не вызывали ни малейшего осуждения.

Доктор Раевский немедленно съехал из родового гнезда, нанял квартиру и жил там вместе со своей избранницей по имени Татьяна, которая оставила работу в больнице, дабы избежать пересудов и косых взглядов. Однако поскольку Игнатий Владимирович продолжал вести обширную частную практику, принимая пациентов в своем кабинете на дому, то и без больницы у его жены работы хватало, ведь она была не только домохозяйкой, но и медсестрой, и делопроизводителем.

У Алекса, ценившего в людях в первую очередь общность интересов, подобное сожительство отца с Татьяной никаких возражений не вызвало. В сущности, ему было все равно. А вот его младший брат Валерий, пошедший вслед за отцом в хирургию, Игнатия Владимировича не одобрял, хотя, как и полагается хорошему сыну, демонстрировал уважение и расположение к гражданской жене доктора Раевского. И в этом пункте Валерий нашел полную поддержку со стороны дядюшки Николая Владимировича.

— Не бери с меня пример, Игнатий, — выговаривал Николай Владимирович брату, — вспомни, чем обернулся для меня несвоевременный развод! Нет своего опыта — так хоть из моего извлеки полезные уроки. Почему Татьяна не может официально уйти от мужа? Почему бы не оформить все бумаги? Тем более, сейчас это стало намного проще, чем было в мое время.

— Не вижу необходимости, — невозмутимо пожимал плечами доктор Раевский. — Венчаться с Татьяной я все равно не собираюсь, так к чему обременять себя ненужными хлопотами?

— Но почему же не повенчаться?

— Потому что венчанная жена может быть у человека только одна, — отвечал Игнатий Владимирович. — Гражданских жен и всяких там любовниц и содержанок — сколько угодно. А перед Богом жена одна. И других не будет.

— А если ее муж начнет докучать вам, приходить, требовать, угрожать? Не боишься?

— Справлюсь как-нибудь, — усмехался Игнатий. Татьяна была не только хорошей хирургической сестрой, но и надежным другом, и опытным конспиратором. Казарин, познакомившись с ней через Сандру, быстро понял, что на подругу Игнатия Владимировича можно положиться, и частенько прибегал к ее услугам, если кому-то из его товарищей требовалась медицинская помощь, которую нельзя было получить открыто во избежание утечки информации в полицию. Татьяна умело скрывала все подобные случаи от своего гражданского мужа, а Сандра неизменно и с готовностью помогала создавать для медсестры поводы для внезапных отлучек, да так ловко, что Игнатий Владимирович до сих пор ничего не заподозрил. Сам он был весьма далек от политики, революционным движением не интересовался, терроризм искренне осуждал, почитая жизнь высшей ценностью, и говорил, что здоровье человека и функционирование его организма подчиняется одним и тем же законам при любом режиме и при любом общественном устройстве люди будут нуждаться в медицинской помощи, поэтому свою задачу на этой земле, коль уж Господь сподобил его родиться и выжить, доктор Раевский видит исключительно в том, чтобы совершенствовать врачебное мастерство и облегчать страдания больных.

В гостинице Сандра и Казарин зарегистрировались как муж и жена и заказали ужин в номер. Еда была плохой, невкусной, но после тяжелой дороги Сандра, обладавшая на удивление хорошим аппетитом, съела все подчистую и даже утащила с тарелки Казарина поданный к борщу пирожок. Позвонив коридорному и велев убрать грязную посуду, девушка с наслаждением разделась и в одной рубашке вытянулась на постели.

— Если бы я была императором, я бы издала указ о разрешении в такую жару ходить вовсе без одежды, — сказала она, наблюдая, как Юлиан методично и аккуратно собирает и складывает на стул брошенную ею на пол одежду. — Что по моему делу? Нет ли новостей?

Он отрицательно покачал головой. Прилег рядом, ласково обнял Сандру.

— Сашуля, милая, оставила бы ты эти мысли, а? Все равно ведь ничего не выйдет, даже если и найдут его. Найдут — накажут, как полагается по революционной совести, но без тебя. Это мужское дело.

Сандра презрительно скривила губы.

— Мужское? То-то я и вижу, как вы, мужчины, его ищете. Ни полиция, ни вы найти не можете. А все почему?

— И почему же?

— Да потому, что не стараетесь. Что вам Дегаев? Подумаешь, предатель, способствовавший окончательному разгрому «Народной воли»! Подумаешь, человек, который помог арестовать Фигнер! Саму Веру Фигнер! Да вам наплевать на нее, уже пятнадцать лет прошло, все давно забыто и быльем поросло! А то, что она эти пятнадцать лет в одиночке сидит и медленно сходит с ума, это вас не касается, у вас же свои заботы, мужские, и дела тоже мужские. Что вам за дело до женщины, которая на революцию всю свою жизнь положила... Ее посадили, вы о ней забыли и дальше пошли, а Дегаев живет себе припеваючи и ничего не боится. Я этого так не оставлю. Как только станет точно известно, где он осел, поеду и застрелю его. Во имя Веры Фигнер и десятков других, которых он выдал охранке. И тебе меня не остановить.

— Сашуля, Сашуля, — вздохнул с улыбкой Казарин, — неугомонная ты моя... Ну где, где ты будешь искать Дегаева? А даже если и узнаешь точно, где он, как ты организуешь его казнь? Он — опытный агент, его так просто не проведешь, ты и близко к нему подойти не сможешь. Кроме того, такая экспедиция — это огромные траты, у тебя просто нет таких денег. Нет и не будет.

По сведениям из документов Департамента полиции, которые Казарину удалось получить для Сандры от своего информатора, в 1893 году Сергей Дегаев вроде бы проживал в Американских Штатах, в городе Буффало, а по агентурным сведениям на 1895 год — в Чикаго под фамилией «Горев». Сведения были не особенно точными, не подтвержденными.

Сандра надулась и отвернулась от Юлиана.

— Деньги я достану, можешь не сомневаться, — сердито проговорила она. — И приблизиться смогу к кому угодно. И обмануть любого смогу.

— Сможешь, конечно, сможешь, — миролюбиво засмеялся он. — А теперь выброси все из своей прелестной головки и иди ко мне. Ночь коротка, а утром тебе на дачу ехать. Времени у нас с тобой не так много осталось.

* * *

Если бы Александру Рыбакову, воспитанницу Николая Владимировича Раевского, спросили, почему она выбрала для себя идею мщения агенту охранного отделения Сергею Дегаеву, она бы, наверное, не смогла дать определенного ответа. Офицер Отдельного корпуса жандармов, впоследствии — инспектор секретной полиции Георгий Порфирьевич Судейкин был большим мастером вербовки, агентура в среде революционеров у него была весьма обширная, но именно Дегаев отчего-то вызвал в Сандре особую ненависть. Может быть, дело было в личности Веры Фигнер, стойкость и мужество которой восхищали девушку. Может быть, дело было в самом Дегаеве... Ответа она не знала. Как не знала лично Сергея Дегаева, ибо в момент ареста Фигнер, в 1883 году, самой Сандре было всего одиннадцать лет. И почему именно это детское воспоминание о подслушанном разговоре столь крепко засело в памяти? Возможно, сыграло роль то нескрываемое отвращение, которое на протяжении всего разговора звучало в голосе любимого дядюшки Поля?

Она с раннего возраста любила слушать разговоры старших. Не из любопытства, нет. Она запоминала фразы «взрослой» беседы и потом, в своей комнате, представляла себя актрисой, играющей на сцене и произносящей такие красивые «взрослые» слова... Детей всегда держали вдалеке от взрослых, особенно когда приходили гости, но Сандра, влекомая страстью к своей странной игре, находила множество предлогов, позволяющих хотя бы немного послушать, о чем они говорят. В тот раз, в январе 1884 года, на званый обед собрались коллеги папеньки и дядюшки Поля: прокуроры, судьи, адвокаты, были и журналисты. Послушать, о чем говорили в столовой, расположенной в первом этаже, не было никакой возможности, а вот когда дело доходило до сигар и трубок и часть гостей перемещалась в кабинеты Гнедича и Николая Раевского во втором этаже, можно было тихонько выскользнуть из своей комнаты и поискать, нет ли где неплотно прикрытой двери. Сандра прильнула ухом к щелочке и почти сразу же оказалась сбита с ног кем-то из гостей, вышедшим из кабинета дядюшки Поля.

Гость перепугался не на шутку и кинулся поднимать девочку.

— Дитя мое, ты ушиблась?

Ей ни капельки не было больно, но жаждущий ловкого притворства детский ум тут же повелел разыграть спектакль. Сандра схватилась за ногу и умело расплакалась.

— Я мимо шла, — всхлипывала она. — Мадемуазель Лансе ушла к себе, а мне так страшно стало в комнате, Катя уже спит, и я как будто одна в темноте... Я вышла... А тут вы дверью меня... Ох, как больно!

Гость немедля подхватил ее на руки и занес в кабинет, где плачущая Сандра еще более выразительно повторила слезную повесть о своих страхах и о ноге, на которую невозможно наступить.

По сочувственным репликам присутствующих она быстро смекнула, что если повести дело правильно, то можно добиться, чтобы ее оставили здесь же, за ширмой: ребенок испугался темноты, ножка болит, можно послать прислугу за компрессом и положить девочку на кожаный диван, на котором отдыхает Гнедич, когда работает в кабинете. Ширма была красивой и очень нравилась Сандре, для нее даже просто лежать на диване и смотреть на изящно выписанные цветы — уже огромное удовольствие, а уж если еще и послушать, о чем говорят... Хорошо, что здесь нет дядюшки Игнатия: он доктор и быстро распознал бы обман с якобы ушибленной ногой.

К ножке приложили компресс, устроили девочку на диване, накрыв теплым пледом и подложив под голову подушечку, и продолжили разговор о каком-то Судейкине, которого убили месяц назад.

— Все-таки неясно до сих пор, господа, что это было: месть народовольцев или расправа графа Толстого...

— Толстой — министр внутренних дел, он не стал бы опускаться до такой низости...

— Но ведь Судейкин точно метил на его место, именно поэтому и затеял всю историю со своей якобы отставкой. Говорят, он собирался организовать покушение на Толстого именно после выхода в мнимую отставку, дабы все испугались, что без Судейкина террористы вновь подняли голову. Пока он возглавлял секретную службу — он террористов давил, а как ушел — так они снова за старое взялись. Вот тогда к нему на поклон бы и пришли. И предложили место министра. Таков был его план.

— Вы думаете? Неужели он мог дойти до такого коварства? Немыслимо!

— А я слыхал, что Судейкин и сам на себя покушения организовывал, чтобы всех убедить в опасности разрастающегося терроризма...

— Если все так, то Толстой мог узнать об этом и учинить расправу...

— Нет, господа, я все-таки склонен думать, что это месть «Народной воли» за арест Фигнер в Харькове...

— Но замысел тоже коварный, поистине макиавеллиевский! Заставить совершить это убийство именно Дегаева, самого успешного агента Судейкина! Это ведь тоже придумать надо было! Благодаря Дегаеву Веру Фигнер и арестовали...

Сандра слушала непонятные слова и фразы, которые отпечатывались в ее детской головке на долгие годы, а сама смотрела на узорчатую ширму и мечтала о том, как, оказавшись снова в своей постели, будет представлять себя в роли королевы, разговаривающей со своими министрами на такие сложные умные темы. И непременно разговор будет происходить в королевских покоях, и в них будет точно такая же чудесная ширма.

Прошло много лет, и почти все подслушанные разговоры были выброшены из памяти за ненадобностью. А этот вечер, проведенный в кабинете дядюшки Поля, так и не забылся. Когда Сандре исполнилось двадцать лет и она, благодаря своему любовнику Алексею Ерамасову, стала узнавать подробности о революционном движении в России, прозвучало имя Веры Фигнер, а следом за этим из памяти выплыли имена жандармского подполковника Судейкина, специально для которого была создана должность инспектора секретной полиции с очень широкими полномочиями, и одного из самых деятельных его агентов, завербованного народовольца Сергея Дегаева.

Почему именно это? Сандра не знала ответа. Но восхищение Верой Фигнер и желание казнить Дегаева превратилось для нее в одержимость.

* * *

Утром Сандра предложила Казарину ехать вместе с ней на дачу.

— Вернемся домой, я переменю платье, соберу вещи и поедем. Скажу, что приехала утром и ты меня встретил.

Предложение Казарин принял с удовольствием. Он любил всех членов семьи Раевских, любил бывать у них, любил очаровательный дом с огромным садом на берегу озера, который Раевские снимали на летний сезон вот уже третий или четвертый год подряд.

— Только не вздумай хихикать, когда я стану рассказывать про мастер-класс у актрисы в Сызрани, — строго предупредила Сандра. — А то знаю я тебя, сразу начинаешь смеяться и глаза прятать. Совсем врать не умеешь.

— Зато ты, душа моя, умеешь за двоих, — весело отозвался Юлиан.

* * *

От станции до старинной усадьбы, нынче разбитой на дачные участки для сдачи внаем, неспешной ходьбы было минут пятнадцать. Сандра весело посматривала по сторонам, радуясь утренней прохладе, еще не прижатой к земле распластавшимся зноем, Казарин же выглядел озабоченным и даже слегка встревоженным.

— Ну что ты, Юлиан? — спросила девушка. — Ты как будто сам не свой. Смотри, как хорошо кругом! Сейчас придем, там все, наверное, сидят за своим долгим завтраком, разговаривают. Жизнью наслаждаются. И мы будем наслаждаться вместе с ними. Слышишь?

Она нетерпеливо потеребила его за руку.

— Ты слышишь меня? И мы будем жизнью наслаждаться!

— Слышу, Сашуля, слышу.

— Тогда отчего ты такой хмурый? Не хотел ехать со мной — так и не ехал бы, я тебя не принуждала. А коль поехал, так изволь получать удовольствие.

— Я беспокоюсь за ту прокламацию, которую ты вчера надиктовала. Ее сегодня должны отвезти в типографию и начать набор. Есть сведения, что типография наша попала в поле зрения зубатовцев, но где она теперь расположена — они еще не знают. Если тебя вчера на вокзале все-таки заметили, то могли проследить до самого дома Зины, а потом сесть на хвост тем, кто оттуда вышел. Так и до самой типографии дойдут.

— Так ты поэтому спрашивал меня вчера про Татьяну? — догадалась Сандра. — Боишься, что может начаться стрельба? Успокойся, Юлиан, я тебе чем хочешь поклянусь, что меня никто не заподозрил.

— А извозчик, на котором ты приехала? Ты же знаешь, все извозчики — зубатовские осведомители.

— Так что извозчик? На вокзале посадил — к Зине привез, Зина встретила, как полагается.

— Он с тобой дорогой ни о чем не разговаривал? Вопросов не задавал?

Сандра рассмеялась.

— Ох, Юлиан, да где ж ты встречал такого извозчика, который всю дорогу молчит? Конечно, он разговаривал, и вопросы задавал, и о себе пытался рассказывать. Но я из образа не вышла ни на секунду, и говорок соблюдала, и словечки всякие, про мужа что-то плела, жаловалась, что не встретил. Нет-нет, об этом не беспокойся, я все сделала хорошо.

— Все равно мне что-то тревожно.

Но Сандра Рыбакова тревожиться не хотела. Вчера и еще несколько дней до этого она играла в одной пьесе, теперь наступил черед другой, декорации и костюмы сменились, и никакие тревоги в тексте этой новой пьесы предусмотрены не были. Ах, как верно заметил Шекспир: «Весь мир — театр, все люди в нем — актеры»! Словно именно о ней, о Сандре, думал великий драматург в тот момент, когда записывал эти слова...

На даче, на лужайке перед домом, вокруг большого стола обнаружилось целое общество: кроме Николая Владимировича Раевского, его дочери Кати, племянника Алекса с женой Элизой там находилась супружеская пара, снимавшая дачу по соседству, и еще один гость — мужчина средних лет с аккуратными усами и красиво зачесанными назад густыми волосами с заметной проседью.

— Николай Платонович! — радостно воскликнул Казарин, устремляясь к нему для рукопожатия. — Счастлив видеть вас! Осмелюсь спросить: какими судьбами?

Николай Платонович Карабчевский, одна из заметнейших фигур в мире адвокатуры, крепко пожал руку Казарина и улыбнулся.

— Да вот ездил по городам и весям, встречался с нужными людьми, хочу добиться и организовать выпуск газеты «Право», но ведь надобно обзавестись поддержкой, и финансовой, и административной. И в Москву заглянул. А быть в Москве и не повидаться с уважаемым Николаем Владимировичем — это уж и вовсе неприлично.

Он повернулся к Сандре и церемонно поцеловал ей руку.

— Александра Николаевна, вы все хорошеете! Давненько я вас не видел, лет пять, пожалуй. С вашим батюшкой я встречаюсь регулярно, то я в Москву на процесс или на академический обед приеду, то он — к нам в Петербург прибудет, а вас я видел в последний раз... дай бог памяти... совершенно верно, в девяносто третьем году, когда на открытие галереи братьев Третьяковых приезжал.

Сам Карабчевский! Сандра подумала, что вот теперь-то и представится случай поговорить с ним о том, что так занимало ее мысли в последние годы, с того самого момента, как именитому адвокату удалось добиться в суде присяжных оправдания Ольги Палем.

После приветствий и поцелуев разговор за столом перестал на какое-то время быть общим. Сосед по даче, Борис Вениаминович Зак, финансист, и его жена Мира тут же принялись расспрашивать Сандру о поездке в Сызрань и о знаменитой ушедшей на покой актрисе. Вниманием Казарина полностью завладели Алекс и Элиза, с нетерпением ждавшие возможности поделиться новыми соображениями по использованию экспертизы при доказывании по делам о поддельных документах: они с равным интересом и углубленностью изучали и возможности фотографического метода, и исследование почерка, подводя под них строгую математическую основу. Раевский же продолжил обсуждать с Николаем Платоновичем чествование 25-летия адвокатской деятельности Александра Пассовера. Чествование состоялось в феврале 1897 года, на нем выступали знаменитые адвокаты Спасович и Арсеньев, и в речах прозвучала цитата из Иеринга: «Когда произвол и беззаконие осмеливаются дерзко поднимать голову, то это верный признак того, что призванные к защите закона не исполняют своей обязанности».

— Я слушал и от души жалел, что не записываю того, что было тогда произнесено, — посетовал Раевский. — Наши выдающиеся адвокаты частенько выводят такие формулы, что их надо наизусть учить и повсюду цитировать. Вот хоть речь Спасовича взять — да и разобрать всю на цитаты. А вы, Николай Платонович, как я знаю, впоследствии по памяти все записываете. Верно ли?

— Верно, верно. У меня таких записей целый стол.

— Вот бы вам опубликовать все это, а лучше издать отдельной книгой! И ваши речи судебные, и некрологи, которые вы писали, ну уж и воспоминания ваши, по запискам составленные, сюда же. Вот было бы чтение!

— Да полно вам, — отмахнулся с улыбкой Карабчевский. — Хотя, может быть, и соберусь... А интересно порой жизнь оборачивается, согласитесь, Николай Владимирович! Вы, верно, нашу с вами первую встречу и не вспомните, а вот я помню очень хорошо, даже в записках моих она отражена. Я был тогда всего лишь бедным студентом Петербургского университета, едва наскреб денег, чтобы приехать в Москву послушать лекции знаменитого судебного медика, да по случаю попал в приятели вашего брата Игнатия, который и привел меня в дом к профессору Гнедичу. А тут вы — товарищ прокурора, выпускник Императорского училища правоведения, успешно делающий карьеру! В моих глазах, в глазах юноши из Херсонской губернии, вы были тогда такой величиной, что прямо дух захватывало! Вы меня, конечно, в тот раз даже и не заметили, это уж спустя много лет мы с вами познакомились поближе.

— Не припоминаю, — признался Раевский. — Когда же это было?

— В семьдесят третьем, в мае. Мы тогда, помнится, очень живо обсуждали дело Гончарова, Утина и Жохова, и ваш брат поставил вопрос: кто виноват в том, что столько людей погибло в тех событиях. Интересное вышло обсуждение!

Лицо Раевского мигом помрачнело, словно тень тяжелого воспоминания накрыла его обычно веселое и доброжелательное выражение.

— Прошу простить, дорогой Николай Платонович, но я вас тогда действительно не заметил среди всех гостей. Да и забот много было в тот момент... — Раевский понизил голос и теперь говорил едва слышно: — Мне приходилось принимать решение о Сашеньке, Сандре, я именно тогда взял ее на воспитание из приюта, и все мучился, не понимая, правильно ли я поступаю и не нанесу ли вреда своей родной дочери.

Он непроизвольно бросил взгляд на Катю, ставшую с годами еще более худой и мрачной. И одевается она мрачно, не по-девичьи, предпочитая серые и темно-синие ткани, которые невозможно «развеселить» даже мушками и полосками. Катя Раевская до сих пор не замужем, хотя скоро уже тридцать исполнится, все носится с какими-то молодыми поэтами, непризнанными гениями, посещает поэтические вечера и постоянно устраивает в московском доме «салоны», на которых странного и не всегда приятного вида молодые люди обоего пола читают много стихов, обсуждают искусство, много пьют, непрестанно курят и вообще ведут себя не так, как привычно Николаю Владимировичу.

Раевский так и не женился во второй раз, и роль хозяйки дома выполняла Катя, старшая дочь. Роль эта ей вовсе не подходила и была, очевидно, в тягость; дом постепенно приходил в упадок, прислуга окончательно распустилась, никто ничего не делал и ни за чем не следил. Пока жив был дядюшка Поль, его верный Афанасий выполнял функции управляющего и умел как-то заставить прислугу исполнять свои обязанности. Но Афанасий пережил Павла Николаевича всего на несколько месяцев, хотя и был лет на семь-восемь моложе хозяина. Теперь без Афанасия все разваливается, все идет прахом. Катя вести хозяйство не умеет и учиться этому не хочет. Вот что значит вырасти без матери! Никакие гувернантки и домашние учителя интереса к домоводству не привьют. Наверное, неправильно поступил Николай Владимирович тогда, нужно было сразу оформлять развод и приводить в дом вторую жену, которая стала бы для малышки Катеньки доброй матушкой и которую девочка приняла бы всей душой, по малости лет не помня родную мать и не понимая, что происходит. Но он не захотел... Не стал... И вот результат.

Может, найти жену, пока не поздно? Ему пятьдесят два года, он еще успеет стать отцом. И дому нужна хозяйка. А если Господь проявит благосклонность, то наградит его сыном.

Как пусто, как ничтожно проходит его жизнь! Или уже прошла? Блистательно начатая карьера по Министерству юстиции оборвалась в один момент из-за неосторожного слова, произнесенного необдуманно, не в том месте, не в то время и не с теми собеседниками. В адвокатуре Николай Раевский ничем особенным себя не проявил, ярких защит и неожиданных оправданий в суде присяжных на его счету не числилось, дел он вел много, но все они были какими-то обыкновенными, обыденными, негромкими. В скором времени, поняв, что защитой по уголовным делам он себя не прославит, Раевский занялся гражданскими тяжбами. Они были скучны ему, но приносили неплохой доход в виде процентов от выигранных сумм. Если в семьдесят третьем году Карабчевский был никому не известным студентом юридического факультета, а Раевский — фигурой в окружной прокуратуре Москвы, то теперь, спустя четверть века, все поменялось: имя Николая Платоновича гремит на всю

Россию, а его, графа Раевского, знает лишь узкий круг. Нет, друзей и знакомых-то у него много, грех жаловаться, и он всегда был душой компании, ее центром притяжения. Но вот как профессионал — увы, не состоялся. Хотя это еще как посмотреть... Не всем же быть звездами залы судебных заседаний, кто-то ведь должен и самые обыкновенные дела разбирать, и обычным людям правовую помощь оказывать.

Дочери — и родная, и воспитанница — тоже надежды в полной мере не оправдали. Выросший рядом с дядюшкой Полем, мечтавшем о большой дружной семье, Николай Владимирович в какой-то момент проникся этими мечтами и стал ждать, что девочки вырастут, выйдут замуж и одарят его многочисленными внуками. Однако пока ничего не происходило, хотя Сандре уже двадцать шесть, а Кате двадцать девять. У Кати не то что женихов — даже просто поклонников нет, и характер у нее ужасный, никакой мужчина ее не вынесет. Сандра же постоянно привлекает внимание молодых людей, но замуж выходить и вовсе не собирается, сперва жила с этим купцом Ерамасовым, теперь вот с Юлианом Казариным крутит. Разве можно было в дореформенные годы подумать даже, чтобы девушка из старинной дворянской семьи, пусть хоть и не кровная родня, а всего лишь воспитанница, до замужества имела любовников и не стремилась под венец? Немыслимо! В ту пору, да и позже, вступать в брак принято было как можно раньше, девицы в семнадцать-восемнадцать лет уже имели женихов, а то и рожали первенцев, молодые люди в двадцать два года стояли перед алтарем, и никто не считал, что им слишком рано обзаводиться семьей. Времена изменились, настала такая свобода нравов, что порядочным людям внуков, кажется, никогда не дождаться. Теперь ничего не разберешь: где добро, где зло, что честно, а что бесчестно, что прилично, а что неприлично...

Да, в профессии он, Николай Раевский, новых вершин уже не покорит, поздно, годы не те, чтобы заново учиться. Но, возможно, хотя бы личную жизнь можно как-то переустроить и обновить? Надо, непременно надо в ближайшее же время подумать о женитьбе...

Продолжая неспешную беседу с петербургским адвокатом, Раевский заметил, что Сандра поднялась со своего места рядом с супругами Зак и пересела на стул рядом с Николаем Платоновичем.

— Господин Карабчевский, вы не уделите мне немного внимания?

Тот обернулся к девушке и сделал приглашающий жест.

— Готов служить, тем более столь очаровательной барышне. Чем могу?

— Я хотела, если вы позволите, поговорить о вашей речи в защиту Ольги Палем.

— Разумеется, милая Александра Николаевна, разумеется, — кивнул Карабчевский.

Николай Владимирович занервничал. Он хорошо понимал, чем вызван вопрос Сандры, ведь девушка и с ним пыталась много раз разговаривать об этом деле. Давным-давно, когда маленькая Сашенька вдруг обратила внимание на то, что все вокруг — Раевские, а она носит фамилию «Рыбакова», Николай Владимирович объяснил девочке, что она не родная дочь ему, а воспитанница, взятая из приюта. Разумеется, сомнения терзали его, и первым делом Николай обратился за советом к дядюшке Полю, который ответил:

— Не плоди излишнюю ложь. Вот золотое правило, которому имеет смысл следовать. Ты не стал удочерять Сашеньку, не дал ей свою фамилию, потому что не хотел сложностей, связанных с наследственными делами. Более того, ты не желал, и ты сам об этом говорил, чтобы впоследствии кто-нибудь мог подумать, будто в безродной девице неясного происхождения течет кровь князей Гнедичей. Но ты растишь ее так же, как Катеньку, не делая между девочками никаких различий. Она носит отчество по твоему имени, она растет в твоем доме, рядом с твоей дочерью, она никогда и ни в чем не чувствует себя не родной. Игнатий заронил в тебя чувство вины перед ее матерью, но еще более он заставил тебя чувствовать себя низким, несовершенным, недостаточно нравственным. Ты, может быть, станешь утверждать, что пытался искупить свою вину, но будь честен с самим собой, Николай: ты делал это не ради своей бывшей любовницы и не ради ее несчастного брошенного ребенка, ты делал это ради себя самого, ты хотел выглядеть в глазах брата, а следовательно, и в своих собственных глазах лучше, чем ты был на самом деле. Тебе это удалось?

— Думаю, да.

— Тогда пришла пора платить по счету. Ты получил облегчение, а даром ничего не дается. Понимаю, как трудно тебе будет объяснить девочке правду, но тебе придется через это пройти. Если солжешь сейчас, начнешь бояться, что кто-то другой расскажет.

— Вы считаете, дядя Поль, что нужно рассказать все в точности, как было? Она ведь еще ребенок, разве сможет она должным образом понять...

— Может быть, не все, — согласился тогда Гнедич. — Но то, что ты решишь рассказать ей, должно быть абсолютно правдивым, чтобы девочка никогда впоследствии не имела повода упрекнуть тебя во лжи. И чтобы ты не жил в страхе перед возможным случайным или умышленным разоблачением. Ты наводил справки о ее матери?

— Да. Она скончалась в прошлом году на Сахалине. Господи, ну почему, почему я сразу, еще девять лет назад, когда забирал ребенка из приюта, не подумал о том, что она рано или поздно вырастет и спросит... И вы мне не подсказали... Была бы она теперь Раевской, и никто ничего не узнал бы.

— Ты не прав, Николай, — покачал головой Гнедич. — Носила бы Сашенька твою фамилию, вопросы начала бы задавать Катя. Настал бы момент, когда она поняла бы: мать бросила ее, когда ей едва годик исполнился, а сестра на три года младше, откуда она взялась? Все равно объяснений не избежать, хоть с дочерью, хоть с воспитанницей. Так что повторю еще раз: не плоди излишнюю ложь.

В тот раз Николай Владимирович сказал Сашеньке, что ее мама тяжело болела, понимала, что не сможет вырастить ребенка, и отдала его в приют. Теперь мама умерла. Но прошло еще несколько лет, и повзрослевшая Саша начала задаваться вдруг вопросом: почему из всех приютских детей граф Раевский выбрал именно ее?

— Ты была самой красивой, — попытался выйти из положения Николай Владимирович.

Саша внимательно и насмешливо посмотрела на него.

— Папенька, мне шестнадцать лет, и я уже давно не маленькая дурочка. На прошлой неделе я специально ходила в один из приютов, смотрела на малышей и пыталась встать на место человека, которому хочется кого-то из них взять к себе. Смотрела и думала: а как бы я выбирала? Мне года еще не исполнилось, когда вы меня забрали, вот я и попросила показать мне таких же маленьких сироток. Все больные, все грязные, все одинаковые. Как выбрать? Как? Вот я и спрашиваю: как меня выбрали? Почему именно меня?

Пришлось рассказать правду, избегая излишних неприятных подробностей о симуляции чахотки при помощи бычьей крови или о спектакле с похоронами постороннего ребенка под именем Александры Рыбаковой. Николай Владимирович был готов к тому, что история эта вызовет у Сандры шок или, напротив, истерику с рыданиями, и немало удивился тому, с каким самообладанием и даже, казалось, равнодушным любопытством выслушала девушка его повествование. Будто пересказ любовного романа...

Когда в 1894 году прогремел судебный процесс по делу Ольги Палем, застрелившей своего любовника Довнара, отказывавшегося на ней жениться после нескольких лет сожительства, Сандра с самым живым интересом читала и перечитывала стенографические отчеты о ходе процесса и задавала Раевскому множество вопросов.

— Вы не находите, что судьбы Ольги Палем и моей матери очень похожи? — говорила она. — Ольга тоже лгала о своем происхождении, представлялась татарской княжной, тоже очень хотела замуж, тоже притворялась и обманывала, чтобы добиться своего, и тоже выстрелила в любовника. Так почему же Ольгу оправдали, а мою мать сослали на каторгу? В чем разница? Только в том, что защитник моей матери был не так хорош, как господин Карабчевский, защищавший Ольгу?

Николай Владимирович, как мог, пытался объяснить своей воспитаннице, что Ольга Палем, в отличие от Анны Рыбаковой, собиралась лишить жизни не только любовника, но и себя саму и ее готовность уйти из жизни сыграла большую роль в характеристике ее нравственного облика, положенной в основу защитительной речи. Сандра слушала внимательно, о чем-то думала, потом снова задавала ему те же вопросы. Впрочем, надо заметить, что длился этот тревожный период недолго, девушка довольно скоро перестала говорить о деле Палем и, как показалось Раевскому, вовсе забыла о нем.

И вот теперь, спустя три с лишним года, Сандра вновь собиралась вернуться к этой неприятной теме...

Раевский поднялся из-за стола и начал прогуливаться по лужайке до раскидистого дуба и обратно. С годами энергии в нем несколько поубавилось, однако же привычка ходить после периода неподвижности осталась, особенно когда Николай Владимирович нервничал или волновался.

Пройдя два раза туда и обратно, он понял, что непременно должен услышать, о чем идет разговор, и снова вернулся за стол.

— Если опираться на то, что сказано в вашей, Николай Платонович, речи, то можно сделать вывод, что Ольга Палем была довольно глупа и все окружающие просто жалели ее за ее умственную слабость, именно поэтому никто не брал на себя труд объяснить ей раз и навсегда, что нельзя так себя вести и нельзя делать того, что она делала. Я права? — говорила Сандра.

Карабчевский в изумлении развел руками.

— Позвольте, милая моя Александра Николаевна, из каких же это слов следует? Насколько я помню, ничего подобного я не говорил и в виду не имел.

— Сейчас... — Она слегка нахмурила брови, сосредоточиваясь. — Вот это место в вашей речи, я много раз его перечитывала: «Все находят ее «обиженной», все готовы принять ее сторону, но не знают только, как за это дело взяться. Даже юрист в затруднении, хотя принципиально он находит, что тут можно было бы поднять судебное дело. Он даже направляет Палем к прокурору. В конце концов, из всего этого ровно ничего существенного для нее не выходит, но никто не отказывает в «нравственной поддержке», в слове участия и сожаления». И еще дальше: «Зная теперь склад ума и характера Палем, не понимающей никаких слов, сказанных так себе, для видимости, на ветер, все принимающей за самую чистую монету, я нахожу, что это был рассиропленный яд, который она медленно глотала. Конечно, предвидеть это было невозможно. Но вы встаньте только в положение тяжко оскорбленной женщины, которой сочувствуют такие лица! Могла ли она сомневаться, что идет прямой дорогой? Не лучше ли было бы, если бы без всякой сентиментальности ей разом открыли глаза на грозную прозу жизни?»

Она выдохнула, закончив цитировать по памяти отрывок из речи Карабчевского, и вопросительно уставилась на присутствующих, оставивших разговоры и внимательно слушающих.

— Что же еще в этих словах, если не признание того, что Ольга Палем — женщина весьма небольшого ума? Разве нормально мыслящий, обладающий здравым умом человек может принимать все за чистую монету? И разве такой человек может жить в мире романтических иллюзий? Разве нуждается он в том, чтобы кто-то посторонний раскрывал ему глаза на «грозную прозу жизни»? Я бы понимала, если б ей было лет шестнадцать-семнадцать и она была бы восторженной гимназисткой. Но ведь ей было двадцать восемь лет! Если женщина в двадцать восемь лет продолжает оставаться такой наивной, то иначе как просто глупой ее и назвать нельзя.

Николай Платонович бурно захлопал в ладоши.

— Браво, Александра Николаевна, браво! Если б я не боялся прискучить всем присутствующим, то попросил бы повторить на «бис»! Впервые слышу, как мою речь воспроизводят такими обширными кусками без единой запинки и никуда не подглядывая, совершенно по памяти! Сколько же раз вы прочли этот пассаж, чтобы так выучить?

— Много, — улыбнулась Сандра. — Но исключительно для того, чтобы получше вникнуть, понять. Для запоминания мне достаточно было одного раза. Так вы ответите на мой вопрос, Николай Платонович?

— Отвечу, но прежде позволю себе процитировать тот же самый пассаж до его логического конца. Если память мне не изменяет, я сказал примерно следующее: «Это было бы жестоко, но это была бы правда. Но они тоже люди, и им хотелось пожалеть ее. Это была большая ошибка. Несовершенства жизни требуют холодных сердец». В данной части своей речи я стремился показать вовсе не умственную недостаточность подсудимой. Я хотел обратить внимание присяжных на то, что людям часто свойственно говорить не то, что они думают на самом деле, а то, что от них хотят услышать. И не из какой-то корысти или мелкого расчета, а просто из инстинктивного и потому совершенно объяснимого желания быть приятными и доставить удовольствие собеседнику. Это проявление слабости, согласен, но слабости широко распространенной и потому не удивительной. Мы не хотим, чтобы человек бросал нам в лицо упреки в черствости, холодности, непонимании и равнодушии, и мы делаем вид, что глубоко сочувствуем и разделяем его побуждения, чтобы защитить себя от этих упреков. Чем же это оборачивается? Тем, что человек уходит от нас в полной уверенности в собственной правоте. Для того чтобы сказать ему неприятную правду и тем самым хотя бы попытаться остановить, нужно действительно иметь каменное сердце. Вот только это я и стремился подчеркнуть в речи. Однако коль скоро вы затронули эту тему, то скажу: да, по моим личным впечатлениям, Ольга Палем была особой ума весьма скудного, хотя актрисой была превосходной, сумела провести даже такого зубра, как инспектор Института инженеров путей сообщения Кухарский.

Мира Моисеевна Зак, красивая, но уже увядающая женщина с неизменно добрым и сострадательным выражением лица, заговорила взволнованно:

— Но как же так, Николай Платонович? Получается, что жалеть людей — плохо? Сострадать им и утишать душевную боль — дурная манера? Никак не могу с этим согласиться! Жизнь жестока, это правда, она преподносит нам больше горя, чем радостей, так надо ли приумножать эту боль, отказывая в сочувствии тем, кто в нем нуждается?

Такой поворот внезапно вызвал интерес у Кати, до того сидевшей чуть в сторонке, в плетеном садовом кресле, с книгой в руках и не принимавшей участия в разговоре.

— Сочувствие? — медленно, низким глуховатым голосом произнесла она. — А знаете, из сочувствия можно и хвост кошке рубить по частям, отрезать по маленькому кусочку. Глупости все это!

— Бог мой, Катюша, да откуда же в вас столько черствости? — с негодованием вопросила жена финансиста.

— Зачем вы так, Мира Моисеевна! — вступилась за старшую сестру Сандра. — Катя говорит ровно то же самое, что и сам Николай Платонович в своей речи. Вы позволите, — обратилась она к Карабчевскому, — я процитирую? Или вы сами?

— Нет уж, голубушка Александра Николаевна, лучше вы продекламируйте, у вас отменно получается! А я с удовольствием послушаю, — потирая руки, ответил адвокат.

Сандра вышла из-за стола и встала, приняв торжественную позу.

— Тогда уж я прочту как полагается, чтобы наглядно вышло.

Она помолчала несколько секунд, глядя куда-то в сторону, будто пытаясь сосредоточиться и настроиться.

— Вот это место: «Ее слушали и жалели. Да надо же правду сказать, — и не пожалеть было нельзя. Пожалейте ее из вежливости, из приличия только, она заплачет настоящими горючими слезами. Лучше бы уж она встретила везде сразу суровый и непреклонный отпор. По крайней мере, — разом один конец был бы всем ее мучениям. Переболело бы, потосковало бы сердце, да, может быть, и очнулось бы: кого любила? Кому отдала лучшие годы жизни? На кого возлагала все надежды? Кому верила, на кого молилась? Мало ли таких «разбитых сердец» носят в себе люди, мало ли «несбывшихся надежд» рассеяно по белу свету? И ничего, жизнь идет своим чередом. Не все же кончают самоубийством, не все попадают на скамью подсудимых». Видите, господа, если кто-то не согласен, так вы уж не с Катей спорьте, а с самим Николаем Платоновичем.

Девушка так точно копировала осанку петербургского адвоката, его жесты, интонации, всю его манеру речи, что Карабчевский расхохотался, а Борис Вениаминович Зак всплеснул руками и восторженно заговорил:

— Подумать только, какая память у вас, Сандра! С одного прочтения запомнить такие огромные отрывки! Невероятно! Потрясающе! На моей долгой жизни я встречал только одного человека, способного к такому же быстрому и обширному запоминанию, это Брандт, Борух Евзелевич Брандт, человек поистине удивительный! Обладает блестящим умом, гибким, цепким, и при этом так мало знает, что порой просто диву даешься. Никакой энциклопедической образованности, какую мы обычно ищем в тех, кто обладает таким же острым умом. Дай ему любую новую тему — он немножко почитает, потом подумает и выдаст немедленно вполне стройную и жизнеспособную теорию. Вот и память у него совершенно замечательная, такая же, как у вас, Сандра.

— И чем же он занимается, этот ваш Брандт, с такими выдающимися способностями? — насмешливо спросил Алекс. — Вот наша Сандра свои таланты вообще ни к чему не прикладывает, все по театрально-художественным кружкам порхает, так уж лучше, может быть, в труппу какую-нибудь поступила, все-таки больше толку было бы. Наверное, господин Брандт использует свои способности более целесообразно?

— Понимаю вашу иронию, уважаемый Александр Игнатьевич, поэтому спешу сообщить, что Брандт, заканчивая университет в Киеве, написал прекрасную работу на золотую медаль, его сочинение было напечатано в «Известиях Киевского университета» и замечено самим Сергеем Юльевичем Витте, который в то время управлял Юго-Западными железными дорогами. Когда Витте стал министром финансов, то понял, что Брандт может быть ему очень полезен, и приблизил его к себе. Сейчас оно так и происходит: Витте придумывает идею — Брандт производит ее теоретическую разработку, причем именно так, чтобы выводы соответствовали замыслу министра. В этом и состоит польза его малых знаний: у Брандта нет предвзятости, он не отравлен всеми предыдущими идеями в данной области, его мнение не ангажировано авторитетами, и потому он легко и свободно строит любую теорию, но строит ее четко, твердо и аргументированно. Поистине неправдоподобная судьба для мальчика из бедной еврейской семьи! Он ведь в гимназии не учился, сдавал экстерном на аттестат зрелости, да и то лишь в двадцать четыре года. А после уж в университет поступил. Самоучка абсолютный! Самородок!

— Что-то я в толк не возьму, — Алекс скептически улыбнулся, — как же это человек мог выдержать испытания на аттестат зрелости в классической гимназии при столь малых знаниях? Не вяжется, уважаемый Борис Вениаминович. Сколько я помню, требования на выпускных экзаменах весьма высоки по всем дисциплинам.

— Так это же Полтава! — расхохотался Зак. — Полтавская гимназия славится своим либерализмом в отношении уровня подготовки экзаменуемых, потому туда со всей Малороссии и тянутся экстерны. Ну и сами гимназисты, разумеется, не дремлют, у них там заведено сбрасываться деньгами, чтобы подкупить почтовых чиновников, которые давали возможность тайком вскрыть пакет с экзаменационными темами для письменных испытаний. Темы-то присылаются из канцелярии попечителя учебного округа, и считается, что конверт вскрывают только уже на экзамене. На самом деле и темы сочинений, и задачи по математическим дисциплинам, и тексты для переводов с иностранных языков становятся известными уже за неделю до испытаний, и все имеют возможность хорошо подготовиться.

Разговор стал общим, все принялись вспоминать гимназические годы и различные казусы во время испытаний, потом стали горячо обсуждать, может ли ум стать действительно гибким и острым при недостаточности базовых знаний и обязательно ли широкая образованность порождает глубину мышления. Спорили, приводили в пример разных деятелей, вспомнили и о министре внутренних дел Макове, застрелившемся в 1883 году. Лев Саввич Маков ничем особенным себя не прославил, да и министром пробыл недолго, но, тем не менее, его самоубийство породило множество толков, а разговоры о том, каким он был человеком, не утихали до сих пор: единого мнения по данному вопросу так и не составилось. Одни утверждали, что Маков был тупым самодовольным чинушей, другие считали его человеком необычайно щепетильным и очень честным, дорожившим своей репутацией настолько, что он пожертвовал жизнью при малейшем подозрении в служебных злоупотреблениях и хищениях.

— Я бы полагала, что коли человек приносит хоть малую пользу делу, которому служит, то одно уж это извиняет недостаточность ума, — рассудительно проговорила Элиза, тщательно выговаривая каждое слово и стараясь делать как можно меньше ошибок в произношении, что, впрочем, удавалось ей покамест не очень хорошо.

— Согласен, — тут же подхватил Алекс, — полностью согласен со своей дорогой супругой! А при свойственной России безалаберности в делах управления, еще и добавлю: вреда не принес — уже молодец! От Макова какой был вред? Никакого. А польза была. Он ввел полицейских урядников, чтобы становым приставам помогали, и сразу порядка больше стало, особенно в бумагах, да и за противопожарными и санитарными нормами начали хоть как-то следить, а то ведь у приставов руки до этого не доходили. Да за одно это Макову следует низко поклониться.

Николай Владимирович Раевский, однако, позицию племянника и его жены не разделял.

— Санитарные нормы! — сердито повторил он. — Да знаешь ли ты, Алекс, до чего довел этот надзор за санитарными нормами? Ты был еще совсем мал и не можешь помнить историю с ветлянской чумой, а я помню ее преотлично! Как только доктор Боткин понял, что дело может представлять опасность и стране грозит эпидемия, он пошел к Макову, пошел для того именно, чтобы добиться введения строгого санитарного контроля в Ветлянке и во всей Астраханской губернии. Так что Маков ему ответил? Попросил никому не говорить, чтобы перед Европой не опозориться, дескать, неприлично в век прогресса чуму иметь. Пусть люди мрут, лишь бы Европа худого слова про нас не сказала. Каково? Разумеется, никаких санитарных кордонов выставлено не было, в результате спустя какое-то время доктор Боткин диагностировал случай бубонной чумы уже в Петербурге, да не скрытно, а на глазах у множества студентов. Вот вам и Маков, и соблюдение государственных интересов.

— Но ведь эпидемия так и не разразилась, — возразил Зак. — Значит, какие-то меры по контролю все-таки были приняты, только тайно, без широкого оповещения общественности. Стало быть, Лев Саввич Маков свои обязанности выполнил должным образом.

— Не в том дело, — покачал головой Раевский. — Игнатий Владимирович, мой брат, рассказывал мне, что сто двадцать врачей изучали тот ветлянский случай и так и не поняли, что это за болезнь и откуда взялась. Полная загадка! И это просто счастье, что она оказалась не такой, чтоб вызвать эпидемию по всей стране. А кабы нет? Если врачи ничего в ней не понимают, то как лечить? Как предохранительные меры принимать? Коли непонятно ничего, так надо было в сто раз строже кордоны ставить. А тут... Чем славится правительство России из века в век, так это полным неумением видеть хотя бы на шаг вперед. Делают что-то сиюминутное, для мгновенной выгоды, а чем это обернется завтра — никто думать не приучен. Вот и Маков тот же: говорили про него, что энциклопедически образован, знания обширные, а решения принимал — хоть за голову хватайся.

— Позволю себе все-таки не согласиться с вами, Николай Владимирович, — снова заговорил финансист Зак. — Лев Саввич очень глубоко размышлял на политико-экономические темы и много занимался вопросами евреев. Он, будучи министром, подал всеподданнейший доклад о разрешении повсеместного жительства евреям, занимающимся фармацией и медицинскими профессиями, а также некоторым другим категориям. Такое решение было одобрено, и министерство издало циркуляр о сообщении с мест сведений о евреях-мастерах, ремесленниках и так далее. Министр хотел только собрать сведения, получить статистику, чтобы составить себе полную, ясную и реальную картину, но ведь на местах всегда все переиначат и по-своему перевернут: полиция начала проверять всю подноготную каждого еврея и если находила, что у него нет законных оснований проживать во внутренних губерниях, стала высылать назад, в черту оседлости, даже несмотря на то что эти люди жили там и занимались своей профессией лет по пятнадцать-двадцать, а некоторые — так и во втором поколении.

— Каков поп, таков и приход, — язвительно заметил Раевский. — Каков министр, таковы и рядовые исполнители его указаний. Так что налицо полная и ясная характеристика самого министра Макова.

— А вот и нет! — начал горячиться Борис Вениаминович. — Для пресечения подобных действий статс-секретарь Маков издал знаменитый циркуляр от третьего апреля восьмидесятого года, в котором приказано было всем губернаторам по всей России не прибегать к высылке евреев, живущих в губерниях, даже если окажется, что они не имеют законного права на жительство. В нашей среде этот циркуляр так и называют — «Маковский». И мне достоверно известно, что в бытность Макова министром внутренних дел серьезно возникал вопрос о даровании евреям равноправия и, уж во всяком случае, о полной отмене запрета для них проживать во внутренних губерниях. Вообще, в те времена атмосфера вокруг еврейского вопроса была весьма благоприятной, и если бы сразу после «Ма-

ковского» циркуляра наши общественные еврейские деятели в столице предприняли какие-нибудь
еще шаги, вошли бы в надлежащие соглашения, то
вопрос, я уверен, был бы давно решен. Однако они
такую возможность упустили, увы... Но еще не все
было потеряно, еще был шанс чего-то добиться,
когда Макова призвали к председательству в особой высшей комиссии для пересмотра законопо-
ложений о евреях! Однако на пост заступить он не
успел, в том же месяце застрелился. А я уверен, что,
займи Лев Саввич этот пост, все уже было бы решено наилучшим образом.

— Удивили, Борис Вениаминович, право слово,
удивили, — протянул Алекс. — Я об этих циркуля-
рах и не слыхал.

— Да ты мал был совсем в те годы, — заметил
Николай Владимирович, — куда уж тебе помнить.
Но признаюсь, и для меня они прошли незамеченными. Сейчас вот вы сказали — так я смутно начал
что-то припоминать...

— Ну разумеется, — обиженно проговорил
Зак, — зачем вам помнить эти мелочи? Что для вас
евреи? Вы же их не замечаете, так какое значение
для вас могут иметь какие-то циркуляры, хоть и самого министра внутренних дел, ежели они до вас
лично не касаются? Как лекарство нужно — так
к нам, к евреям, к фармацевтам, если пошить что —
тоже к нам пожалуйте, а коли денег ссудить — так
и вовсе больше не к кому, только к нам, ростов-
щикам да банкирам. Или вот преступление какое-
нибудь жестокое, убийство, раскрыть не могут —
и сразу нас вспоминают: это ритуальное убийство,
это евреи, они кровь христианских младенцев

пьют! А больше мы ни для чего не нужны. Что мы для вас? Маленький народец, жиды. Так какое вам дело, что евреи ущемлены в правах в сравнении со всем прочим населением?

Мира Моисеевна ласково положила ладонь на руку мужа.

— Боренька, ну перестань же кипятиться! Такой день чудесный, воскресенье, отдохни от политики, оставь серьезные разговоры, тебе вечером в Москву ехать, а завтра снова делами заниматься.

Николай Платонович Карабчевский задумчиво покачал головой, словно обдумывая только что услышанное из уст финансиста.

— Возможно, что вы, уважаемый Борис Вениаминович, совершенно правы, однако ж позволю себе заметить, что вряд ли целесообразно уповать только лишь на принятие разумных законов, ежели исполнители этих законов — люди недалекого ума. Навскидку приведу вам только два примера, первые, что в голову пришли. Дело о мальчике-отцеубийце вы, верно, помните? Мальчик тринадцати лет убил отца ударом топора по шее. И что же произошло, когда явился полицейский врач?

Карабчевский сделал паузу и обвел глазами присутствующих, потом продолжил:

— Этот врач выругал всех дураками и сказал, что никакого убийства здесь нет, его только даром побеспокоили: смерть-де естественная и произошла от разрыва сосудов. Каково?

— Да как же так?! — не поверил Зак. — Ведь удар топором, стало быть, и рубленая рана видна, и крови кругом должно быть много. Как же врач мог такое сказать?

— И тем не менее, — адвокат картинно развел руками, — именно так он и сказал. И смею вас заверить: если бы младший братик мальчика-убийцы не рассказал все, что видел, дело так и осталось бы неразъясненным, а решение принимали бы на основании заключения полицейского врача. Уж не знаю, пьян ли он был или просто оказался безграмотным самозванцем, неведомо как получившим диплом, но факт остается фактом. А другой пример всем вам хорошо известен, поскольку был описан Достоевским в «Дневнике писателя», я веду речь о деле Екатерины Корниловой. Ведь вдумайтесь только: молодая беременная женщина выбрасывает из окна четвертого этажа свою шестилетнюю падчерицу, тут же повязывает на голову платок и идет в полицию заявлять о случившемся. Да любой маломальски разумный человек должен был бы немедля заподозрить неладное в психическом состоянии виновной. Люди, находящиеся в трезвом уме, так не поступают. И что же? Никому ни в прокуратуре, ни в суде это даже в голову не пришло. Что же, скажете, законы у нас плохи? Или недостаточны? Так ведь нет! В судебных уставах все прописано: право возбудить вопрос о недостаточности умственных способностей подсудимого предоставлено всем, — я подчеркиваю: всем! — лицам и инстанциям, через которые проходит дело раньше, чем оно попадает на суд присяжных. И ни один из них не поставил вопрос о тщательной экспертизе Корниловой с участием медиков-психиатров. В результате несчастную Корнилову присяжные признали виновной. Только благодаря вмешательству Федора Михайловича дело взяли на пересмотр.

— И что же было дальше? — с жадным любопытством спросила Сандра.

— При вторичном разбирательстве дела все внимание суда и присяжных было обращено исключительно на вопрос о нормальности или ненормальности того психического состояния, в котором находилась Корнилова при совершении ею преступления. В заседание были приглашены четыре специалиста-медика, в том числе известный психиатр. Было вынесено заключение, что во время беременности Корнилова находилась в состоянии «меланхолии» и совершила свой поступок в припадке «мрачного умоисступления».

Мира Моисеевна Зак быстрым движением вытерла скатившуюся по щеке слезу. Ей всегда всех было жалко. Поистине, способность к сопереживанию у этой женщины была неисчерпаемой.

— Похоже, в том судебном округе на службе состояли сплошь безграмотные дураки, — усмехнулся Борис Вениаминович.

— Не берусь утверждать, так или нет, однако вывод напрашивается сам собой, — ответил Карабчевский. — Даже самые лучшие законы мертвы и бесполезны, если исполнители этих законов отличаются тупостью и жестокостью. И напротив, мудрость и милосердие могут способствовать торжеству справедливости даже при очень несовершенном законодательстве. Люди, господа, это самое главное. Не законы, а именно люди. Потому если уж и вести работу по усовершенствованию общества, то начинать надо не с принятия новых законов, а с воспитания душ и умов.

Алекс Раевский немедля кинулся на защиту коллег по судебному ведомству.

— Да если бы дело заключалось только в невежестве и лени следователей и прокуроров! Мы ведь исходим из тех сведений, которые нам предоставляет полиция, опираемся на результаты их работы. А они что? Ни-че-го! Разве кто-нибудь помнит сегодня статьи в «Русском вестнике», написанные Степаном Степановичем Громекой в конце пятидесятых, вскоре после восшествия на престол Александра Второго? Никто! А ведь в тех статьях было много правды, ужасающей правды. И за эту правду господин Громеко поплатился карьерой в полиции, вынужден был оставить службу.

Николай Владимирович нахмурился.

— Что-то не припомню... Откуда тебе это известно? — строго спросил он племянника. — Я тогда был подростком, а ты и вовсе еще не родился.

— От дядюшки Поля, откуда же еще! — усмехнулся Алекс. — У него и подборка тех статей хранилась. Громеко так прямо и писал в своих очерках: дескать, главная слабость нашей полиции заключается в отсутствии тех качеств, которые могли бы поставить всех чиновников ее на степень общественного уважения. А вот что касается главной силы полиции, так Степан Степанович был человеком смелым, он не побоялся утверждать, что эта главная сила заключается не в производстве следствия, а в возможности ежеминутно возбуждать его, чтобы иметь полномочия применять положенные при этом меры принуждения. Право вчинения обвинения — вот где настоящая сила полиции! А отсюда, при отсутствии должных моральных качеств, проистекает огромный соблазн эту силу применить, дабы поиметь свою выгоду либо в виде благорасположения начальства и окружающих, либо в виде денег.

— Ну, друг мой, это ведь было еще до реформы, — с сомнением произнесла Мира Моисеевна. — Без малого четыре десятка лет прошло, и полиция, верно, уж не та, что была при Императоре Николае.

Алекс поморщился.

— Да та же, дорогая Мира Моисеевна, совершенно та же, уверяю вас! Законы переменились, а люди с их мышлением остались. Позволю себе процитировать книгу, изданную чуть больше десяти лет назад. Автор ее неизвестен, он скрылся под псевдонимом «Служивший в полиции», опасаясь, вероятно, повторить судьбу Степана Степановича Громеки. Конечно, память моя не так блистательна, как у нашей Сандры, так что дословно не воспроизведу, но если в кратком пересказе озвучить, то в полиции служат люди с низкими моральными качествами; эти полицейские творят произвол и беззаконие по отношению к обывателям, но послушно и с готовностью выполняют любую волю начальства; при постоянно растущей дороговизне полицейские вынуждены обеспечивать себя и свои семьи вымогательством денег у всех и каждого. Вот вам и реформа! Убежден, что и сто лет пройдет — и будет все то же, даже если режим многократно и неузнаваемо переменится. От режима зависят только законы, а настоящая живая жизнь зависит от людей, и покуда люди будут оставаться прежними, никакого обновления ждать не имеет смысла.

Казарин, внимательно слушавший дискуссию, вытащил часы и украдкой бросил взгляд на циферблат. Сандра заметила его жест и поняла, что нужно переменить мизансцену.

— Николай Платонович, Борис Вениаминович, вы останетесь к обеду? — резко перевела она разговор на другую тему. — Надо же распорядиться, а Катя, как обычно, в книжку уткнулась и ролью хозяйки манкирует, так что придется уж мне самой.

Она легко вскочила с места, подошла к сидящему за столом Раевскому, обняла его, коснувшись подбородком изрядной проплешины на макушке.

— Папенька, когда вы уже наконец женитесь? Нам с Катей невмоготу больше дом вести, мы молоды, нам хочется посвятить себя чему-то интересному, яркому, а не этому вашему пыльному домоводству, покрытому паутиной. Приведите в дом хозяйку и освободите нас, сделайте милость!

— Да-да, — подхватила Мира Моисеевна, явно довольная, что беседа утратила политический характер и тон взаимных упреков, — Сандра права, Николай Владимирович, вам следует серьезно подумать о женитьбе. Сколько же можно жить холостяком? Только выбирайте не какую-нибудь глупенькую девицу, а женщину в хорошем возрасте, чтобы она к яркой жизни не стремилась, как ваши девочки.

Сандра умчалась в дом давать распоряжения кухарке, следом за нею двинулся и Казарин. Он остановился на крыльце и ждал, опершись о перила. Когда девушка вышла, он подхватил ее под руку.

— Давай прогуляемся немножко, изнемог я от такого длительного пребывания за столом. Никогда не мог понять этой принятой в вашем кругу манеры: часами сидеть за столом и говорить, говорить...

Сандра весело рассмеялась.

— Манера тебе не нравится, зачем же приходишь к нам? Я только предложила — ты уж сразу и согласился. Отказался бы, если невмоготу.

Юлиан улыбнулся ответно.

— Ох, Сашуля, Сашуля, на какие только подвиги ради тебя не иду!

Он достал из кармана часы на цепочке, щелкнул крышкой.

— Давай прогуляемся до задней калитки. Десять минут назад поезд из Москвы проходил, надо посмотреть, нет ли курьера с известиями. Я утром записку отправил с просьбой, чтобы именно с этим поездом человек приехал, если будут какие-то нехорошие новости. Текст прокламации должны были в типографию рано утром отнести, хочу быть уверенным, что все прошло спокойно.

Они неторопливо, как и полагается барышне с кавалером, прошли по хорошо очищенной тропинке между кустами сирени и жимолости к задней калитке, через которую так удобно было ходить купаться на озеро. Юлиан напряженно вглядывался в ту сторону, откуда мог появиться идущий со станции человек, а Сандра задумчиво молчала, о чем-то размышляя.

— Скажи, Юлиан, а это правда — то, что Зак говорил про наше отношение к евреям?

— Сашуля, я не возьмусь судить, насколько это правда, я, как тебе известно, не дворянин и не могу знать достоверно, о чем вы между собой разговариваете и уж тем более — о чем вы думаете. Но приведу тебе только один пример: еврейские погромы. Ты о них знаешь? Слышала что-нибудь? Читала?

— Погромы? — недоуменно переспросила она. — Ты говоришь о погроме в Кутаиси? Или о прошлогодних погромах в Херсонской и Киевской губерниях? Конечно, я о них слышала, хотя и не читала ничего. Но об этом много говорили наши кружковцы.

— А более ранние случаи?

— Разве это не только сейчас началось? — удивилась Сандра. — Я так поняла из слов нашего пропагандиста, что еврейские погромы — это проявление слабости и загнивания царского правительства. Эта слабость именно теперь достигла своего пика, поэтому именно теперь мы и должны поднять народ на революционные преобразования.

— Вот видишь, Сашуля, получается, что ваш сосед Зак был прав, когда говорил, что русские вспоминают о евреях только тогда, когда в них возникает надобность, а в остальное время забывают. Не пойми меня превратно, но в интересах пропаганды нашего дела и нынешние погромы в ход пошли. Да, бесспорно, это проявление слабости режима. Но разве прежде их не было? Волна погромов прокатилась сразу после убийства Александра Второго, а первый погром, о котором нам известно, произошел еще при Александре Первом, в начале двадцатых годов. В пятьдесят девятом и семьдесят первом годах были погромы в Одессе, в шестьдесят втором году — в Аккермане. Но об этом действительно мало кто говорит и думает, кроме самих евреев. У русского народа к еврейскому вопросу интереса почти нет. Вернее, я не так выразился: у правительства интерес есть, и очень большой, они постоянно обсуждают проблему еврейских поселений и предоставления евреям возможности без ограничений проживать во внутренних губерниях, то есть вне черты оседлости. То комиссии какие-то создают для изучения еврейского вопроса, то один указ примут, то другой, то запретят им селиться в сельской местности, от этого в местечках возникает большая скученность... Но это все в правительстве. Ну, и в прессе, разумеется. А православное население пока напрямую с евреями не столкнется, так и не вспомнит, что они существуют. И вопрос этот между собой не обсуждают, если только конкретный еврей не составляет им конкуренцию в торговле или в ремесле.

— Однако ты много об этом знаешь, — заметила Сандра. — Ты не еврей, а думаешь об этом, читаешь.

— Мне поручено вести пропаганду в среде рабочих, а твой двоюродный дед Павел Николаевич Гнедич меня учил никогда не делать выводов из поверхностного изучения вопроса. Он говорил: даже если знания в конкретное дело не пойдут, они лягут в голове плодородным слоем почвы, на которой впоследствии непременно вырастет новое понимание какой-то, пусть даже совсем другой, проблемы. Я получил составленные кем-то из «Союза борьбы» тезисы, на которые мне следовало опираться при подготовке к занятиям в рабочих кружках. Вот я, как и учил меня твой любимый дядюшка Поль, постарался изучить тему чуть глубже. Если б не это, так я тоже о еврейском вопросе никогда не задумался бы.

Юлиан встрепенулся, завидев вдалеке торопливо шагающего человека. Когда тот приблизился, то оказался юношей гимназического возраста.

— Просили передать, — быстро зашептал он, — прокламация в типографии, уже набирают. Ночью разгромили явку в Марьиной Роще, Фукса и Рощина арестовали, Коковницыну удалось скрыться, но он ранен, ему нужна помощь. Если чего обратно передать надо — говорите скорей, и я побегу, скоро поезд на Москву пойдет.

— Передай, пусть идут на Сухаревку, к Татьяне, она поможет. Тебя кто послал? Аким?

— Он, — кивнул посыльный.

— Вот ему и скажи. Он Татьяну знает, и адрес знает. И еще передай, что сегодня вечером я вернусь в Москву и завтра прямо с утра займусь делами арестованных, посмотрю, чем можно помочь.

Парнишка умчался в сторону станции, Казарин угрюмо смотрел ему вслед.

— Как чувствовал! Недаром мне неспокойно было... Значит, завелась в наших рядах зубатовская крыса, которая и сдала явку.

— Но как же это может быть, Юлиан? Ведь у нас все люди проверенные.

— Ох, Сашуля, Зубатов кого хочешь завербует и перевербует, пока он жив — никто из нас не может спать спокойно. Коковницына жаль, он очень много пользы нашей организации приносит.

— Татьяна ему поможет, — убежденно проговорила Сандра. — Я верю в ее искусство, она совсем безнадежных выхаживала. Только бы дядя Игнатий не помешал. Как плохо, что я здесь, а не в Москве, сейчас бы побежала к Татьяне и все устроила бы. И ведь не уедешь теперь просто так, я же якобы только утром с поезда, ни о каких планах не рассказывала, в Москву не собиралась. Ничего, я сейчас придумаю, я сейчас обязательно что-нибудь придумаю...

— Успокойся, Сашуля, на ближайший поезд мы все равно не успеем, а следующий только вечером. Наш гонец к тому времени уже все передаст Акиму, и твой приезд ничему не поможет и ничего не изменит. Если Татьяна сможет выехать к больному сразу же, то все в порядке, если не сможет, значит, Аким будет искать другого врача. В любом случае до наступления ночи вопрос так или иначе должен решиться, раненого нельзя оставлять без помощи больше суток, все товарищи это отлично понимают. И в больницу его везти нельзя — непременно сразу же донесут в охранку, у них строгий циркуляр на этот счет имеется. Ах, Юрий, Юрий. — Казарин удрученно покачал головой.

Юрий Коковницын, сын разорившегося графа Михаила Аристарховича Коковницына и купеческой дочери, принесшей мужу солидное приданое, был полон революционных идей, сострадал угнетенному рабочему классу и обнищавшему крестьянству и втайне от семьи финансировал (насколько позволяли возможности) деятельность подпольных социалистических организаций. После разгрома Зубатовым «Московского рабочего союза» приходилось предпринимать усиленные меры безопасности, и деньги Коковницына были совсем не лишними.

Сандра в сопровождении Казарина двинулась в сторону дома.

— Почему ты завела этот разговор с Карабчевским? — спросил Юлиан. — Дело Ольги Палем слушалось несколько лет назад, все уже забыли о ней.

— Ты знаешь почему, — сухо ответила Сандра.

— Да, я знаю, что твоя мать застрелила любовника и умерла на каторге, но это никак не объясняет для меня твоего интереса к делу Палем.

Сандра остановилась и сердито топнула ногой.

— Да как же ты понять не можешь, что я хочу разобраться: почему мою мать отправили на каторгу, а эту Палем отпустили с миром, признав невиновной. Две совершенно одинаковые истории, а конец у них разный. Отчего? Кто или что тому причиной? Из объяснений Николая Платоновича я вывела, что снисхождение присяжных вызвал характер Палем, ее наивность, даже глупость. Выходит, если мою мать осудили на каторгу, то она не была ни глупой, ни наивной. Но коли так, то почему, почему она сделала то, что сделала? Если она была умна, то... Словом, я ничего не понимаю, в моей голове одно с другим не связывается. Я ничего, совсем ничего не знаю достоверно про свою мать, а мне хочется понять, отчего моя судьба сложилась так, а не иначе.

— А что же Николай Владимирович? Ты говорила, что он мало рассказывал, но, возможно, если проявить настойчивость, он скажет больше.

— Не скажет. Уж сколько раз я пыталась, он отговаривается тем, что знакомство с моей матерью было кратковременным и он не успел много узнать о ней. Да и к чему спрашивать, если человек не хочет говорить? Когда вынуждаешь о чем-то сказать, почти всегда слышишь неправду. А неправда мне не нужна.

Они вернулись на лужайку, и дачная жизнь потекла своим чередом. До обеда сходили на озеро искупаться, после обеда кто-то дремал, кто-то читал, кто-то увлеченно беседовал. Часов в семь пополудни явился Валерий, младший брат Алекса, ездивший на велосипедную прогулку, совмещенную с посещением больных: уже третий год подряд он пользовал в качестве семейного врача несколько семейств, живущих на дачах по другую сторону озера. Если не случалось ничего экстраординарного и его не вызывали письмом, то Валерий Игнатьевич Раевский навещал своих пациентов по воскресеньям, с самого утра садясь на велосипед и закрепляя на багажнике сумку с инструментами и лекарствами. Дорога вокруг озера была не близкой, но для спортивного Валерия, любившего физические нагрузки, поездка вдоль лесной опушки всегда была в удовольствие.

— Хорошо прокатился! — Его приятное округлое лицо лучилось добротой и оживлением. — С пользой для здоровья, а то ведь наугощали так, что продохнуть невозможно! В каждом доме или девица на выданье, или уж и вовсе перезрелая, так обязательно за стол тянут и пироги ставят. Как тут отказаться? Слаб человек, ох, слаб!

— Да как же слаб? — со смехом возразил брату Алекс. — Был бы слаб — давно б уже выбрал себе невесту из этих, с пирогами. А ты вон держишься. Стало быть, силен!

* * *

Около девяти часов заглянул сосед Борис Вениаминович.

— Господа, коляска готова, я в город. Кто-нибудь желает составить компанию?

— Меня возьмете? — тут же отозвался Казарин.

— А вы, Николай Платонович? — обратился Зак к Карабчевскому. — Остаетесь? Или с нами пожалуете? Места хватит на всех.

— Останьтесь, Николай Платонович, — попросил Раевский. — Мы с вами еще не обо всем договорили.

— А не стесню? Я б остался с радостью, хорошо тут у вас! — признался петербургский адвокат.

— Оставайтесь, оставайтесь, — дружно заговорили все Раевские, — сейчас чай будем пить, потом музыкальный час у нас, вам понравится.

После чая, накрытого на веранде, перешли в дом, в комнату, где стоял рояль. Сандра открыла клавиатуру, перебрала пальчиками стопку нот.

— Ну, Элиза, заказывай, ты у нас теперь главная.

— Право, мне неловко, — заговорила жена Алекса, — может быть, пусть гость закажет?

— Нет-нет, — строго ответила Сандра, — мы же условились: до рождения ребенка все делается только к твоему удовольствию. Надеюсь, Николай Платонович на нас не обидится?

Карабчевский с удивлением окинул глазами Элизу, одетую в свободную кружевную блузу, полностью скрывающую округлившуюся фигуру и выступающий живот.

— А я и не подозревал о ваших обстоятельствах! Подумать только, каковы мастерицы эти модистки! Но знаете, господа, что меня от души радует? Раньше, даже еще во времена моей юности, говорить о предстоящем материнстве было совершенно неприлично, да еще при посторонних. Произносить слово «беременность» в обществе было нельзя, в самом крайнем случае следовало говорить «интересное положение». Теперь, слава богу, нравы куда свободнее, и можно хотя бы в семейном кругу открыто воздавать почести и уважение будущей матери. Ваше сиятельство, графиня Раевская, что вы хотели бы послушать?

Элиза застенчиво улыбнулась, отчего ее некрасивое лицо сделалось даже милым.

— Я бы попросила, если возможно, Шуберта, «Мельник и ручей». Только в русском переводе. По-русски так мелодично звучит!

— Какой, однако, необычный выбор в подобных обстоятельствах, — заметил Карабчевский. — Весьма печальная песня. Я полагал, вы попросите что-нибудь более оптимистичное.

— Это мое детство, — по-прежнему смущаясь, пояснила Элиза. — Эту песню мне всегда пела матушка вместо колыбельной. Когда я ее слушаю, мне делается так покойно на душе...

Сандра подняла кисти рук над клавиатурой и аккуратно, даже словно бы осторожно взяла первый аккорд.

> Где страданье в сердце навеки замрет –
> Там лилии нежной цветок опадет...

Ее бархатное меццо-сопрано звучало глубоко и грустно.

> Пусть месяц за тучи зайдет поскорей,
> Чтоб слезы его не пугали людей...

Голос Сандры неожиданно дрогнул, она начала мажорную часть, но внезапно прервала исполнение и, глотая слезы и бросив сдавленное «Прошу простить, господа», выбежала из комнаты.

— Я же говорил, что вещь печальная, — заметил Николай Платонович. — Вот Александра Николаевна и расстроилась.

Воцарилась неловкость. Все были настроены на «музыкальный час» и теперь решительно не понимали, как выходить из положения: то ли продолжать музицировать, словно ничего не произошло, то ли заняться чем-то другим.

— Элиза, может быть, ты продолжишь? — предложил Алекс, ласково глядя на жену.

— У меня нет такого красивого голоса. И я не знаю слов по-русски, только по-немецки.

— Это ничего, мы с удовольствием послушаем и на немецком, на родном языке, — заверил ее Раевский-старший. — Мы не столь тонкие ценители, чтобы критиковать домашнее исполнение. Прошу, Элиза!

Она долго усаживалась, выискивая более удобное положение на стуле перед роялем, потом запела песню с самого начала. Голос у нее действительно был слабоват и жестковат, особенно в сравнении с Сандрой, но чувства в свое исполнение она вкладывала не в пример больше.

Катя, воспользовавшись тем, что все смотрят на Элизу и внимательно слушают, тихонько поднялась и вышла. Сандру она нашла на веранде, та сидела за пустым, уже убранным столом, положив голову на руки, и тихонько плакала. Катя обняла ее и стала поглаживать по голове.

— Ну что ты, Шурочка, что ты, маленькая моя? Кто тебя расстроил? Казарин? Что он сделал? Или сказал что-то?

Сандра подняла мокрое от слез лицо и уткнула его в платье сестры.

— Ох, Катя, я не понимаю... не знаю, как мне жить... чем мне жить...

— Да что случилось-то? Откуда такие мысли?

— Элиза сказала, что эту песню ей матушка в детстве пела вместо колыбельной. Ты понимаешь?

— Нет, — призналась Катя, — не понимаю. Нам с тобой тоже пели колыбельные. Помнишь нашу няню? Она же пела...

— Да ты не понимаешь! Ничего не понимаешь! — с досадой воскликнула Сандра. — Элиза родилась в немецкой дворянской семье, и детство у нее было, какое ей положено. А я? Кто я? Что я? Без роду, без племени, взята из приюта, выращена в дворянской семье, рядом с тобой, с Алексом, с Валерием. Матери не знала, материнской ласки не ведала, я даже не знаю, что это такое, как это — когда мать поет тебе колыбельную.

— Но ведь у нас с тобой есть отец, — возразила Катя, которая все никак не могла взять в толк, что же именно так расстраивает ее младшую сестру. — А матери и у меня не было.

— Да, отец, и я привыкла считать его отцом, и продолжала считать даже после того, как узнала, что я не дочь ему. Люблю его всем сердцем, папенькой называю, видишь... А тебя — сестрой. И люблю тебя как родную, как старшую сестру. И ты меня любишь, я знаю, чувствую, хоть ты и не говоришь об этом никогда. Но кто я на самом деле? Какая жизнь была мне предназначена свыше? Кто мой настоящий отец? Дворянин? Крестьянин? Мещанин? Русский ли или, может быть, иностранец? Какого он вероисповедания? В какой семье я должна была вырасти? В какой атмосфере? Что из меня должно было получиться? Мое происхождение неизвестно, меня искусственно поместили в дворянскую среду, но я все время думаю, что это не моя жизнь, ты понимаешь? Я живу не своей жизнью, а чужой какой-то. И к своей вернуться не могу, потому что не знаю, какой она должна быть. Я потерялась, Катя, милая, я совсем потерялась! Места своего никак не найду. Я не понимаю, что я должна думать, как я должна чувствовать. Меня как будто и вовсе нет, так, телесная оболочка только, а внутри хаос и неопределенность. И я чувствую себя воровкой, укравшей и присвоившей чужую жизнь, с той лишь разницей, что я бы чужую-то вернула владельцу, если бы знала его, а вот свою взять негде...

Катя присела рядом, достала платок, аккуратно вытерла лицо Сандры, взяла ее за руку.

— Бедная моя Шурочка, — проговорила она задумчиво. — Вот, значит, отчего ты все время словно роли играешь, к театру тянешься. И вот откуда твои сегодняшние расспросы о деле Палем.

Сандра больше не плакала. Она сидела за столом, тихонько раскачиваясь, держала сестру за руку, смотрела в одну точку за окном и монотонно повторяла:

— Что мне делать, Катя? Что мне делать? Как жить?

— Замуж выходить, вот что! — решительно ответила Катя. — Я теперь понимаю твои сомнения про происхождение и детские годы, но если ты выйдешь замуж и нарожаешь детей, то жизнь жены и матери уж точно будет твоей собственной жизнью.

— Но я не хочу замуж... Да и за кого?

— Как «за кого»? Да хоть за Казарина! Он столько лет в тебя влюблен, даже Ерамасова тебе простил, и занятие у него вполне достойное. Отец был бы рад, он Казарина любит.

— Нет, Катя, нет... Это не то, не то...

Сандра вдруг резко поднялась, улыбнулась и с силой сжала руку Кати.

— Минута слабости. Уже все прошло, Катюша. Спасибо, что побыла со мной. Ты добрая, ты очень хорошая, Катюша, теперь я знаю, что вся твоя мрачность — это только видимость, напускное, а в глубине души ты другая совсем. Пойдем, я извинюсь, и продолжим. Давай что-нибудь на два голоса споем, например, «Элегию» Яковлева или «Не искушай».

Катя тоже встала, обняла сестру и крепко поцеловала.

— Ты моя умница! Давай «Элегию» споем. Стихи Дельвига тебе как раз под настроение будут. Пойдем.

После жаркого дня цветы и листья щедро отдавали вечерней прохладе свои ароматы, делавшие воздух густым и вкусным, как ягодный кисель. И в этот густой воздух из распахнутых окон вливались звенящим ручейком два голоса, нежное сопрано и бархатистое меццо-сопрано:

> Не нарушайте ж, я молю,
> Вы сна души моей;
> И слова страшного — люблю –
> Не повторяйте ей!

1900 год, сентябрь

Сандра ворвалась в квартиру Казарина, которую он делил с двумя коллегами, без предупреждения запиской, чем немало удивила Юлиана: подобное между ними было не принято.

— Что-то случилось? — озабоченно спросил он, ведя гостью в свою комнату.

— Да!

— Что-то плохое?

— Наоборот! Великолепное!

Глаза Сандры горели радостью и азартом.

— Это необыкновенно, просто необыкновенно! Если бы я верила в бога, то сказала бы, что он услышал мои молитвы.

— Да что же произошло?

— Сейчас, погоди. — Она бросила на стул шляпку и легкую шелковую шемизетку и уселась на диван. — Отдышусь и расскажу. Летела к тебе как на крыльях, извозчика брать не стала, тут недалеко, так я пешком... Вернее, бегом!

Оказалось, что Сандра примчалась к нему прямо после собрания художественно-театрального кружка, где готовили к постановке очередной домашний спектакль и где ей сказали, что в Москву прибыл импресарио, набирающий труппу для гастролей в Америке.

— Ты понимаешь, Юлиан? — возбужденно говорила она. — Когда я услышала, по каким городам предполагаются гастроли, я поняла, что это рука судьбы. Бостон, Чикаго, Нью-Йорк, Филадельфия, еще какие-то города, кажется, Атланта, но это уже не важно. Важны именно Бостон и Чикаго, потому что там видели Дегаева. Это превосходная возможность найти его, убить и спокойно вернуться в Россию.

Казарин схватился за голову.

— Погоди, Сашуля, погоди, что за глупости ты говоришь! Неужели ты думаешь, что это так просто: приехать, найти и убить? Убить человека совсем не просто, смею тебя заверить. А уж найти — еще труднее. Ты знаешь, сколько раз уже пытались отыскать Дегаева? И все безуспешно. А ведь искали люди опытные, не тебе чета.

— Вот именно, что не мне чета, — фыркнула Сандра. — Искали опытные люди, искали и не нашли. А я найду. Потому что я не опытная, я женщина, у меня другой подход. Одним словом, Юлиан, даже не вздумай меня отговаривать, я приложу все силы к тому, чтобы поступить в труппу.

— Но у тебя нет подготовки, ты не училась сценическому мастерству. Да, голос у тебя хороший, но этого ведь недостаточно! — убеждал он. — Труппу набирают из профессионально подготовленных артистов, а не из таких, как ты. Нет, Сашуля, как хочешь, а я категорически против такой авантюры. Это глупо, глупо и еще раз глупо! Да, я понимаю, у тебя нет достаточно средств, чтобы уехать в Америку и оставаться там столько, сколько нужно, пока не выполнишь задуманное. Да, я понимаю, что ехать туда, поступать на какую-то службу и жить на жалованье — тоже не выход, потому что места ты просто не найдешь, ты там никому не нужна. Но и то, что ты придумала, никуда не годится. Хочешь чаю? Или кофе тебе сварить? Я сегодня по случаю приобрел кофе с дивным ароматом, пока в ручной мельнице зерна перемалывал — чуть рассудка не лишился от наслаждения.

— Ты меня в сторону не уводи, — сердито ответила Сандра. — Кофе я хочу, конечно, но и в труппу попасть хочу. Если ты не собираешься мне помочь, то я сама... сама все сделаю, всего добьюсь и все устрою.

Казарин вздохнул.

— Я уже высказал свою точку зрения: это трижды глупость. И это трижды невозможно. Я не стану потворствовать твоим необдуманным решениям.

— Хорошо, — неожиданно легко уступила она. — Не потворствуй. Но кофе свари.

* * *

Импресарио Феликс Мазини остановился в Москве у своего давнего приятеля, композитора Садовникова. Открывшей дверь горничной Сандра подала две визитные карточки: свою и Николая Владимировича Раевского.

— Я доложу, — кивнула горничная, проводив гостью в комнату и скрывшись за дверью, из-за которой доносились спорящие о чем-то мужские голоса и звуки рояля.

Дверь она прикрыла неплотно, и Сандре слышен был разговор.

— К вам барышня, господин Мазини. Вот карточки.

— Карточки? А почему две? Их двое? — недовольно спросил Мазини.

— Барышня одни. Как подали две карточки, так я и принесла.

— «Граф Раевский Николай Владимирович», «Мещанка Рыбакова Александра Николаевна». Странно. Если она на прослушивание, так это только в семь часов начнется. Небось хочет впереди всех успеть и поддержкой заручиться. Не люблю такого. Впрочем... — Он задумался, потом кивнул: — Хорошо, я приму, попроси подождать.

Горничная вышла, на этот раз закрыв дверь как следует. Однако Сандра, оставшись одна, подошла к дверям поближе и убедилась, что отлично может все слышать.

— Оперетта выходит из моды, оперные и балетные труппы и без меня есть кому набирать, вот я слыхал, что сам Михаил Медведев на будущий год собирается оперную труппу в Америку вывозить. Куда мне против Медведева! А я хочу составить такую конкуренцию, чтобы иметь оглушительный успех! — говорил Мазини. — И чтобы никакие Медведевы мне были не опасны. И я вижу выход в «мозаике», но с американским привкусом. Такого еще никто не делал, я буду первым.

— Бог мой, Феликс, — гремел в ответ низкий густой бас Садовникова, — это же пошлость! Ну что такое эта ваша «мозаика»? Тематический набор музыкальных номеров, схваченных на живую нитку каким-то слабеньким псевдосюжетом, да вдобавок полуобнаженная натура. Неужели ты думаешь покорить американскую публику такой ерундой?

— И покорю, — уверенно отвечал Мазини. — Непременно покорю, если в моей «мозаике» будет модная музыка. Да, она непривычна русскому слуху, но в Америке ее обожают. Так я и гастроли хочу устроить именно в Америке, а не в России, где эту музыку, конечно, не поймут. Я уже договорился с драматургом, ты знаешь его, Боровков, он написал прелестный сюжет, кое-какие номера я тоже уже подобрал, но от тебя мне нужно, чтобы ты написал остальные номера в американской манере. Этот стиль называется «джаз». Вот я тебе и ноты привез из Америки, чтобы ты сам посмотрел, что это такое, и сделал хорошую имитацию.

— Посмотрим, посмотрим, — пробасил композитор.

Через несколько секунд раздались звуки рояля — Садовников читал с листа. Музыка показалась Сандре совершенно необычной, ничего подобного она прежде не слыхала. Исполнитель часто сбивался и заново переигрывал несколько последних тактов, потом с досадой произнес:

— Ритм ужасный какой-то, рваный, непривычный, с первого раза и не сыграешь правильно. Но это же невозможно спеть! Где ты возьмешь вокалистов, которые такое споют? Вокальная школа нужна совершенно иная, да и диапазон огромный, такого ни у кого нет. Если контральто, притом очень хорошее, то от фа малой октавы до соль второй октавы, но это редко, чаще только до фа второй октавы достают. А здесь до-диез в третьей октаве, эту ноту только сопрано возьмет, и то не всякая.

— Ну, братец, не обязательно же именно так, — примирительно заговорил Мазини. — Диапазон можно сделать поменьше, как удобно. И потом ты, мне кажется, преувеличиваешь трудности. Известно же, что оперный вокалист должен иметь диапазон никак не меньше двух с половиной октав, вот в них и втискивайся.

— Да здесь не две с половиной! — воскликнул Садовников. — Здесь три! Где ты наберешь вокалистов с такими данными? Известных мастеров ты не потянешь, они дорого берут, а обычные певички, каких нанимают для «мозаик», хорошо, если две октавы покроют. А то и меньше.

— В любом случае я тебе эти ноты показываю, чтобы ты суть понял, идею уловил, а сделал по-своему. Но так, чтобы американцам понравилось. Гонорар заплачу хороший, не сомневайся.

— Я подумаю, — нехотя согласился Садовников. — Тебя там барышня какая-то ждет, ты не забыл? Прими ее, выпроводи и займемся нашими делами. Я так понимаю, что ответ тебе нужен как можно быстрее, потому что, если я откажусь, тебе придется другого композитора искать. Так ты ступай, поговори с посетительницей, а я пока ноты повнимательнее посмотрю и скажу тебе, смогу я сделать то, что ты просишь, или не возьмусь.

— Твоя правда.

Сандра торопливо отскочила от двери и села на стул, придав себе вид усталый и скучающий. Ей нужно произвести впечатление натуры артистической и одновременно искренней и безыскусной: хитрых и ловких интриганок нигде не любят. Для знакомства с импресарио девушка выбрала платье из черного тюля, скомбинированного с шелком цвета «экрю» и украшенного кружевом шантильи и красочными аппликациями. Такой наряд, по ее мнению, олицетворял и любовь к сцене, и простодушие.

Мазини, оказавшийся очень высоким и полным мужчиной, лысым, с аккуратной «мефистофельской» бородкой, совершенно не подходящей ко всему его облику, вопросительно посмотрел на Сандру:

— Госпожа Рыбакова? Мне подали две карточки, и я не понимаю...

Она обезоруживающе улыбнулась.

— Мне показалось, что, если я приложу к своей визитной карточке еще и карточку графа Раевского, это произведет на вас лучшее впечатление и вы непременно примете меня. Простите мне, господин Мазини, эту маленькую хитрость. Я ведь понимаю: когда к такому знаменитому импресарио, как вы, является девушка без рекомендаций, то вы будете считать, что она мнит себя великой певицей и ищет место в вашей труппе. Уверена, что подобных просительниц к вам являются целые толпы, и ничего удивительного, если вы их отсылаете. Мне не хотелось бы разделить их участь.

Мазини усмехнулся.

— Весьма похвальная честность, мадемуазель. А кем вам доводится граф Раевский? Почему именно его карточку вы мне передали?

— Я его воспитанница. Выросла в его семье и почитаю своим отцом, ибо родных своих родителей не знаю.

— Понятно, понятно... Стало быть, вы не места ищете? Тогда чем могу быть полезен?

— Я именно ищу места в вашей труппе. Но не артистического. Могу быть костюмером, я хорошо шью и чиню одежду. Могу быть гримером, постижером.

— Костюмеры и гримеры у меня есть. Увы, мадемуазель, не могу оправдать ваших надежд. Позвольте...

Он сделал жест, показывающий намерение проводить посетительницу, но Сандра не сдвинулась с места.

— Господин Мазини, мне по личным обстоятельствам необходимо поехать на гастроли с вашей труппой. Не стану входить в подробности, но это абсолютно необходимо. И я могу быть вам очень полезной.

— Я ведь уже сказал...

— Если вам не нужны костюмеры и гримеры, вы можете использовать меня как концертмейстера, суфлера и дублера любой актрисы. За одно жалованье.

Мазини внимательно и недоуменно посмотрел на Сандру.

— Что вы хотите сказать?

— Я хочу сказать, что у меня феноменальная память. Я легко и быстро выучу партии всех исполнительниц и смогу во время представления подсказывать, а в непредвиденных случаях заменю любую из них без репетиций. И ноты я выучу быстро, так что концертмейстером для репетиций буду хорошим.

Она прислушалась к звукам, доносящимся из комнаты, где композитор Садовников отчаянно воевал с синкопами и прочими ритмическими изысками.

— Вы же слышите, господин Мазини, даже опытный музыкант не в состоянии сыграть эту музыку с листа правильно с первого же раза.

— А вы, стало быть, сможете? — недоверчиво скривился Мазини.

— Если хоть один раз услышу правильное исполнение, то смогу, — твердо пообещала Сандра. — Но какая интересная музыка! Живая, непривычная, свежая!

— Вот и мне так кажется, — обрадованно подхватил импресарио. — Эта музыка куда интереснее отживших классических форм! Но вот мой друг Садовников полагает, что в таком виде ее невозможно исполнить.

— Да отчего же? — как можно искреннее удивилась Сандра. — И сыграть возможно, и спеть. Позвольте, я вам продемонстрирую? Сыграю первый раз с листа, а потом без нот, и вы сами убедитесь.

— Только сыграете? Или споете тоже?

Она скромно улыбнулась.

— Как пожелаете.

— И верхнее до-диез возьмете? И ре малой октавы?

— Возьму, — решительно ответила она.

Александра Рыбакова знала за собой множество недостатков, но на трудолюбие и упорство в достижении поставленной цели она пожаловаться никак не могла. О планах Мазини составить «мозаику» из музыки на американский манер она узнала еще на собрании кружка, и после визита к Казарину, взяв извозчика, объехала нескольких знакомых, у одного из которых нашлись ноты новомодной американской музыки под названием «джаз». Всю ночь Сандра просидела за роялем, приглушив звук модератором, и разбирала ноты, приноравливаясь к непривычному ритму и запоминая распространенные мелодические фигуры. К утру она почувствовала, что справится и вполне прилично прочитает любой музыкальный текст заокеанского «нового стиля». Голос она тоже попробовала и убедилась, что похвалы ее педагога по вокалу были не беспочвенными: он утверждал, что у Сашеньки огромный диапазон, но ей, не испытывавшей ни малейшего желания блистать на оперной сцене, эти слова казались пустым звуком.

Она и теперь, идя к роялю в сопровождении Феликса Мазини, не думала о сцене. Ей нужно было попасть в труппу, попасть любой ценой. И она готова была быть суфлером и концертмейстером, швеей и поломойкой, да кем угодно, лишь бы оказаться в Америке, поездить по разным городам и вскоре вернуться домой, не истратив собственных денег и, что самое главное, не вызвав никаких подозрений ни у полиции, ни у домашних. Если бы она получила университетское образование, то могла бы, как Алекс, а вслед за ним и Валерий, сказать, что едет совершенствоваться в науках. Если бы у нее были подруги из состоятельных семейств, которые собрались бы просто «посмотреть Америку», она могла бы попросить папеньку отпустить ее вместе с ними. А без образования и без таких подруг для поездки нужны очень понятные и бесспорные основания. Потому что когда она найдет и убьет предателя Дегаева, искать преступника будут именно среди революционно настроенных русских, в определенное время выехавших из страны, и выехавших в первую голову без видимых веских поводов. Для выезда за границу необходимо испрашивать паспорт, и в прошении обязательно должна быть указана цель поездки.

— Позволь представить тебе мадемуазель Рыбакову, — церемонно произнес Мазини, пряча ехидную улыбку. — Она утверждает, что легко выучит ноты и покроет весь диапазон. Предлагаю условие: если она справится, то ты берешься за мой заказ, а ежели нет, то я признаю, что музыка сложна, к тебе больше приставать не стану и пойду искать другого композитора.

— Идет, — отозвался не скрывающий скепсиса Садовников.

Он уступил Сандре место у рояля.

— Прошу вас, мадемуазель.

Сандра справилась весьма удовлетворительно, сбившись только два раза. Что касается вокальной части, здесь она продемонстрировала все свои таланты и природные возможности, красиво взяв все нижние и верхние ноты.

— Как видите, господа, ничего сверхъестественно трудного в этой музыке нет, ее вполне можно исполнять даже такому непрофессионалу, как я, — скромно заявила она, снимая руки с клавиатуры.

— Где вы учились пению? — поинтересовался Мазини.

— Нигде специально не училась, так, брала уроки у педагога из Консерватории, но это было очень давно. Дальше домашнего музицирования я не пошла.

— И сценическому искусству не обучались?

— Нет. Но участвую в художественно-театральных кружках.

— Жаль, жаль, — задумчиво проговорил Мазини. — Материал хороший, но необработанный, совершенно необработанный. Кружки — это пшик, дилетантство, доморощенная таблетка для развеивания скуки. Но в части концертмейстерства вы меня убедили, я готов вас попробовать. Первое прослушивание сегодня в семь пополудни, приходите сюда, будете аккомпанировать кандидатам. И если я вас все-таки возьму на жалованье, то готовьтесь очень много работать: сроки у нас сжатые, репетировать придется с утра до вечера и каждый день. Две недели отведено на прослушивания, труппа в основном набрана, нужно найти еще три женских голоса и четыре мужских, ну и из струнных нескольких человек не хватает. Через три дня наш драматург обещал принести готовый сюжет, а к исходу двух недель должны быть написаны все новые музыкальные номера, после чего начнутся репетиции, чтобы через два месяца мы могли отправиться на гастроли.

Из дома, где жил Садовников, на улицу Сандра Рыбакова вышла окрыленной, вечером, без четверти семь, она уже снова была здесь, чтобы аккомпанировать тем, кто придет на прослушивание. Во время прослушивания она показала себя с самой лучшей стороны.

— Можете считать, что вы приняты, — потирая руки, сказал ей Мазини, когда ушла последняя из кандидаток. — Завтра в семь пополудни жду вас, будем прослушивать следующую партию. Как только Садовников напишет новые номера, я немедленно передам вам ноты, чтобы вы могли начать подготовку к репетициям.

Тем же вечером Сандре пришлось выдержать нелегкий разговор дома. Николай Владимирович был ошарашен ее сообщением и выразил решительный протест, Катя же, напротив, поддержала сестру.

— Пусть едет, получит новые впечатления, узнает других людей, посмотрит, как устроена жизнь на другом материке, — говорила она отцу. — Ну право же, зачем ей сидеть возле нас в Москве? И потом, она ведь все равно поедет, вы же знаете ее своевольный характер, так пусть уже едет со спокойной душой, а не после ссоры. Отпустите ее с благословением, так будет лучше для всех.

Перед тем как ложиться спать, Сандра зашла к Кате.

— Хотела тебя поблагодарить за то, что заступилась за меня перед папенькой, — сказала она. — А ты действительно думаешь, что мне лучше уехать? Или просто встала на мою сторону из солидарности, но в глубине души тоже считаешь, что это неправильно?

— Уезжай, Шурочка, уезжай, — ответила сестра. — Здесь, в России, ни тебе, ни мне делать нечего. Душная тусклая страна, душная тусклая жизнь. Поезжай и лучше всего не возвращайся. Я ведь тоже собираюсь уехать.

— Куда? — изумленно воскликнула Сандра.

— Во Францию, в Париж, мне сделали очень интересное предложение. Буду писать статьи о современном искусстве, редактировать журнал.

— Но как же папенька... — растерялась Сандра. — Он ведь совсем один останется.

Николай Владимирович, вопреки собственным намерениям, так и не женился.

— Ну как же один? — возразила Катя. — Дядюшка Игнатий здесь, да и Татьяна его тоже, и мальчики, Алекс с Валерием. Ты за папеньку не тревожься, ты о себе лучше подумай. Я ведь не забыла тот наш разговор на даче, когда Карабчевский приезжал.

— И...? Что?

— Да то, что тебе нужно искать свою собственную жизнь, а не жить так, как тебя обстоятельства вынуждают. Когда тебя брали из приюта в дворянскую семью, тебя никто не спросил, твоего желания не требовалось. Ты совершенно правильно назвала это искусственными обстоятельствами. И эти обстоятельства заставляют тебя проживать определенную жизнь, которая тебя тяготит, она тебе не по нраву, не по нутру, а может, и не по плечу, иначе ты бы не плакала и не металась. Так не иди на поводу у этих обстоятельств, меняй свою жизнь, начинай заново, уезжай туда, где тебя никто не знает. Спасибо мадемуазель Лансе, английскому языку она нас выучила превосходно.

Сандра горячо обняла сестру, поцеловала.

— Спасибо тебе, Катюша моя, спасибо, родная. Но я вернусь, я непременно вернусь. А ты поезжай, живи там, в Париже, будешь нас навещать иногда, да и мы с папенькой к тебе приедем обязательно. Знаешь...

Она помолчала, отстранилась от Кати, присела на краешек стула.

— Когда я была маленькой, я не задумывалась о том, любишь ли ты меня. Считала себя твоей младшей сестрой, а сестру ведь обязательно любят. Потом, когда узнала правду о себе, стала присматриваться и задумываться, и мне показалось, что ты меня совсем не любишь, терпишь только. Ты в моих глазах была такая взрослая, серьезная, мрачная, работала с папенькой, с поэтами общалась, стихи даже писала. А на меня мало внимания обращала. И только потом, недавно совсем, я поняла, что ты меня любишь, только не умеешь эту любовь показать, выразить. И никакая ты не мрачная, на самом деле ты добрая очень. Ты замечательная! И если тебе в Париже станет грустно, просто вспоминай, что я тебя очень люблю. Очень, очень люблю. И ты меня любишь, ведь правда? Правда? Скажи же!

— Конечно, я тебя люблю, — улыбнулась Катя. — И всегда любила. Ты права, я действительно не умею это показать... Но ты можешь быть уверена: перед папенькой я тебя всегда буду защищать. Даже если сочту, что ты не права, в глаза тебе тихонько скажу, что думаю, а перед другими защищать буду.

Почему-то после этого разговора в душе у Сандры наступило успокоение. Ею овладела уверенность, что решение она приняла правильное, а коль так, то все у нее получится самым лучшим образом. И пусть ее не поддерживают ни отец, ни Казарин, но зато Катя на ее стороне.

К доводам старшей дочери Николай Владимирович, в конце концов, прислушался. А вот расстаться мирно с Казариным Сандре не удалось. Юлиан был против этой «авантюры» и мнения своего не переменил до самого отъезда девушки.

— Ты все равно меня не удержишь, — твердила ему Сандра. — Я сделаю, как решила.

— Если ты это сделаешь, то можешь считать, что между нами все кончено, — пригрозил Юлиан. — Я не могу позволить себе поощрять столь очевидное легкомыслие.

— А если у меня все получится и я благополучно вернусь домой, ты меня простишь? — лукаво спрашивала она.

— У тебя ничего не получится! — сердился он. — И не может получиться! Как ты не поймешь такой простой вещи?

С каждым разом они ссорились все сильнее, и через два месяца Сандра уехала, так и не добившись от Казарина пожелания удачи.

1902 год, август

— Мисс Фишер, пора одеваться.

— Да-да, — Сандра стиснула дрожащие пальцы так сильно, что костяшки побелели. — Неси платье.

Для второго отделения платье предполагалось в стиле «модерн», и Сандра его не любила, хотя эскиз для портнихи нарисовала сама. Пока рисовала, ей казалось, что это концертное платье будет самым красивым ее нарядом, а впервые надев уже готовое изделие, неожиданно испытала раздражение и чуть ли не отвращение к нему.

Что бы ни случилось, но она должна выйти на сцену и спеть. А как спеть, если дыхание прерывается и сердце колотится как сумасшедшее? Зачем, ну зачем этот человек пришел сейчас, в перерыве? Принес цветы, купленные утром в городе, где пароход сделал очередную остановку, говорил комплименты, но в этом для Сандры уже не было ничего необычного, к своему маленькому, но крепкому успеху она привыкла быстро. И все было бы как обычно, если бы не слова:

— Я знаю, что вы приехали в Америку с русской труппой Мазини, я видел вас в Чикаго. Только вы почему-то не пели тогда.

— Я и не выступала на сцене, — спокойно улыбнулась Сандра, не чувствуя опасности. — Вы не могли меня видеть. Я же была концертмейстером и суфлером, ну и вообще, как говорится, на подхвате. Мое место было за кулисами или в репетиционном классе, а если я и выходила на сцену, то только при пустом зале.

— Но я определенно вас видел! — упорствовал пассажир. — Возле редакции «Политикал ревю», я как раз оттуда шел, сдавал материал. Я журналист.

— Возможно... — проборотала Сандра, чувствуя, как земля уходит из-под ног. — Я совсем не знаю Чикаго, наверное, просто шла по улице, гуляла... Если там и была какая-то вывеска, то я не обратила внимания. Но, возможно, это была и вовсе не я, вы просто перепутали.

— Ваше лицо и ваши рыжие волосы невозможно ни забыть, не перепутать, — галантно отозвался пассажир. — Я уверен, что видел именно вас. И вообще, тот день забыть невозможно. Вероятно, вы слышали об убийстве Виктора Говерна, он писал для нашего издания?

— Виктора Говерна? — повторила следом за ним Сандра, с трудом сглотнув сухой комок, мгновенно набухший в горле. — Кто это? Простите, но в то время я еще не читала ваших газет...

— Ну как же! Все об этом только и говорили! Хотя я понимаю, конечно, вы же не американцы, вы русские, приехали на гастроли, у вас другие заботы и другие темы для обсуждения. Ужасное убийство, ужасное! — Он горестно вздохнул. — Такая нелепая судьба, такая нелепая смерть! Предки Виктора были в числе пионеров, покорявших Дикий Запад, его отец — герой Гражданской войны... Впрочем, вам это неинтересно, я понимаю.

Пассажир еще некоторое время рассыпался в комплиментах и похвалах ее необыкновенному голосу, но Сандра не слышала почти ничего.

О том, что она ошиблась и застрелила вовсе не скрывающегося предателя Дегаева, а коренного американца, журналиста Говерна, Сандра Рыбакова узнала на следующий же день из чикагских газет, которые она, конечно, читала в течение двух недель после убийства. Версии строились самые разнообразные, в статьях подробно анализировались написанные Говерном материалы в поисках тех, кто желал бы отомстить ему. Личная жизнь Виктора тоже не осталась без внимания, и его грязное белье весьма основательно перетряхнули. Однако главным была для Сандры информация о его биографии. Она сразу поняла, что легкомысленно опиралась на непроверенные и оказавшиеся в корне неправильными сведения, согласно которым Виктор Говерн и был Сергеем Дегаевым. А ведь Юлиан много раз предупреждал ее: не все агентурные сообщения правдивы, очень часто сообщают полную ерунду, только для того, чтобы создать видимость активности. Но ей, уверенной в своих силах и убежденной в недобросовестности тех, кто искал Дегаева, казалось, что Юлиан просто лжет, чтобы отговорить ее от задуманного предприятия.

Оказалось, что он говорил правду. А она, Александра Рыбакова, застрелила ни в чем не повинного человека.

Несколько дней она пребывала в шоке. Ее состояние обнаружилось на первом же занятии в репетиционном классе, когда вокалисты пришли распеваться перед выступлением. Сандра постоянно сбивалась и путала ноты, пришлось извиняться и ссылаться на сильную зубную боль. Ее освободили от работы на два дня, заменив неплохо играющей хористкой.

Когда шок прошел, наступил черед гнева. На агентов, давших ложную информацию. На Юлиана, не приложившего должных усилий, чтобы все ей объяснить и отговорить. Даже на Катю, защищавшую ее перед отцом и всей семьей. Но отчаяннее всего Сандра бранила саму себя за свою самоуверенность и глупость. Ведь она знала, что Дегаева пытаются найти почти двадцать лет и пока никому это не удалось. Почему, почему она решила, что ей удастся то, что не получилось у множества опытных и знающих людей? Почему она не подумала даже о такой простой вещи, как отличие нравов и уклада? Да, в Москве можно было сунуть гривенник, а лучше — рубль любому будочнику, городовому, даже дворнику, и они расскажут все о каждом жителе улицы. В Америке никаких городовых и будочников не было, и никто не собирался рассказывать о своих соседях неизвестной молодой женщине, к тому же, судя по акценту, иностранке. Здесь совсем другие люди, другие обычаи, и то, что казалось легким и доступным в Москве, в Чикаго оказалось совершенно неосуществимым.

Она пыталась торговаться с Богом, о котором в последние годы успела позабыть. Правда, в мыслях именовала его «судьбой». Она спрашивала, что ей сделать и как жить дальше, чтобы искупить вину перед пострадавшим журналистом Говерном и его семьей. И еще она спрашивала, как сделать так, чтобы не оказаться в тюрьме. Убийство она совершила поздним вечером, и в тот момент убеждена была, что ее никто не видел, — но вдруг? Вдруг кто-нибудь вспомнит рыжеволосую иностранку, бесцельно прогуливавшуюся по улице, где находилась редакция «Политикал ревю»?

Сандра старалась быть как можно менее заметной, перестала выходить на улицу без особой нужды, проводя все время вместе с артистами либо в гостинице, либо в тех зданиях, где предполагалось выступление. Когда внезапно простудилась одна из солисток, Мазини напомнил Сандре, что она обещала заменить любую артистку. Ей пришлось согласиться, но мысль о том, что она выйдет на сцену здесь, в Чикаго, и кто-то может ее увидеть, узнать и вспомнить, вызывала парализующий страх. Спела она в тот раз достаточно хорошо, но по сцене двигалась как неживая, и после представления Мазини сказал:

— Поете вы превосходно, Александра Николаевна, с этим спорить невозможно, но актерского мастерства нет, увы. Нет школы. Если мадемуазель Ташкова не поправится в ближайшее время, вам придется снова ее заменить, так вы уж, сделайте милость, постарайтесь как-нибудь на сцене-то... А лучше всего — подготовьте одну из хористок, среди них есть парочка вполне приличных голосов. Позанимайтесь с кем-нибудь из них для замены Ташковой.

К счастью, солистка Ташкова быстро вылечилась, и выходить во второй раз на сцену Сандре не пришлось.

После Чикаго им предстояло ехать по другим городам, и страх понемногу отпускал ее. Сандра по-прежнему старалась быть незаметной, чтобы не привлекать к себе внимания. Ей не хотелось, чтобы кто-то увидел, как она изменилась. Успех «Мозаики Мазини» был достойным, расчет импресарио на вкусы американской публики себя полностью оправдал, о выступлениях русских артистов много писали в газетах, а залы после первых двух-трех представлений собирались полные. Попасть на страницы газет, да еще с фотографией, Сандре хотелось меньше всего. Ведь там обязательно будет написано, что труппа была в Чикаго, и как знать, чем это может обернуться.

Теперь она знала, что убить человека невероятно трудно. И знала, что никогда нельзя быть уверенной в собственной правоте. И что существует масса мелочей и деталей, не обдумав которые заранее, нельзя приниматься за серьезное дело. И еще: что чувство вины невыносимо.

Несмотря на ее старания быть незаметной, ее все-таки заметили. Баритон из хористов, Лев Ицкович, оказывал Сандре совершенно недвусмысленные знаки внимания, открыто ухаживая за ней. По прошествии нескольких недель после Чикаго, когда оставался последний из предусмотренных гастрольным расписанием городов, Ицкович в день, свободный от выступления, пригласил Сандру в ресторан. Она пыталась отказаться, но Лев настаивал:

— В Мемфисе мы в вечер перед отъездом ходили с вами в ресторан, послушали музыку, это подняло нам настроение перед очередным переездом. И выступления здесь, в Атланте, прошли как нельзя лучше. Это хорошая примета, ею нельзя пренебречь, вы же знаете, что мы, артисты, народ крайне суеверный. Нам с вами обязательно нужно пойти развеяться, попробовать хорошей еды, потому что в поезде придется есть всякую гадость. Мы с вами зарядимся приподнятым настроением и, что самое главное, обеспечим нашей труппе успех в последнем гастрольном пункте.

Мысль о скором возвращении на Родину придавала Сандре сил, и настроение у нее в последние дни стало много лучше. «А в самом деле, зачем я отказываюсь? — подумала она. — Лев прав, надо сходить, развеяться. Сборы наша труппа делает отличные, Мазини несколько раз намекал, что после подведения финансовых итогов выплатит хорошие наградные сверх оговоренного жалованья. Если он и мне заплатит, а не только солистам, то я смогу купить подарки для всех домашних. Если Левушка верит в приметы, то, может быть, надо к этому прислушаться? Будет успех — будут деньги».

Ицкович повел ее в ресторан, где они с удовольствием слушали ставшую уже привычной уху джазовую музыку. На столике Сандра увидела маленькую желто-красную карточку, на которой было написано «Конкурс». Она не обратила на нее никакого внимания, и когда официант, приняв заказ, протянул руку к карточке и вопросительно посмотрел на нее, Сандра только молча кивнула. Официант карандашом что-то записал на оборотной стороне карточки и сунул ее в карман.

Каково же было ее изумление, когда после очередного музыкального номера конферансье объявил:

— Леди и джентльмены, а теперь — наш традиционный субботний конкурс! Сегодня мы импровизируем на тему знаменитой композиции «Цветок в пустыне»! Заявки на участие в конкурсе подали пять гостей. Итак, мы начинаем! Прошу выйти на эстраду гостя, сидящего за столиком, — он вытащил из конверта желто-красную карточку и взглянул на нее, — за столиком номер два!

Раздались ободряющие аплодисменты, через зал к эстраде шагал невысокий брюнет с тонкими усиками, чем-то напомнивший Сандре Юлиана Казарина, а в это время музыканты играли популярную песню «Цветок в пустыне».

— Кажется, я оказалась участницей конкурса, — сказала она Ицковичу. — Я же кивнула официанту, когда он забирал карточку, и он записал на ней что-то, наверное, номер нашего столика. Но я ведь не знала! Мне и в голову не могло прийти, что эта карточка что-то означает. Как вы думаете, удобно будет отказаться? Или здесь так делать не принято? Мне не хотелось бы поступать вопреки местным обычаям.

— А зачем вам отказываться? Спойте, покажите им, на что вы способны, — улыбнулся Ицкович. — Вы же ничем не рискуете. Послушайте только, как плохо поет этот тип с усиками! Вам ничего не стоит заткнуть его за пояс. Давайте же, Сандра, выходите и пойте. Я ведь слышал, как вы занимаетесь одна, и слышал, как вы поете, когда занимаетесь с нами. Так пусть и публика услышит, а не только артисты нашей труппы.

Выпитое вино и радостные мысли о скором окончании гастролей сделали свое дело, нерешительность Сандры куда-то улетучилась, и когда на эстраду вызвали участника конкурса, сидящего за столиком номер семь, она стремительно прошла через зал и легко поднялась на подиум. За клубами плывущего в воздухе табачного дыма она плохо различала лица и только сейчас, стоя на эстраде, вдруг поняла, насколько в зале душно. «Как я буду петь? — с ужасом подумала Сандра. — Здесь же нечем дышать, я закашляюсь сразу же, как только возьму дыхание... Ну что ж, как говорится, ввязался в драку — бейся до конца. Как-нибудь!»

После первых спетых ею нескольких тактов по залу пронесся приглушенный смех: акцент у нее был все-таки очень заметным. Но уже к концу первой строфы публика примолкла: началась импровизация. Сандра выбрала для себя слушать саксофон и свободно, с неожиданной легкостью, которую сама в себе раньше не предполагала, фантазировала, придумывая все новые и новые обороты музыкальных фраз, ориентируясь на опорные ноты, издаваемые саксофонистом. Сложный, постоянно меняющийся ритм, казалось, жил внутри ее тела, в этом ритме пульсировала кровь, билось сердце и где-то в груди вспыхивали разноцветные искры.

Возвращаясь к своему столику под гром оваций, Сандра вдруг осознала, что впервые за последнее время не думала об «этом». Джазовая импровизация просто не оставила места мыслям и чувствам. Ицкович вскочил, поцеловал ей ручку и подал стул.

— Вы были восхитительны! — горячо заговорил он. — Ваше место на сцене, а не в репетиционном зале.

— Ах, оставьте, Левушка, — вяло улыбнулась она. — Я ведь пробовала выходить на сцену, и вы отлично помните, что из этого вышло. Все-таки наши домашние театральные постановки — совсем не то же, что настоящая сцена. К большому зрительному залу надо иметь привычку, а у меня ее нет, я боюсь зрителей. Вам действительно понравилось, как я пела?

Это было ложью, но вполне невинной. Публики и зала Сандра не боялась. Она боялась совсем другого.

— Ну что вы такое спрашиваете, Александра Николаевна, голубушка! Вы аплодисменты слышали? Реакция публики говорит сама за себя. Вы произвели фурор. Настоящий фурор! А вы, кажется, недовольны? Вид у вас какой-то пасмурный, — заметил баритон.

— Никак от музыки в себя не приду, — призналась Сандра. — Она какая-то необыкновенная, в каждую клеточку проникает, все под себя подминает, все себе подчиняет... Я ведь много такой музыки играю теперь, но никогда не думала, что играть по нотам и импровизировать голосом — совсем не одно и то же.

После Сандры выступили еще двое конкурсантов, потом конферансье торжественно объявил:

— Леди и джентльмены, вы прослушали импровизации наших участников, а теперь слово предоставляется нашему известному ценителю мистеру Санторио, который подведет итоги и объявит сегодняшнего победителя. Лучшему исполнителю джазовой импровизации, как обычно, будет преподнесен именной торт, изготовленный французским кондитером мистером Лурье. Сам торт, разумеется, уже ждет, когда на его поверхность будет нанесен последний штрих — имя победителя. Встречайте! Мистер Фред Санторио!

На эстраду поднялся очень пожилой, но удивительно прямо державшийся седой джентльмен, одаривший зал сияющей улыбкой.

— Сегодня я не буду многословен, — произнес он, — ибо всем, я полагаю, и без моих комментариев понятно, кого следует назвать победителем. Участник, сидящий за столиком номер семь, прошу вас выйти сюда.

Сандра как зачарованная смотрела на Санторио и не понимала, что он говорит.

— Александра Николаевна, — прошептал Ицкович, — вас приглашают, идите же! Вы выиграли конкурс!

Если для выступления Сандра шла от столика к эстраде свободно и непринужденно, то теперь ноги едва слушались ее, в точности так же, как и на сцене, когда она заменяла заболевшую солистку Ташкову. Ей казалось, что каждый посетитель ресторана придирчиво разглядывает ее, и каждый такой взгляд словно становился толстой веревкой, накидываемой на ее тело и мешающей идти. Но стоило ей ступить на подиум, как наваждение прошло без следа. Теперь она видела перед собой только улыбающееся лицо седого Фреда Санторио.

— Примите мои поздравления! — сердечно сказал он. — И позвольте узнать ваше имя, чтобы наш кондитер мог написать его на торте.

— Александра Рыбакова.

— Ри-ба-ко-ва, — повторил по слогам Санторио. — Вы не американка, судя по акценту. Откуда вы?

— Я из России.

Санторио под аплодисменты поцеловал ей руку и проводил до столика.

— Где вас можно найти? — спросил он, когда Сандра села.

— В отеле «Три ворона». Но мы завтра уезжаем.

— Мы? — переспросил ценитель джазовых импровизаций.

— Труппа Мазини.

— Так вы из «Мозаики Мазини»? — удивился Санторио. — Но я был на представлении, а вас на сцене не видел. Я бы непременно вас заметил.

— Я не артистка, я всего лишь концертмейстер-репетитор.

Санторио задумчиво посмотрел на нее, потом перевел взгляд на Ицковича.

— Подумать только... — пробормотал он. — Что ж, через пять минут принесут ваш торт. Если хотите, его доставят прямо в отель. В котором часу вы завтра уезжаете?

— После полудня.

— Хорошо. Еще раз поздравляю вас, мисс... — Он замялся, пытаясь вспомнить трудную для него фамилию.

— Рыбакова, — с улыбкой подсказала Сандра.

— Да, мисс Ри-ба-ко-ва, и благодарю за доставленное наслаждение. Поверьте, слушать ваше исполнение было истинным наслаждением. Если позволите, скажу, что вы рождены для джаза. В вас, случайно, нет негритянской крови? Для белых вокалистов подобное проникновение в суть джазовой музыки — огромная редкость. Это природный дар.

Торт они принесли в отель сами и сразу же угостили всех желающих. Хвастаться неожиданным успехом Сандра не собиралась, но когда увидели надпись на торте, пришлось входить в объяснения, которые с удовольствием давал Лев Ицкович, в красках живописуя эпизод с конкурсом. Реакция у присутствующих была разной, кто-то радовался за Сандру, а кто-то презрительно морщился и говорил, что и конкурс сомнительный, и успех в нем доброго слова не стоит, и торт невкусный. Нашлись и такие доброжелатели, которые немедленно донесли обо всем Мазини. В разгар чаепития, устроенного в самом просторном номере, где обитали четыре хористки, ворвался импресарио и попросил Сандру выйти в коридор.

— Я получил записку от некоего Санторио, — сердито заговорил он. — Долго не мог взять в толк, кто это такой и почему просит о встрече завтра утром. Даже собрался написать ему вежливый отказ. Хорошо, что как раз в это время мне рассказали о конкурсе. Почему вы ничего мне не сообщили? Почему я должен узнавать о подобных событиях от хористок?

— Да о чем же тут сообщать? — растерянно ответила Сандра. — Мы с Ицковичем были в ресторане, там по субботам проводится какой-то конкурс, я же ничего не знала заранее... Так получилось, что я приняла в нем участие. И победила. Тоже совершенно случайно, — добавила она.

Мазини внимательно посмотрел на нее и укоризненно покачал головой.

— Александра Николаевна, вы что, действительно ничего не понимаете? Вы не отдаете себе отчет в том, что происходит?

— Нет, — призналась она. — А что происходит?

— Вам собираются предложить ангажемент, вот что! Я ведь тоже не знал ничего, но после того, как мне рассказали о конкурсе, догадался спросить у портье. Знаете, что выяснилось? Фред Санторио работает на самого Джульярда, а Джульярд — знаменитая личность, он отыскивает по всей Америке одаренных певцов и устраивает им ангажементы у лучших импресарио! Нет, я, право же, теряюсь в догадках, откуда в вас такое легкомыслие, голубушка моя! Вы же такая разумная, старательная, и вдруг такое...

— Но я не понимаю...

— А тут нечего понимать! Это счастье, огромное счастье, что мне вовремя доложили о вашем успехе на конкурсе! Завтра я встречусь с Санторио, послушаю, какие условия он собирается вам предложить, и устрою все наилучшим образом. Вы станете звездой! Я вам обещаю! А если бы мне не сказали ничего, так мне бы и в голову не пришло интересоваться, кто таков этот Санторио. Написал бы ему записку с отказом, завтра уезжать, дел и так много. Только имейте в виду: я буду настаивать, чтобы вы проработали у меня до конца гастролей, у нас с вами ведь тоже контракт, и нарушать его я не позволю.

Мазини вдруг порывисто обнял Сандру и расцеловал в обе щеки.

— Вы станете звездой Америки, Александра Николаевна, я обещаю! — повторил он.

Голова у Сандры кружилась. Она не стала возвращаться к хористкам и ушла к себе в номер, который делила с хореографом-репетитором — засушенной строгой дамой, бывшей танцовщицей из кордебалета. Молча разделась и легла в кровать. До самого утра не сомкнула глаз, пытаясь осознать происходящее.

Если Мазини не ошибается и Фред Санторио действительно собирается сделать ей деловое предложение, что ему ответить? Согласиться? И тем самым отсрочить возвращение домой на неопределенное время... Или отказаться, закончить гастроли и вернуться в Россию вместе с труппой?

Она пыталась вызвать в памяти образ стареющего отца, его брата Игнатия Владимировича, своих кузенов Алекса и Валерия, чтобы почувствовать, как она по ним скучает и как хочет поскорее увидеть. Катя, должно быть, уже уехала в Париж... Но вместо образов родных и близких в голове поочередно возникали голоса Кати и Санторио.

— Живи своей жизнью... Ищи свой путь, — говорила Катя. — Оставайся в Америке, не возвращайся в Россию, здесь тебе нечего делать.

— В вас, случайно, нет негритянской крови? — спрашивал Санторио.

А разве знает она, Александра Рыбакова, какая кровь в ней течет? Может быть, все метания у Сандры именно оттого, что она живет не своей жизнью, не той, которая ей предназначена по крови, по рождению. А теперь ей выпал счастливый случай найти эту жизнь, выйти на потерянную когда-то дорогу.

На следующее утро ее позвали в апартаменты Мазини, где импресарио дожидался Сандру в обществе давешнего ценителя и знатока Фреда Санторио.

— Из рекомендаций мистера Мазини я узнал, что у вас нет сценического опыта и вообще какой бы то ни было актерской подготовки, — сказал Санторио. — Поэтому я могу предложить вам выступления в составе музыкального коллектива, работающего на пароходах, которые курсируют по Миссисипи. От вас потребуется только петь, но петь так же замечательно, как вы это делали вчера. Это очень хорошее предложение, поверьте мне. Вас услышит множество людей, Миссисипи — большая река, городов на ней достаточно, выступать будете каждый вечер на самом пароходе — для пассажиров, а также и во всех городах, где предусмотрены стоянки.

— Я согласна, — сразу ответила Сандра.

— В таком случае нужно подумать о сценическом имени. Александра Ри-ба-кова — не годится для Америки.

— Сандра Фишер, — быстро подсказал Мазини и пояснил в ответ на удивленный взгляд гостя: — Рыбак — человек, который ловит рыбу. Фишер.

Санторио довольно рассмеялся.

— Сандра Фишер! Превосходно!

* * *

Прошло около полутора лет. Имя Сандры Фишер, конечно, не гремело по всей Америке, но стало достаточно хорошо известно. Она по-прежнему пела на пароходах в составе той же самой музыкальной группы, но теперь платили ей не в пример больше, а многие пассажиры специально покупали билеты в круиз, чтобы каждый день слушать джаз в исполнении талантливой певицы.

Не обошли Сандру вниманием и журналисты, но для прессы была заранее заготовлена биография, в которой Чикаго вообще не упоминалось.

Со временем страх быть опознанной улегся, чувство вины не то чтобы притупилось, но стало привычным и уже не мешало жить и дышать. Сандра старательно занималась вокалом, желая научиться петь еще лучше, и много работала над произношением в попытках избавиться, насколько возможно, от акцента.

И вдруг сегодня, во время перерыва в выступлении, к ней в уборную зашел этот пассажир, который уверяет, что видел ее в Чикаго возле редакции, где работал убитый ею журналист Говерн.

Сандре с трудом удалось взять себя в руки, допеть до конца, но внутренняя дрожь так и не улеглась. Переодевшись, она вышла на верхнюю палубу и села в шезлонг. Что делать? Продолжать жить, как раньше, петь на пароходе и каждый день ждать, что ее узнает еще кто-нибудь? Конечно, вероятность не так уж велика, но жить в постоянном страхе она не хочет. А вдруг ее все-таки кто-то видел в тот момент, когда она стреляла? Да, тогда ей казалось, что никого вокруг нет, но с тех пор Сандра крепко усвоила, насколько ненадежными могут оказаться собственные знания и ощущения.

Ей тридцать лет, она не замужем, хотя поклонников огромное количество, а предложения вступить в брак поступают по меньшей мере раз в три дня. А что, если?.. Взять да и выйти замуж за какого-нибудь богача из глубинки, например, из Техаса, там нефть, говорят, и богатых людей много. Уехать с ним, нарожать ему детей, быть хорошей женой, больше никогда не выходить на сцену и не испытывать этого отвратительного, тошнотворного леденящего ужаса, с которым она едва справилась сегодня.

Решено! С завтрашнего дня она перестанет выбрасывать письма с объяснениями и предложениями, перестанет смеяться в ответ на пылкие признания, а начнет тщательно и придирчиво выбирать того, с кем пойдет дальше. Быть может, как раз жизнь замужней американской дамы, матери семейства, и есть та самая дорога, которая была от нее скрыта?

Глава 5
1907 год, ноябрь

Оленька Раевская, старшая дочь судебного следователя Александра Игнатьевича Раевского, росла ребенком не по годам серьезным, много и охотно училась и в гимназию, как ее дед Игнатий Владимирович, была принята сразу во второй класс, а уже через месяц переведена в третий соответственно способностям и уровню подготовки. Не склонная к излишней рефлексии, она ни в чем никогда не сомневалась и жизнь свою видела наперед ясною и понятною.

— Я закончу гимназию и поступлю в Женский Медицинский институт, получу образование и стану врачом, как дедушка Игнатий и дядюшка Валерий, — уверенно говорила девочка.

— Но для этого тебе придется уехать из Москвы в Петербург, — встревоженно отвечала ее мать, Элиза Раевская. — Как ты там будешь одна?

— Так что же, что одна? — невозмутимо возражала Оленька. — В Институт со всей империи девушки едут и живут там одни, и ничего. Когда я выйду из гимназии, я буду уже взрослой и самостоятельной.

— Да тебе едва пятнадцать исполнится! — в отчаянии произносила Элиза. — Если бы ты с первого класса в гимназии училась, то аттестат получила бы в семнадцать, и мне не было бы за тебя так страшно.

Но девочке в одиннадцать лет было совершенно непонятно, чего так боится ее матушка и почему в пятнадцать лет нельзя уехать в Петербург, чтобы держать вступительные испытания в Женский Медицинский институт.

Элиза мечтала, чтобы Оля после получения аттестата написала заявление с просьбой об обучении в дополнительном, восьмом, классе, после чего получила бы право работать учительницей. Собственно, дочь свою простой учительницей графиня Раевская, конечно, не видела, но восьмой класс давал Оленьке еще год. Еще целый год, проведенный под родительским кровом.

Своего беспокойства она от мужа не скрывала, но Александр Игнатьевич только смеялся в ответ на ее причитания.

— Рано тебе об этом волноваться, дорогая моя, рано! Оленьке еще пять лет учиться, она десять раз переменит свое решение за это время. Она еще ребенок совсем, разве можно принимать ее слова всерьез? Вот увидишь, ее увлечения и намерения будут меняться каждые полгода.

Но слова мужа не успокаивали Элизу. Напротив, в его ответах ей слышалось равнодушие к судьбе дочери. И даже больше: равнодушие к их семейной жизни, которая, как чувствовала Элиза, рушится прямо на глазах.

За годы супружества Элиза Раевская родила четверых детей, один из которых умер во младенчестве, и теперь, кроме Оленьки, у них с Александром были еще семилетний сын Константин и четырехлетняя дочь Наташа. Если обе девочки отличались отменным здоровьем, то мальчик рос слабым и очень болезненным, требующим много внимания и заботливого ухода. И все эти годы Элиза, получившая хорошее образование и прекрасно знающая химию и математику, была верной сподвижницей судебного следователя Раевского, советчиком и помощницей в его исследовательской работе. Сам Евгений Федорович Буринский, в лаборатории которого Алекс когда-то постигал азы судебной фотографии, говорил неоднократно:

— Не ценишь ты, Александр, свою супругу, не ценишь! Ах, не был бы я женат — так сам бы женился на твоей Элизе, чтобы ее знания и умения всегда были под рукой, да к тому же без оплаты. А то ведь на одних только лаборантах да ассистентах разориться можно!

Всерьез занявшись вместе с Алексом разработками по судебному почерковедению, Евгений Федорович настаивал, чтобы Элизу считали полноправным членом их научного коллектива и ставили ее имя в числе соавторов при подготовке публикаций в серьезных изданиях. Алекс, разумеется, не возражал, но зато возражала сама Элиза, привыкшая к роли скромной и незаметной помощницы.

— Я жена дворянина, графиня, — говорила он упрямо, — и живу в России. В вашей стране жены титулованных дворян не должны служить за жалованье, это вызывает осуждение в свете. Мне бы не хотелось, чтобы моя семья была предметом осуждения.

Никакие уговоры на нее не действовали. И сколько бы и муж ее, и Буринский ни говорили о том, что времена нынче не те и нравы другие, она твердила:

— Мне доподлинно известно, что офицер русской армии не имеет права жениться на работающей женщине. Либо она должна оставить службу, либо ему придется выйти из полка. До тех пор, пока это правило существует и ему подчиняются, я не могу верить, что времена и нравы изменились.

Алекс удрученно вздыхал. А Евгений Федорович смеялся:

— Чисто немецкий подход! Если закон писан — он действен для всех без исключения! Разве может твоя немочка уразуметь, что в России — не то? У нее мышление демократическое, а у нас, у русских, самодержавное. У демократов ежели нельзя — то нельзя всем, а у нас иначе, у нас только некоторым нельзя, а другим можно.

После того как Буринский опубликовал в 1903 году фундаментальный труд «Судебная экспертиза документов», Александр Игнатьевич решил, что пришла пора заняться другой стороной расследования преступлений — тактической. Немалую роль в принятии такого решения сыграла его поездка в Швейцарию и знакомство с Рудольфом Рейссом, читавшим в университете Лозанны введенный им же самим курс лекций «Судебная фотография». Рейсс в частных беседах много говорил о том, что техника и естественные науки необходимы в криминалистике, но отнюдь не исчерпывают ее, ибо важно не только «что делать», но и «как делать». Швейцарский ученый намеревался создать целый институт криминалистики при университете. Из той поездки Александр Игнатьевич вернулся воодушевленным, вооруженным новыми идеями и... влюбленным.

С ним случилось именно то, о чем когда-то думал его двоюродный дед Павел Николаевич Гнедич: Алекса Раевского переехало колесом неуправляемой и безудержной страсти, какую он никогда прежде не испытывал. Дочь швейцарского офицера и русской нижегородской мещанки, Лорена Вебер была талантливой журналисткой, писательницей и поэтессой, ее повести и стихи с удовольствием публиковали в изданиях, предназначенных для подростков. Родившаяся и выросшая в Швейцарии, Лорена свободно владела как русским, так и немецким, французским и итальянским языками. Ее мать когда-то приехала в эту страну в качестве гувернантки при семействе богатого нижегородского купца. В Россию купец и его домашние спустя полгода возвращались уже без гувернантки, но зато с воспоминаниями о красиво обставленной, шумной и веселой помолвке.

К моменту знакомства с русским юристом тридцатипятилетним Александром Раевским Лорене было двадцать шесть лет, она сотрудничала с несколькими крупными журналами в Швейцарии, Германии, Франции и России, заботилась о родителях и лишь недавно перестала оплакивать мужа и годовалого ребенка, умерших пять лет назад от какой-то скоротечной тяжелой инфекции.

В Москву вернулся уже совсем не тот Алекс, который покидал ее несколько месяцев назад. И Элиза сразу это заметила. Правда, о причинах перемены в муже она догадалась несколько позже, когда из Лозанны стали приходить письма, после прочтения которых Александр становился рассеянным, задумчивым и более, против обычного, раздражительным.

Он продолжал служить по судебному ведомству и заниматься исследованиями в области криминалистики, но теперь уже не нуждался в помощи жены-химика или математика, предоставив ей чисто бумажную работу, с какой справилась бы любая гимназистка даже не выпускного класса. Элиза, в попытках вернуть утраченную близость с мужем, уговаривала Алекса продолжить более глубокие изыскания в области почерковедения, но каждый раз наталкивалась на отпор:

— Технический аспект уже разработан Буринским, мне там делать нечего. Нужно заниматься тактикой, за ней будущее.

— Но ведь в почерковедении так много белых пятен, — пыталась настаивать Элиза. — Ты сам видишь: только что сняли обвинения с Дрейфуса, а ведь он на протяжении двенадцати лет считался виновным, и потому только, что Бертильон ошибся при даче заключения по почерку в бордеро, причем ошибся дважды! Сам Бертильон — и ошибся! Это означает, что наука молчит, в ней недостаточно разработок, она нуждается в дальнейших исследованиях.

Но Александр Игнатьевич твердо стоял на своем:

— Я буду заниматься тактикой следствия. И в следующем году снова поеду к Рейссу для консультаций. Быть может, он даже позволит мне прочесть несколько лекций перед студентами, это было бы для меня полезно.

Для умной и проницательной Элизы все было понятно. Перемена в муже, письма и намерение снова ехать в Лозанну не оставляли никаких возможностей для самообмана. И теперь графине Элизе Раевской предстояло принять решение: ждать, пока наваждение пройдет и муж одумается, или предоставить ему свободу.

Тем осенним вечером она зашла в кабинет к Александру Игнатьевичу, чтобы позвать Оленьку на урок английского: в гимназическом курсе этот язык не был предусмотрен и девочка занималась с домашним учителем. Оля обожала в свободное от приготовления уроков время сидеть в кабинете отца, когда тот работал, и читать толстые книги о путешествиях.

— Как твоя работа? — спросила Элиза, когда супруг поднял на нее глаза, оторвавшись от изучения каких-то документов. — Продвигается? Ты давно ничего мне не поручал, я даже не знаю, над чем ты теперь трудишься.

— Изучаю ход следствия по двум нераскрытым убийствам, адмирала Чухнина и Василия Тронина. Хочу провести полное исследование и дать их монографическое описание с анализом, что сделано не так, не должным образом, а что вообще не сделано. Я обещал сдать очерк в «Судебный вестник» не позднее конца следующей недели.

Элиза знала, о чем идет речь. Оба убийства наделали много шуму. Учитель церковно-учительской семинарии Василий Тронин за свои лекции, проникнутые антираскольническими настроениями, был объявлен вождем Черной сотни и вызвал на себя шквал критики со стороны несогласных с его позицией. Апрельским вечером 1906 года Тронин ушел из своей квартиры на прогулку, и больше его живым не видели. Изуродованное тело с разбитой головой и накинутой на шею веревкой нашли только спустя пять дней. Ни обстоятельства смерти, ни личность виновного установлены не были.

Командующий Черноморским флотом адмирал Григорий Чухнин был убит в июне того же года у себя на даче, причем от расправы его не спасла даже усиленная охрана, которой он окружил себя после того, как в феврале на него было совершено покушение, очень напоминавшее покушение на градоначальника Трепова: тоже совершено женщиной, проникшей в резиденцию адмирала под видом просительницы и стрелявшей из револьвера. Существовало убеждение, что убийство Чухнина было осуществлено подпольной боевой организацией партии эсеров, но никаких конкретных виновных, которым можно было бы предъявить доказанное обвинение, так и не выявили.

— Когда закончишь на сегодня — дай мне знать, — попросила Элиза. — Нужно обсудить список приглашенных на обед, который ты устраиваешь на Рождество.

Александр Игнатьевич с неудовольствием посмотрел на жену.

— Разве мы еще не все обговорили? — спросил он.

— В списке стоит градоначальник генерал Рейнбот.

— И что?

— Но ведь очевидно, что он приведет с собой Зинаиду Григорьевну Морозову. Я не знаю, насколько уместно будет ее присутствие. Мы же рассылаем приглашения на два лица, все гости званы с супругами.

— Ну да, ее муж покончил с собой, она вдова и снова вышла замуж, они венчались минувшим летом. Я не понимаю, Элиза, в чем ты видишь проблему.

— Как ты можешь так говорить, Алекс! Она связалась с этим Анатолием Рейнботом еще при жизни Саввы! И Рейнбот в те годы тоже состоял в законном браке. А обстоятельства смерти Саввы, позволю себе напомнить, до сих пор точно не известны. Да, все говорят, что он застрелился в Каннах. Но это не доказано, уж кому, как не тебе, об этом знать. Вполне возможно, что его убили. Есть вероятность, что его убили революционеры, поговаривают и о черносотенцах, но ведь это могли быть и люди Рейнбота! Как мы можем допустить, чтобы при таких сомнительных обстоятельствах эта особа открыто появлялась у тебя на обеде? В то же время не пригласить градоначальника ты не можешь. Одна надежда, что он приведет уважительную причину и откажется.

В самоубийство Саввы Тимофеевича Морозова, промышленника и мецената, действительно мало кто верил. Даже генерал-губернатор Москвы сказал вдове Морозова на похоронах: «Не верю я в разговоры о самоубийстве».

— Ведь это все могло быть весьма хитро устроено, — продолжала Элиза. — Когда Савва ушел от жены и начал открыто жить с этой актрисой, Андреевой, которая и втянула его в финансирование большевиков, Зинаида начала роман с Рейнботом. Потом Савва вернулся, чего Зинаида никак не ожидала. И тут ее любовник подсказывает ей прекрасный вариант: объявить Савву душевнобольным, начать консультировать его у известных психиатров, демонстративно лечить, а потом и застрелить, инсценировав самоубийство. Если у человека нервы расстроены и психика не в порядке, то никого и не удивит, коли он застрелится. Зинаида получит и полную свободу быть с любовником, и все деньги Саввы. После чего Рейнбот разводится с супругой, женится на Зинаиде и становится обладателем морозовских капиталов.

— У тебя богатая фантазия, — усмехнулся Раевский.

— Но она питается фактами, — возразила его жена. — О том, что Савва душевно нездоров, его мать и супруга рассказывали на всех углах. И приглашали к нему всех светил медицины, даже Россолимо и Гриневского, которые и порекомендовали ему лечение в Европе. После чего и месяца не прошло, как он застрелился. Это факты, и они удостоверены. Впрочем, друг мой, рождественский обед — это твоя епархия, я не смею вмешиваться. Если ты считаешь, что присутствие госпожи Морозовой-Рейнбот допустимо, так тому и быть.

— Генерал Рейнбот — очень достойный офицер и прекрасный градоначальник, — строго ответил Александр Игнатьевич. — Еще года не прошло, как его назначили, а он уже составил себе репутацию энергичного и деятельного человека, что особенно заметно на фоне его предшественника, барона Медема, который вообще ничего не делал и полностью «отпустил вожжи». И заметь себе, Рейнбот принял назначение в очень непростое время, когда большевики объявили жесткий террор по отношению к служителям закона. Их руководитель, этот Ульянов, заявил: «Начинать нападения, при благоприятных условиях, не только право, но и прямая обязанность всякого революционера». Большевики призывают убивать полицейских, жандармов, взрывать полицейские участки, освобождать арестованных, отнимать казенные денежные средства. И это не пустые слова, все это происходит, и происходит активно по всей империи, в том числе и в Петербурге, и в Москве. Надо быть совершенно бесстрашным и очень уверенным в себе человеком, чтобы в такой обстановке согласиться принять назначение на пост градоначальника Москвы. А генерал Рейнбот не испугался. Одно уж это заслуживает полного уважения. И могу утверждать, что своими энергическими мерами Анатолию Анатольевичу удалось всего за несколько месяцев поднять боеспособность полиции. Он вызывает у революционеров и у бандитов такую ненависть, что меньше чем за год на него было совершено три покушения, но и это его не испугало.

— Хорошо-хорошо, ты меня убедил, — примирительно улыбнулась Элиза. — Кстати, о большевиках: как ты думаешь, Зинаида Григорьевна будет продолжать помогать им, как это делал покойный Савва?

— Разумеется, нет. Ее муж — московский градоначальник, он ей этого просто не позволит.

– В таком случае ему грозят большие неприятности, — прозорливо заметила она. — Если большевики так мстительны и кровожадны, как ты говоришь, они не простят ему прекращения финансирования.

— Возможно, возможно, — согласился Александр Игнатьевич.

— А этот Ульянов, — продолжала она, — он вообще для меня фигура пока непонятная. Ведь его брат был повешен как заговорщик, который собирался убить государя императора. По вашим законам брату террориста путь в университет должен быть закрыт. Как же вышло, что его приняли на обучение, да еще на юридический факультет?

— А это ты лучше у Александра Федоровича спроси, когда он в следующий раз в Москву приедет.

— У какого? — удивилась Элиза. — У Керенского? Ты говоришь о помощнике присяжного поверенного Соколова? Или о ком-то другом?

— Именно о нем.

— Разве он не в ссылке?

— Еще в прошлом году вернулся, всего полгода в Ташкенте пробыл. После возвращения он уже успел принять участие в Ревельском процессе по делу о разграблении поместий остзейских баронов.

— Ах, да, вспомнила, я же читала об этом! Но при чем тут Керенский?

— Это ведь его батюшка был директором гимназии, в которой учился Ульянов, и именно он дал ему такую характеристику, которая позволила брату казненного террориста поступить в университет. Причем заметь себе, Александр Федорович как-то рассказывал, что в этой характеристике было написано об Ульянове: «излишняя замкнутость, чуждаемость от общего, даже со знакомыми людьми, а вне гимназии — и с товарищами, и вообще нелюдимость». Пренеприятный тип, если верить Керенскому-старшему.

— Трудно в это поверить.

— И, тем не менее, это факт. Прости, если у тебя все, то я хотел бы еще поработать.

— Да-да, я сейчас уйду, только один вопрос: ты уже определил сроки своей поездки в Швейцарию? Я спрашиваю для того, чтобы составить свои планы, мне хотелось бы съездить с детьми к моим родителям, но это возможно только во время каникул в гимназии. Если бы твоя поездка в Швейцарию совпала с этими сроками, мы могли бы провести часть времени вместе, всей семьей. Разве это не прекрасная идея?

Ну вот, она спросила. Элиза готовила этот вопрос несколько дней, но все не могла собраться с духом и задать его. Сейчас она услышит ответ, из которого все станет окончательно понятным.

— Пока не знаю, — сухо ответил Алекс. — Я еще не получил ответа от Рейсса.

Элиза молча вышла и направилась в детскую, где обитали Костенька и Наташа, а также их няня. Поцеловав и приласкав детей, заглянула в комнату Оленьки. Там было пусто, занятия с учительницей проходили в классной комнате. Элиза задумчиво пролистала лежавшие на столе журналы на немецком и французском языках, в каждом из них увидела стихи и рассказы, подписанные «Лорена Вебер». Эти журналы приносит дочери Алекс. Что ж...

Она медленно спустилась на первый этаж, зашла в столовую, уселась за большой пустой стол. Этот дом, дом Гнедичей, после смерти Николая Владимировича перешел к Алексу. Катя теперь живет во

Франции, у нее своя жизнь, какие-то поэты и художники, которым она помогает издавать журналы об искусстве и пишет статьи. Сандра так и не вернулась из Америки, вышла замуж за какого-то богача, оставила сцену, родила сыновей-близнецов и занимается благотворительностью. Игнатий и Валерий отправились в Панаму с врачебной миссией — помогать в борьбе с эпидемией желтой лихорадки, но пишут, что намереваются осесть в Мексике или в Аргентине. Как хорошо было бы, если бы и Алекс решил уехать. Они вернулись бы туда, где живут ее, Элизы, родные, и ей не было бы так одиноко и так больно. Но Алекс не уедет, никогда не уедет, потому что любит свое дело, а заниматься им он сможет только в России.

Значит, ее удел — терпеть. Жить здесь, рядом с ним, и терпеть.

Пока еще силы терпеть есть. Если они иссякнут, она подумает о том, что делать дальше.

1917 год, январь

— В конце концов, это невыносимо, Алекс! — твердо заявила мужу Элиза Раевская. — Все уехали, все, кто мог. Игнатий с Татьяной, Валерий. Я уже не говорю о твоих кузинах Кате и Сандре, они давным-давно поняли, что в России жить невозможно. Почему ты отказываешься ехать? Посмотри: в стране голод, с ценами на хлеб происходит бог знает что, процветает черный рынок, в ресторанах кутят спекулянты, нажившиеся на поставках в армию. В городах не хватает продуктов, в деревнях реквизиции, государство принудительно отнимает у производителя все, на чем можно хоть как-то заработать. Разве ты сам не чувствуешь, какие настроения витают в воздухе? Разве не понимаешь, что еще немного, еще совсем немного — и разразится такая буря, в которой мы просто не выживем?

Александр Игнатьевич тяжело вздохнул. Конечно, Элиза права, во всем права. Жить в России стало не просто тяжело — опасно. Война сопровождается небывалым ростом вооруженной преступности, по улицам стало страшно ходить, даже в Петрограде: в столице бандиты средь бела дня напали на морского министра адмирала Григоровича, который мирно прогуливался по Крестовскому острову. Денег не хватало катастрофически, по карточкам продукты выдавались в мизерном количестве, а на черном рынке все в пять раз дороже. Живут они теперь только на два жалованья — судебного следователя Александра Раевского и медсестры Ольги Раевской, и на эти деньги нужно прокормить пять человек, в том числе болезненного сына Костю, которому необходимо усиленное питание, да еще прислуге платить. Никаких других доходов у Раевских больше не было, имение Вершинское продали еще в конце 1880-х, на эти деньги, стараясь тратить их как можно экономнее, жили поделившие их поровну четыре семейства: Николая Владимировича, Игнатия Владимировича и двух их сестер. Третья сестра скончалась через два года после смерти родителей. Но деньги от продажи имения давно закончились. Как странно иногда складывается жизнь: были состоятельные князья Гнедичи, а стали обедневшими дворянами Раевскими... Впрочем, что тут странного? Подобная судьба постигла множество семей.

Ольга, Оленька, Олюшка, любимая дочь, серьезная, целеустремленная, ответственная. Может, и вправду уехать? Но как, как уехать без Ольги? А она не поедет ни за что, в этом Александр Игнатьевич был твердо уверен.

Да и хочет ли он сам уезжать вместе с Элизой? Страстный многолетний роман с Лореной Вебер закончился с началом войны, но отношения между супругами Раевскими так и не стали снова теплыми и доверительными, какими были прежде. Так имеет ли смысл продолжать это формальное сожительство?

— Ты же знаешь про Оленьку, — ответил он. — Она не поедет ни за что. Она влюблена и ждет своего Орлова с фронта. И она никогда не оставит работу в госпитале, потому что любит свою Родину и хочет быть ей полезной. А я, в свою очередь, не могу оставить девочку здесь. Ты сама говоришь, что жить в России страшно и опасно, а Оле всего двадцать один год, как ее оставить одну?

— Но ведь война закончится рано или поздно, Орлов вернется, женится на Оле, и она будет уже не одна, — возразила Элиза.

— А вернется ли? — ответил Алекс вопросом на вопрос. — И если вернется, то точно ли женится? Нет, нет и нет, Элиза, я не могу ехать. А ты поезжай, конечно, бери детей и отправляйся поближе к родителям. Или к Кате во Францию, она поможет вам. Бог даст, война и вправду скоро закончится, Орлов вернется, они обвенчаются с Оленькой, и мы приедем к вам все вместе. Если же он не вернется, я все равно привезу к вам Олю, ибо ее служение России станет уже не нужным.

Этот разговор повторялся почти каждую неделю на протяжении последнего года, и каждую неделю ничем определенным не заканчивался. Элиза настаивала на переезде за границу, Александр Игнатьевич отказывался, старшая дочь в обсуждениях участия не принимала, заявив сразу:

— У меня есть жених, он на фронте, и пока он не вернется, о моем отъезде из России не может быть и речи. Больше не спрашивайте меня об этом.

Самым сильным аргументом Элизы было здоровье Кости. И тут уж Раевский ничего возразить не мог.

— Поезжайте, — устало сказал он январским вечером 1917 года, когда стало известно, что в Москве издано официальное запрещение изготовлять пирожные, торты, тянучки и «другие высокие сорта конфектного производства». — Если уж до такого дошло, значит, с поставками в действующую армию дело совсем плохо. Ни хлеба, ни сахара, ни мяса не будет. Поезжайте. Мы с Оленькой останемся, но приедем к вам при первой же возможности.

Оформление документов и сборы много времени не заняли, и уже 15 февраля Раевский проводил жену и двоих младших детей, Наташу и Костю, на поезд. Ольга прийти на вокзал не смогла, у нее, хирургической сестры, было очень много работы в госпитале, даже переночевать дома не всегда удавалось.

Вернулась домой Ольга Раевская только на следующий день к вечеру, измученная и голодная, с осунувшимся лицом и запавшими глазами, поставила на стол холщовую сумку.

— Вот, доктор поделился, ему из деревни варенье прислали. Давай чаю, что ли, выпьем, — сказала она отцу. — Ну как? Проводил?

— Проводил, — кивнул Александр Игнатьевич. — Теперь мы с тобой вдвоем остались.

— Справимся, — коротко ответила Ольга. — Станет трудно — прислугу рассчитаем, жильцов пустим, дом большой для нас двоих, зачем нам столько комнат? Справимся.

В тот момент судебный следователь Раевский ни на мгновение не усомнился в правильности принятого решения. Их с дочерью место здесь и только здесь, в России. Да, было время, когда ему казалось, что он мог бы жить хоть в Швейцарии, хоть в любой другой стране, лишь бы Лорена была с ним. Сейчас он так уже не думал и с удивлением вспоминал самого себя, пылавшего страстью и готового ради нее изменить свою жизнь. Теперь не то. Страсть прошла, а перемена места жительства казалась невозможной. Пусть будет трудно, пусть будет страшно, пусть будет даже невыносимо, но он будет жить на Родине, а не на чужбине. Раевский знал, что подобные мысли показались бы большинству его знакомых странными и глупыми.

Он смотрел на дочь, уставшую, с серым лицом и потухшими глазами, и думал о том, что произойдет, когда вернется (если, конечно, вернется!) с фронта ее жених, военный инженер Иван Орлов. Ведь Орлов, уходя на фронт, прощался с пышущей здоровьем, полнокровной, красивой, веселой девушкой девятнадцати лет, студенткой Женского Медицинского института — а кого он найдет по возвращении? Иссохшую от тяжелой работы и постоянного недоедания, суровую и неласковую девицу? Кровь, гной и страдания, отчаянные крики боли и обреченные стоны вряд ли могут сделать кого-то мягче и добрее.

— Сегодня я получил ответ из канцелярии прокурора судебной палаты, мое прошение удовлетворено, — сказал он дочери.

— Правда? — оживилась Ольга. — Как я рада! Наконец-то ты займешься тем, что тебе действительно интересно! Знаешь, я давно поняла, как это важно — делать ту работу, которая по-настоящему занимает ум и душу. Тогда и усталости не чувствуешь, и все трудности проходят незамеченными. Время теперь трудное, и только любимая работа позволит выжить и не сойти с ума. Ты со мной согласен?

— Разумеется, — довольно улыбнулся Раевский. — Я мечтал об этой деятельности с тринадцатого года, как только в Москве открыли кабинет научно-судебной экспертизы. Меня обещают назначить пока в отдел фотографии и каллиграфии, но со временем я надеюсь перейти в дактилоскопический отдел. За пальцевыми отпечатками будущее, я в этом уверен! Твоя мать уехала, но ты на Курсах изучала химию, так что будешь мне помогать. Ты ведь не откажешь своему престарелому отцу?

Впервые за вечер Ольга рассмеялась, ее глаза даже заблестели.

— Ну какой же ты престарелый? Тебе всего сорок семь, для мужчин это молодость. Женщина в таком возрасте уже ни на что рассчитывать не может, а для мужчины еще все впереди. Прости, отец, я бы посидела с тобой подольше, но валюсь с ног. Пойду спать. Завтра с утра снова на дежурство.

Ольга ушла к себе, а Александр Игнатьевич вернулся в кабинет. Скоро, уже совсем скоро он приступит к новой деятельности! Жаль только, что в составе кабинета научно-судебной экспертизы не предусмотрены отделы, которые изучали бы и совершенствовали тактику расследования. Вот чем он, Раевский, занялся бы с огромным интересом! К сожалению, тактике уделяется пока еще недостаточно внимания. Старший юрисконсульт Министерства юстиции, профессор Трегубов, издал года полтора назад книгу «Основы уголовной техники», но в ней о тактике сказано явно недостаточно: затронуты только вопросы производства обысков и описаны способы тайных сношений преступников, все остальное посвящено технике обнаружения, изъятия, закрепления и исследования следов. Вся книга построена на основе лекций Рейсса, того самого Рейсса, к которому Раевский несколько раз ездил в Лозанну. В Лозанну, где он встретил Лорену Вебер. Теперь эта книга станет настольной у Александра Игнатьевича.

Хорошо, что он не дал себя уговорить и не уехал вместе с женой и детьми. Еще вчера, в день их отъезда, он не знал, какой ответ получит от руководства судебной палаты, и даже надеяться на положительное решение перестал, потому что прошение его было направлено очень давно, но решение все не принималось. И вот сегодня, стоило ему проводить семью, пришел ответ.

Как порой интересно и непредсказуемо складывается жизнь...

1919 год, март

— Графьев нонеча нету, так что твоему честному слову никто верить не обязан. — Допрашивавший Александра Игнатьевича молодой парень деревенского вида, в кожаной тужурке, глумливо хмыкнул. — А то взяли привычку, понимаешь, чуть что — слово дворянина давать, и все верить должны. Не те времена нонеча! Нонеча главное — революционная сознательность, а у тебя, контра недобитая, ее быть не может. Давай все сначала: кто тебе приказал сделать заключение, что перехваченное нами письмо написано не контрреволюционером Казариным?

Раевский вздохнул. Это парнишка-чекист допрашивал его уже вторую неделю. Дело с места не сдвигалось. Наоборот, с каждым произнесенным Александром Игнатьевичем словом все становилось только хуже.

— Мне никто ничего не приказывал. Ко мне для проведения экспертизы поступили два документа, один исполнен неким Казариным, другой — неустановленным лицом. Передо мной был поставлен вопрос о том, одним ли человеком выполнены оба документа или же автор у них разный. Я сделал заключение согласно многолетним научным разработкам и опираясь на собственный опыт. Неустановленный автор не является тем человеком, который исполнил письмо, подписанное «Ю. Казарин». Больше мне добавить нечего.

— А ведь врешь, контра, как есть врешь! — злорадно заметил чекист. — Ты же сам говорил, что Казарина давно знаешь, а теперь, вишь, он у тебя «некий», будто ты про него и не слыхал никогда.

— Я вам повторяю еще раз: много лет назад я знал присяжного поверенного Юлиана Казарина, он приходил в наш дом еще с тех времен, когда был студентом. Казарин учился на юридическом факультете Московского университета, и мой двоюродный дед был его профессором. После девятисотого года наши пути разошлись, мы почти не встречались, за последние десять лет не виделись ни разу. И я понятия не имею, кто такой тот Казарин, чье письмо мне принесли для сравнительного исследования, тот ли самый, кого я знал когда-то, или совершенно другой, однофамилец. Это понятно? Или мне еще проще вам объяснить?

— Ты как разговариваешь с представителем советской власти?!

— Позволю себе заметить, что я тоже представитель советской власти, — невозмутимо ответил Александр Игнатьевич. — Я же служу ей, являясь помощником начальника кабинета судебной экспертизы.

Его спокойствие было следствием невероятной усталости и отчетливого понимания того, что благополучно эта ситуация не разрешится. Его расстреляют. Изобразят в ревтрибунале видимость разбирательства минут на пять и расстреляют.

Это абсолютно очевидно, так происходило с множеством людей, в том числе и совершенно невинных. Ревтрибуналы выносили смертные приговоры пачками, убивая и стариков, и детей, что уж говорить о специалистах, решивших служить новой власти: почти у всех есть родственники и друзья за границей, и обвинить их в шпионаже и контрреволюционной деятельности ни малейшего труда не составляет. Почему он, Александр Раевский, должен стать исключением? Он добровольно остался на родине, отказавшись эмигрировать вместе со всей семьей, он хотел, чтобы его знания и опыт приносили пользу людям, даже если власть ему не нравилась. Власть властью, но жертвами преступлений становятся ведь обычные люди, а вовсе не власть. И этих обычных людей надо защищать от бандитов, хулиганов, воров и мародеров. Родина — это не только режим, это еще и граждане, говорящие с тобой на одном языке и живущие на одной земле с тобой.

Так, по крайней мере, думал Александр Игнатьевич. Теперь, правда, у него появились большие сомнения относительно того, на одном ли языке он разговаривает с этим молоденьким чекистом. Чекист явно его не понимал. Или не хотел понимать.

— Так это советская власть просто ошиблась, доверив тебе такой пост, гнида ты белогвардейская! Вот смотри, сейчас я тебе в три счета докажу, что ты контра. Где твоя жена?

— Я уже писал в автобиографии: она с детьми живет в Австрии у родственников. Переписку с ними я не поддерживаю по причинам, которые я вам называл.

— Верно, — удовлетворенно кивнул чекист. — А отец и брат твои где?

— В Латинской Америке, они оба врачи, помогают местному населению бороться с инфекционными заболеваниями. Уехали давно, задолго до начала войны. Об этом я тоже написал в автобиографии. И переписку с ними тоже не поддерживаю.

— И снова верно. Еще родственники есть за границей?

— Двоюродные сестры, одна во Франции, другая в Америке. Повторю еще раз: ни с кем из родственников я за последние годы связи не поддерживал, переписку не вел, нынешних адресов их не знаю. Я даже не знаю, живы ли они вообще. Даже если они и писали мне, то писем этих я не получал. Не стану скрывать: я пытался их разыскать, но из-за военных действий гражданская почта совсем перестала работать. Все мои письма, отправленные по прежним известным мне адресам, остались без ответа.

— Вот! Смотри, какая география получается! Весь земной шар, считай, охватили.

— Послушайте, я этих обстоятельств не скрывал, когда советская власть принимала меня на службу. Свою автобиографию я писал в то время много раз, ее изучали и проверяли, и если мне все-таки доверили экспертную работу, это значит, что моя жизнь никаких сомнений ни у кого не вызвала. Неужели вы думаете, что, если бы я был связан с контрреволюционным движением, ваше руководство не заметило бы этого?

И снова Раевский допустил ошибку. Он разговаривал с этим чекистом на языке логики и четкой аргументации. У чекиста язык был другой — язык революционной сознательности и красного террора. В общем-то, Александр Игнатьевич понимал, что все бесполезно, ему не поверят и очень скоро расстреляют. С этой мыслью он примирился. Беспокоился только об Ольге: как бы и на ней не сказался печальный факт признания ее отца «белой контрой». Хотя вернувшийся в Москву военный инженер Орлов, кажется, крепко стоит на ногах, у новой власти на хорошем счету, и его жена, наверное, может считать себя относительно защищенной. Однако ключевым словом здесь является «наверное». С этой властью ничего нельзя знать наверняка, ни в чем нельзя быть уверенным. Пусть уже расстреляют скорее, нет сил больше терпеть эту ежедневную муку ожидания смерти, только пусть Олюшку не трогают.

— А ты на руководство не кивай, — злобно проговорил молоденький чекист. — Советская власть — власть народная, а народ веками был задавлен вашим царским режимом. Режим держал простой народ в темноте, грамоте учиться не давал, откуда ж теперь у народной власти спецы возьмутся? Вот и приходится вас, буржуйских прихвостней, держать, пока новые революционно сознательные кадры не вырастим. Как только вырастим — всех вас к стенке разом и поставим, чтоб не мешали новую жизнь строить. А пока будем расстреливать только явную контру, вроде тебя. Ну, Раевский, в последний раз тебя спрашиваю: признаешь, что по указанию из контрреволюционной организации подделал экспертное заключение и сделал ложный вывод, чтобы выгородить своего давнего знакомца шпиона Казарина?

— Нет, не признаю. Я этого не делал. Свое заключение я давал честно, добросовестно и ответственно. Обратитесь к любому другому специалисту-почерковеду, он даст вам точно такое же заключение.

Чекист побелел от ярости, над верхней безусой губой выступили капельки пота. «Лет восемнадцать ему, может, девятнадцать, совсем мальчишка», — безучастно отметил про себя Александр Игнатьевич.

— Учить меня будешь, контра недобитая? Все, разговор окончен! Передаю дело в ревтрибунал, а ты начинай с жизнью прощаться. Расстреляют, можешь даже не сомневаться.

«Я и не сомневаюсь», — мысленно ответил Раевский.

Возвращаясь через внутренний двор в свою камеру в сопровождении конвоира, Александр Игнатьевич уж в который раз за последние месяцы вспоминал тот вечер, когда он, совсем молоденький, ожидал прихода Ерамасова, а Сандра читала вслух Чехова. Вся семья была в сборе и живо обсуждала вопрос: отчего господин Чехов так не любит интеллигенцию? К тому моменту уже четверть века процветал революционный террор, жертвами которого становились и императоры, и градоначальники, и генерал-губернаторы... А они, люди, считавшие себя интеллигентами, все мечтали о нравственном обновлении и сотрясали воздух пустопорожними разговорами, наивно полагая, что террор их не коснется. Они пытались прожить свою жизнь, честно занимаясь любимой профессией и не думая о политике. И вот что из этого получилось... Народовольческий террор, обращенный на власть, переродился в красный террор, обращенный на всех сограждан без разбору.

Хорошо, что Элиза с Костенькой и Наташей уехали. Хоть и нет от них вестей уже давно, но остается надежда, что они в безопасности, не пропадут.

Только бы Олюшку не тронули...

Конец первого тома

Том 2

1965—1982

(отрывок)

ЧАСТЬ ВТОРАЯ

Между тем всякие психологические задачи труднее решать, нежели физические, потому что деятельность человека не чисто рефлекторная, и как элемент в них входит тот Х, который одними называется свободным произволом, а другими — способностью противопоставлять внешним мотивам те неисчислимые сонмы идей и представлений, которые составляют содержание нашего сознания.

Из защитительной речи
В.Д. Спасовича в судебном процессе
по делу об убийстве
Нины Андреевской

Глава 1
1965 год

— Вы верите в бога?

Светлые глаза в обрамлении сетки мелких морщинок смотрели на Орлова со спокойным любопытством, чуть выжидательным, но нисколько не тревожным.

— Ну что вы, — с облегчением улыбнулся Орлов, — как можно! Мы все атеисты. Бога нет, это общеизвестно.

Женщина вздохнула и легким быстрым движением коснулась кончиками пальцев края маленькой изящной шляпки.

— Вероятно, вы намного образованнее меня, — произнесла она с едва заметной улыбкой, — поэтому и знаете точно, есть бог или нет. А я вот, изволите ли видеть, как-то привыкла с детства думать, что он есть. Именно поэтому я и пришла к вам.

Орлов озадаченно сдвинул брови.

— Я не понял...

Он действительно не понимал. Эта приятная немолодая дама, представившаяся переводчицей, приехавшей с французской делегацией на Московский кинофестиваль, находилась в его комнате уже двадцать минут, а цель ее визита так и оставалась для Орлова неясной. Именно в комнате, а не в квартире, ибо квартира была коммунальной. Слава богу, малонаселенной, всего три семьи, и у каждой по большой, метров по 35—40, комнате. Но все равно, квартира не была отдельной, и от этого Орлов немного стеснялся перед иностранной гостьей. В коммуналках жили очень многие, в этом не было ничего особенного и постыдного, а Орлов даже гордился их с женой комнатой, такой уютной, обставленной старинной мебелью, с красивыми шторами и светильниками, с массивным деревянным письменным столом и двумя мягкими кожаными креслами — для хозяина и для посетителя. Адвокат Александр Иванович Орлов и его супруга, юрист на предприятии, имели репутацию людей общительных и гостеприимных, и за стоящим в центре комнаты раздвижным овальным столом частенько собирались весьма приятные и оживленные компании коллег и друзей, то и дело восклицавших:

— Как же у вас тут хорошо! Прямо покой на душу нисходит в вашей комнате!

Александр Иванович в этих случаях обычно скромно улыбался и выразительно кивал на жену, хорошенькую, аппетитно-полненькую и необыкновенно живую и энергичную Люсеньку.

— Это не моя заслуга, — говорил он с улыбкой, — это все Люсенька, умеет она уют создать, настоящая хранительница семейного очага.

А Люсенька в ответ на эту реплику весело хохотала, звонко чмокала Орлова в щеку и неслась на кухню за очередным блюдом. Жену Александр Иванович любил искренне, сыном Борькой был более чем доволен, посему семьей своей имел все основания гордиться. И жилищем своим гордился, ведь оно было не просто красивым, но еще и непохожим на подавляющее большинство квартир и комнат того времени: никакой современной полированной мебели на тонких, того и гляди грозящих подломиться ножках, никаких эстампов и чеканок на стенах — только живопись, багеты, фотографии в хороших рамках. И сам он, адвокат Орлов, вполне под стать своему жилищу выглядел — высокий, крупный, даже несколько полноватый, с густыми серебряной седины волосами и ухоженной окладистой бородой, ни дать ни взять — настоящий судебный защитник девятнадцатого века! Борода, однако, была не данью имиджу, а осознанной необходимостью: прошедший всю войну Александр Орлов вернулся с фронта с неизгладимо обезображенным лицом, всю нижнюю часть которого, от крыльев носа до кадыка, покрывали грубые шрамы и ожоги. Из-за бороды его и в милицию не взяли после окончания университета. Сказали, мол, не может советский офицер, носящий форму, быть в бороде, не по уставу это...

Прозвучали три звонка, и, открывая входную дверь, Орлов был уверен, что пришел очередной посетитель, клиент, которого адвокат ждал сегодня, но, правда, только через час... Что ж, бывает, ничего страшного, человек в тревогах и волнениях время перепутал. Или кто-то, узнав у знакомых адрес «хорошего адвоката» и дни, когда он работает не в консультации, а принимает на дому, решил явиться без предварительной договоренности, наудачу. И такое тоже случается.

Увидев незнакомую, хорошо одетую немолодую даму, уверился в своих предположениях, доброжелательно улыбнулся и, ничего не спрашивая, проводил в комнату, привычно ожидая, что она, как и все, кто попадал сюда впервые, начнет восхищенно осматриваться и одобрительно кивать. Дама явно «старорежимная», уж кто, как не она, сможет оценить...

Но дама и не думала оглядываться по сторонам и рассматривать обстановку. Взгляд ее был прикован к лицу Орлова.

— Присаживайтесь. — Александр Иванович указал гостье на кресло для посетителей, сам же занял место за письменным столом. — Я внимательно вас слушаю. Что у вас случилось?

Дама тихонько вздохнула. Сидела она очень прямо, на самом краешке кресла. Каким-то неведомым Орлову образом на ее сером костюме — прямая узкая юбка и короткий элегантный пиджак — не образовалось ни единой складки, словно костюм этот «строили» на сидящей фигуре. «Индпошив, наверное, — мелькнула у него в голове неуместная какая-то мысль. — У хорошего портного шьется».

— Вы — Александр Иванович Орлов, — не то спросила, не то констатировала посетительница.

— Ну, вы же ко мне пришли, — развел руками Орлов. — Стало быть...

— Ваша матушка — Ольга Александровна Орлова, урожденная Раевская, старшая дочь Александра Игнатьевича Раевского, расстрелянного чекистами в девятнадцатом году?

В груди у Орлова мгновенно возникла страшная черная дыра, в которую, как в воронку, стали засасываться спокойствие и способность здраво воспринимать и оценивать окружающую действительность. Надо взять себя в руки, надо... Ничего особенного не происходит, ну подумаешь, дворянские корни, кто их сейчас боится, не тридцатые же годы... Ну и пусть, пусть...

— Да, совершенно верно.

Он сам удивился, насколько спокойно, оказывается, звучит его голос.

— Мама умерла от дифтерии, когда мне было чуть больше годика, — зачем-то добавил он. — Я ее не помню. Меня растил отец.

«Открещивайся, открещивайся, — шептал откуда-то из глубины той страшной черной дыры явственный тревожный шепот, — отказывайся от всего. Может быть, твой дед Александр Раевский, известный криминалист, и оказался контрреволюционером, не зря же его расстреляли, но к тебе это не имеет никакого отношения, ты в то время еще не родился. А твою мать не тронули, значит, к ней у власти претензий не было, Ольга Александровна еще с Первой мировой работала в госпиталях, выхаживала русских солдат. Тебя растил только отец, Иван Степанович Орлов, рабочего происхождения, выбившийся в инженеры, достойный человек, настоящий строитель

коммунизма, партиец, имеющий безупречную совет-
скую биографию. На это напирай. А что он женился
на дворянке, да еще наполовину немке, так ты, Саша
Орлов, ее не помнишь и знать ничего не знаешь. Ты
знал всю жизнь только отца и его родню, они тебя
воспитывали, про них ты можешь рассказывать бес-
конечно. А мать уже к моменту замужества была почти совсем одна, все, кроме деда, Александра Раевского,
эмигрировали, и про эту ветвь ты ничего не знаешь...»

— Конечно, конечно, — кивнула гостья. — Я знаю.
Мне стоило немалых усилий вас найти, в ходе этих
изысканий я многое узнала о вашей семье, так что
более или менее в курсе. Я представлюсь, с вашего
разрешения: Анна Юрьевна Коковницына. Разумеется, в течение жизни по ходу моих замужеств фамилию приходилось менять, но теперь все это в прошлом, и я снова ношу то имя, с которым родилась.
Некоторое время назад я поняла, что мне необходимо разыскать потомков рода Гнедичей, поиски были
сложными, но в итоге они привели меня к вам.

— Гнедичи? — Изумление адвоката Орлова было
совершенно искренним: это имя он слышал впервые в жизни. — А кто это? Какое я имею к ним отношение?

— Самое прямое. — Гостья улыбнулась. — Ваша
прапрабабка — младшая дочь Гнедичей, вышла замуж за графа Раевского. У нее были два старших
брата, но потомства они, увы, не оставили. Посему
Раевские — единственные кровные потомки рода
Гнедичей. А на сегодняшний день остались только
вы. Судьбы остальных Раевских сложились, к сожалению, не так благополучно, по крайней мере, разыскать их мне пока не удалось. Благодаря моему

последнему мужу меня хорошо знают в советском посольстве во Франции...

— Во Франции?! — непроизвольно вырвалось у Орлова.

Так она еще и иностранка из эмигрантов! Только этого не хватало...

— В Париже, — кивнула Коковницына. — Моя семья уехала из России в семнадцатом году, после первой революции, но еще до второй. Так вот, как только создали Общество советско-французской дружбы, я сразу стала активно там работать, поэтому советское посольство и в особенности атташе по культуре меня хорошо знали. Эти знакомства позволили мне обращаться с просьбами по розыску Раевских. Конечно, дело двигалось не быстро, но, в конце концов, увенчалось успехом. Тот же атташе по культуре помог мне добиться поездки в Москву в качестве переводчицы при французской делегации.

«Зачем? — тут же подумал Орлов, по профессиональной привычке выискивающий нелогичности и несостыковки в том, что ему рассказывают. — Если у тебя такие хорошие связи в советском посольстве во Франции, ты могла бы просто запросить визу как туристка, тебе бы не отказали. Темнишь ты, бабка Коковницына».

Вероятно, тень недоверия все-таки промелькнула по его лицу и от посетительницы не укрылась, потому что Анна Юрьевна едва заметно улыбнулась.

— Вы можете спросить, почему я не попыталась приехать в Советский Союз в качестве обычной туристки. Если у меня столь крепкие связи в посольстве, то в визе мне не отказали бы. Зачем мне нужно было устраиваться переводчицей при делегации?

«Умна, старая карга», — одобрительно хмыкнул Александр Иванович про себя. Почему-то в этот момент ему стало легче.

— И почему же?

— Деньги, голубчик, — ответила Анна Юрьевна с обезоруживающей прямотой. — Для меня такая поездка за свой счет — непозволительная роскошь. Боюсь вас разочаровать, но скажу сразу: я не богата и мы с вами не родственники, поэтому если у вас и мелькала мысль, что объявилась богатая тетушка из Франции, намеревающаяся оставить вам наследство, то вам придется с этой мыслью распроститься.

Орлов пожал плечами.

— Уверяю вас, подобные мысли меня не посетили. Так чем могу быть вам полезен, уважаемая Анна Юрьевна? Для чего вы прилагали столько усилий, чтобы найти меня?

Она помолчала, и Орлов чувствовал, как внутри него снова оживает и начинает вибрировать та самая черная дыра.

— Вы верите в бога?

* * *

... Дед Анны Юрьевны, граф Михаил Коковницын, женился поздно, до сорока с небольшим лет занимаясь преимущественно тем, что вполне успешно проматывал семейное состояние, без счета тратя деньги на жизнь за границей в обществе многочисленных девиц и не помышляя о семейных узах и продолжении рода. Обнищавшему графу, не сделавшему карьеру на государевой службе и достигшему зрелых лет, не оставалось ничего иного, как жениться на богатом приданом. Девицу из дворянской семьи в этом браке ничто прельстить не могло бы, равно как и ее родителей, а вот межсословные браки во второй половине девятнадцатого века стали распространяться все шире, и теперь дворянину можно было, не нарушая приличий и не вызывая в свете особых пересудов, жениться на дочери заводчика, фабриканта или даже купца, взяв за ней очень неплохие деньги и одарив, в свою очередь, титулом графинюшки. Молодая графиня Коковницына сразу же осчастливила мужа первенцем Юрочкой, и Михаил Аристархович, впервые став отцом в сорок два года, на шестьдесят седьмом году жизни уже с умилением посматривал на беременную невестку, ожидая рождения внука или внучки.

Тяжелая болезнь, как это часто бывает, свалила старика неожиданно, а приближение конца граф почуял как раз в тот день, когда послали за повивальной бабкой: невестке, жене Юрия, подошло время родить. Юрия от женских комнат прогнали, и он сидел у постели умирающего отца, одновременно горюя по родителю и тревожась за роженицу. Именно тогда Михаил Аристархович попросил сына открыть потайную дверцу в книжном шкафу и достать оттуда простую деревянную коробку из-под сигар, которую Юрий ни разу до того времени не видел. Последней просьбой умирающего было передать коробку Раевским, соседям Коковницыных по имению в Калужской губернии. Коробка без замка, самая обыкновенная, со скромной инкрустацией. Внутри Юрий, полюбопытствовав, обнаружил только сложенный вчетверо листок бумаги, старинные часы на цепочке и большого размера кольцо, явно мужское, с черным камнем, по виду не дорогое. Он собрался было спросить, что все это означает и зачем передавать коробку Раевским, но тут отец начал хрипеть и через несколько секунд испустил последний вздох, а еще через минуту со стороны женских комнат послышались душераздирающие крики... Надо ли объяснять, что Юрию Коковницыну стало совсем не до коробки и ее содержимого. О предсмертной просьбе Михаила Аристарховича молодой граф долгое время вообще не вспоминал, очертания того дня, когда умер отец и родилась дочь Анна, утратили четкость и определенность, слившись в единое пятно страшного напряжения и тревоги. Две самые любимые женщины Юрия тяжело и долго болели: мать — после смерти мужа, жена — после трудных родов, и все мысли графа были только о них и о крошечной дочери. А в бога он не верил, ибо был ярым сторонником материализма и втайне от семьи спонсировал революционную газету и финансово поддерживал революционное движение, посему понятие «последняя просьба умирающего» для него никакой ценности не имело и моральных обязательств не налагало.

С годами граф Коковницын в идеях революции разочаровался. Когда весной 1917 года приняли решение уехать во Францию, во время сборов обнаружилась та самая коробка. Ее упаковали вместе с остальными вещами: не до раздумий было, да и не до поисков Раевских, о которых Коковницыны уже много лет ничего не слышали, ибо имение в Калужской губернии давным-давно было промотано Михаилом Аристарховичем, и ни его супруга, ни тем более сын там никогда не бывали. Да и о каких именно Раевских шла речь, Юрий Михайлович совсем не представлял: этот дворянский род был старинным, имел множество ветвей, потомки которых жили и в Москве, и в Санкт-

Петербурге, и в Харькове, и в Нижнем... да где только они не жили! Разумеется, можно было бы тотчас выяснить, чьи имения находились по соседству с имением Коковницыных под Калугой лет примерно пятьдесят назад, но в горячке сборов и предотъездных тревогах и хлопотах кто станет терять время на эдакую безделицу, как коробка с инкрустацией...

Итак, коробка оказалась во Франции, где Юрий Михайлович наконец поведал о ней дочери Анне. Но за давностью лет все это казалось неважным и не имеющим смысла. Просто вещь, коробка, как память о предках. Не выбрасывать же... Пусть стоит. Конечно, лежавший в коробке листок бумаги был прочитан, но ни малейшей ясности не принес: просто отрывочные фразы, словно набросок не то письма, не то монолога, не то дневниковой записи. «На Достоевского похоже», — отметила Анна, аккуратно складывая листок по линиям сгиба и снова закрывая коробку.

Жизнь Коковницыных в эмиграции складывалась трудно, болезни, унижения, нищета и несчастья преследовали их, и только годам к пятидесяти пяти Анна Юрьевна смогла, казалось бы, перевести дух: позади осталось много горя, но впереди ничего плохого уже не ждет. Первый муж умер от сердечного приступа, первый ребенок — от тяжелой пневмонии, второй муж погиб во время войны, участвуя в Сопротивлении, второй сын, подросток, был убит немцами в ходе рядовой облавы, но осталась дочь, здоровая красивая девушка, умненькая, как казалось Анне Юрьевне, и хорошо воспитанная. Глядя на нее, пятидесятипятилетняя Анна Юрьевна думала: «Теперь все будет хорошо, девочка выйдет замуж по большой любви, родит деток, и остаток жизни я проведу в покое».

Встретив хорошего порядочного человека, Анна Юрьевна в пятьдесят шесть лет вышла замуж в третий раз, искренне полагая, что теперь до конца жизни будет вести тихое существование рядом с любимым и радоваться за дочь. Ничего большего она у судьбы не просила. Однако и эти светлые и весьма скромные ожидания не оправдались. Муж бросил ее, влюбившись в совсем молоденькую красавицу. А в дочь словно бес вселился: советов матери и ее увещеваний слушать не хотела, личную жизнь вела совершенно беспорядочную, выскочила замуж за какого-то пьющего подонка, который обобрал Коковницыных до нитки и исчез, оставив молодую жену с неизлечимо больным ребенком на руках. Хуже того, отношения с дочерью испортились окончательно, и теперь Анна Юрьевна осталась совсем одна. Дочь отдала больного сына в приют и исчезла из Парижа, не соизволив сказать матери, куда и надолго ли. Сперва Анна Юрьевна ждала свою девочку каждый день, уверенная, что та вот-вот одумается и вернется, они вместе заберут ребенка домой и станут жить втроем, помогая и поддерживая друг друга. Она обошла все приюты Парижа в надежде самой найти внука и вернуть его, но не преуспела и поняла, что дочь увезла младенца в какой-то другой город и просто подбросила, оставила на ступеньках либо церкви, либо приюта. Естественно, без документов. Так что отыскать малыша, не зная хотя бы приблизительно, в каком он городе, просто невозможно.

Прошел год. За ним другой. Дочь не возвращалась. Не присылала писем. Не звонила. Казалось, она вообще забыла о том, что у нее есть мать и сын. И вот тогда Анне Юрьевне Коковницыной пришла в голову мысль, что все это неспроста. Либо она сама, либо кто-то из ее семьи грубо попрал божеские законы, и до тех пор, пока это не будет исправлено, мир и покой не наступят ни в ее душе, ни в ее жизни.

Много дней и ночей провела Анна Коковницына в воспоминаниях, перебирая по крупицам всю свою жизнь, в попытках понять: что она сделала не так? В чем ошиблась? Где оступилась? Может быть, предала кого-то и не заметила, не поняла этого? Может быть, обидела и не попросила прощения? Возможно, невольно обманула, хотя бы и из самых лучших побуждений? Много чего вспомнила Анна Юрьевна, за что сейчас ей становилось стыдно, но, честно сказать, было все это мелким, сиюминутным и никак не стоящим тех огромных потерь, которые она понесла.

О коробке деда Михаила Аристарховича она вспомнила далеко не сразу. Но когда вспомнила — ощутила болезненный толчок в грудь и мгновенно поняла: вот оно! Оно, то самое. Неисполненная последняя просьба умирающего. Не по-божески это. Ее-то, Анны, вина не так уж велика, ведь о просьбе деда она узнала только в Париже спустя много лет после его смерти. А вот отец... Его вина перед Богом куда значительнее. И в результате разрушена жизнь дочери Юрия Коковницына, умерли двое из троих ее детей, оставшийся в живых ребенок пошел по кривой дороге и пропал невесть где, внук неизлечимо болен и влачит жалкое существование в неизвестно каком приюте... Сыновей не вернуть, что бы Анна Юрьевна ни делала, но, может быть, есть возможность спасти дочь и внука, если исправить ошибку и заслужить прощение и милость Божию...

* * *

Рассказывала Анна Юрьевна кратко, сжато, без лишних подробностей. Ровно столько, сколько необходимо, чтобы объяснить свой визит. В конце рассказа раскрыла сумочку, которую ранее поставила на пол возле кресла, достала маленький пакетик и протянула Орлову.

— Здесь записка, часы и кольцо. Коробку, уж простите, не повезла, она тяжелая, из цельного дерева, да и место в чемодане занимает. При досмотре непременно начали бы спрашивать, для чего я везу в Россию такую коробку, а если бы я заявила, что собираюсь ее кому-то передать... Ну, вы сами все не хуже меня понимаете. Да и ценности в ней никакой нет – самая обыкновенная сигарная коробка.

Орлов с сомнением глядел на аккуратный пакетик, боясь притронуться к нему руками.

— И... Зачем мне это? Что я должен с этим сделать?

— Ровно ничего, — улыбнулась Коковницына. — Он просто должен быть у вас как у последнего представителя рода Раевских. Или у ваших детей. Но это уже на ваше усмотрение. Вы вольны делать с этим все, что пожелаете, хоть на помойку снести. Можно, например, в музей какой-нибудь отдать. Можно в самый дальний угол засунуть. Для меня главное — вернуть это вам. Судя по тому, что мой дед упоминал Раевских как своих соседей по имению, а имение ушло с молотка примерно лет сто назад, часы и кольцо могут представлять определенную ценность для коллекционеров настоящего антиквариата, так что, вполне возможно, вы сможете выручить за них немалые деньги. Да, и еще одно: если станете читать записку, то постарайтесь обращаться с ней аккуратнее, бумага уже хрупкая, может от неосторожного движения рассыпаться.

Она встала и направилась к двери.

— Может быть, чаю? — запоздало спохватился несколько оторопевший Орлов.

Коковницына улыбнулась.

— Благодарю вас, не нужно. Мне пора. Спасибо, что уделили внимание и выслушали. Если я заняла ваше время, предназначенное для приема клиентов, я готова оплатить как консультацию...

— Да бог с вами! — замахал руками Александр Иванович. — Что вы такое говорите?!

Анна Юрьевна смотрела на него спокойно и чуть иронично.

— В бога не верите, но и не поминать его не можете, — с легкой усмешкой проговорила она. — Это называется диалектикой, да?

Закрыв дверь за гостьей, Орлов вернулся к себе, снова уселся за стол и осторожно раскрыл пакетик. Пальцы подрагивали.

Кольцо. Обыкновенное, ничем не примечательное, ни особой ювелирной работы, ни крупного бриллианта. Слишком массивное и грубоватое для того, чтобы украшать женскую ручку. Да и камень черный, непрозрачный. Значит, мужское. Тщательно начищенное, видно, Анна Юрьевна постаралась. Взяв лупу, Александр Иванович разглядел монограмму в затейливой вязи: «ГГ». Одна «Г» наверняка означает «Гнедич», вторая — инициал имени владельца.

Такая же монограмма обнаружилась и на корпусе часов, столь же тщательно вычищенных.

Теперь записка. Почему-то именно ее Орлов боялся больше всего. Коковницына предупреждала, чтобы был аккуратным. Четкие красивые буквы, ровные строчки. «Про такой почерк криминалисты говорят: выработанный», — некстати подумалось адвокату.

«Демоны окружили меня...
Душу мою требуют...
Все мы — рабы своих грехов, и нет у нас буду-
щего...
Петуху голову отрубили...
Я не хочу смотреть...
Но я должен...»

Демоны, душа, грехи... «Бред сумасшедшего», — решительно вынес приговор Александр Иванович, сложил записку и вместе с часами и кольцом сунул в ящик стола. Потом снова вспомнил предупреждение французской гостьи, сходил к соседям, выпросил пустую картонную коробочку — пачку из-под папирос, поместил в нее записку, ящик стола запер на ключ.

«Зачем я это делаю? — тоскливо вопрошал он сам себя. — Выбросить — и все. И забыть. И никому не рассказывать. Кольцо и часы можно оценить, чтобы примерно представлять стоимость, мало ли как жизнь повернется, а вдруг деньги срочно понадобятся? От записки же никакого толку».

Он открыл замок, выдвинул ящик, нащупал папиросную коробку и направился в кухню, где стояло ведро для мусора. Но, не дойдя до ведра нескольких шагов, повернул назад. Уже в комнате открыл коробку, прикоснулся кончиками пальцев к сложенному листку. Закрыл крышку...

Вечером с работы придет Люсенька, он ей все расскажет. Люсенька, легкая, веселая, энергичная оптимистка, не склонная к рефлексии, наверняка скажет, что Орлов прав и записку хранить незачем, сама же ее и выбросит. А у него рука не поднимается.

«Я был уверен, что все осталось позади и мне больше не придется об этом вспоминать. Все шло так хорошо, так гладко... И вот явилась эта парижская старуха...»

* * *

Вечером он рассказал Люсе все подробно и показал то, что принесла Коковницына. Реакция жены оказалась для Орлова полной неожиданностью.

— Неужели тебе самому не интересно? — спросила она с горящими от возбуждения глазами.

— Ни капельки не интересно, — признался Александр Иванович.

— Но ты хотя бы знал, что твой дед был известным криминалистом? — допытывалась она. — Ты никогда об этом не рассказывал.

— Понятия не имел. Я знал только, что до революции он служил по полицейскому ведомству, а в девятнадцатом году был расстрелян по подозрению в контрреволюционной деятельности, но через несколько месяцев после его смерти выяснилось, что произошла ошибка, и на судьбе моей матери эта история никак не отразилась, а спустя несколько лет мама и сама умерла. Все. Больше мне ничего не известно.

— Господи! — Люся схватилась за голову. — Ну почему, почему ты не расспросил эту Анну подробнее?! Ведь она же сказала, что собирала сведения о твоих предках, чтобы тебя найти. Она наверняка знает много интересного! И она бы с удовольствием тебе все рассказала, тебе стоило только спросить... Саша, ну как же так? Я тебя не узнаю.

«Я испугался, — мысленно ответил ей Орлов. — Я струсил. Я не хотел об этом вспоминать и уж тем более не хотел говорить об этом с незнакомым человеком. Мне не нужны эти предки, мне не нужна эта чужая жизнь, мне ничего этого не нужно! Оставьте меня в покое и дайте жить своей жизнью».

Но вслух сказал, разумеется, совсем другое:

— Люсенька, она иностранка, пришла в наш дом без предупреждения, без предварительной договоренности, без приглашения. Сейчас, конечно, не сталинские времена, но все равно... У меня на три часа назначена встреча с клиентом, я рассчитывал, что успею к ней подготовиться, а в два часа вдруг она является! Мне нужно было закончить разговор с Анной побыстрее и еще поработать с документами. Нет-нет, милая, мне вся эта история нравится все меньше и меньше. Зачем нам с тобой разговоры о моих дворянских предках, да еще контакты с иностранцами? Сразу найдутся активные доброжелатели, которые начнут звонить во все колокола и писать во все инстанции. В итоге меня выпрут из коллегии, да и из консультации могут запросто уволить. Я-то ладно, не пропаду, а вот на тебе может отразиться очень болезненно, ты же кандидат в члены партии, у тебя кандидатский стаж скоро заканчивается, да и на Борьке потом может сказаться... Кстати, когда мы к нему поедем? А то я соскучился уже!

Орлову казалось, что он весьма ловко перевел разговор на сына, которого на первые два летних месяца отправили на дачу к друзьям, где Борька весело проводил время в компании своих ровесни-

ков. На август планировалась поездка на море втроем. Такая хорошая, спокойная, отлаженная жизнь,
перспективы, планы... Ну зачем, зачем Орлову это
чужое прошлое, скучное и ненужное!

* * *

Людмила Анатольевна Орлова работу свою не
особо любила, хотя выполняла ее добросовестно
и вполне успешно. Составляла акты, писала претензии, заявляла иски и представляла интересы своего
предприятия в арбитражном суде. Будучи студенткой юридического факультета, звезд с неба не хва-
тала, а когда нужно было выбирать специализацию,
написала заявление на кафедру уголовного права,
ибо именно эта отрасль права казалась ей самой
интересной. Однако желающих специализиро-
ваться в области уголовного права оказалось намного больше, чем допустимая численность группы, и Люсе отказали, предложив выбрать другую
кафедру, менее популярную среди студентов. Она
выбрала гражданское право. Что ж, ситуация вполне понятная: высшие учебные заведения должны
готовить специалистов для всего народного хозяйства — и что же это получится, если все студенты
будут хорошо знать только уголовное право? Стране не нужно такое количество следователей и прокуроров для борьбы с уголовной преступностью,
стране нужны юристы на предприятиях и в государственных органах, то есть те, кто владеет знани-
ями в области гражданского, семейного, трудово-
го, административного, земельного и финансового
права.

Неунывающая и энергичная Люсенька, на третьем курсе вышедшая замуж за пятикурсника-фронтовика Саню Орлова, на судьбу жаловаться не собиралась, распределение на должность юрисконсульта завода не оспаривала и честно принялась осваиваться в профессии. Толковая, с хорошей памятью и быстрым, цепким умом, она довольно скоро не только усвоила азы, но и обратила на себя внимание начальства. Ее хвалили, поощряли, ставили в пример. Юриста Орлову любили даже судьи арбитражных судов, потому что она никогда не теряла ни присутствия духа, ни хорошего настроения и, каким бы ни оказывалось судебное решение, никогда не забывала, очаровательно улыбаясь, искренне поблагодарить суд и представителей процессуального противника.

— Не понимаю, — сказала ей как-то начальница — руководитель юридического отдела завода, — почему тебя с твоими мозгами не взяли на кафедру уголовного права? Ты же не могла плохо учиться!

— Я училась хорошо, — весело кивнула Люсенька, — но была плохой студенткой. В общественной работе не участвовала, комсомольские собрания игнорировала, меня в то время больше мальчики интересовали. Ну, сами понимаете, восемнадцать лет, в мягком месте ветер — в поле дым. Замуж вышла рано, надо было семейный очаг строить, гнездо вить — какая тут может быть общественная нагрузка? Недостойной оказалась, вот и не взяли.

Но любви к уголовному праву Люсенька Орлова не утратила и постоянно интересовалась тем, чем занимался ее муж. Самыми удачными она считала те дни, когда за работу в командировке ей предоставляли оттул и именно в этот свободный от работы день Александр выступал в процессе по уголовному делу. Люсенька приходила в суд, садилась в зале заседаний на последний ряд, доставала блокнот и тщательно все записывала, а потом вечером устраивала мужу допрос с пристрастием:

— А почему ты сказал именно так?

— А если бы ты про это не упомянул, судья мог бы изменить квалификацию?

— А почему ты не заявил ходатайство о повторном допросе этого свидетеля?

В ее вопросах не было упреков или желания поддеть. Она действительно хотела понять. Ей было интересно. Александр терпеливо разъяснял ей тонкости квалификации и механизмы действия различных процессуальных норм. Иногда, в особо сложных случаях, при подготовке к процессу он просил жену выступить в роли слушателя и зачитывал ей отрывки из будущей речи.

— Саша, почему ты не читаешь мне всю речь целиком? — спросила однажды Люсенька. — Времени жалко? Или думаешь, что я не пойму и не оценю?

— Ну что ты, милая, — улыбнулся Орлов. — Целиком написанная заранее речь — это нехорошо, это свидетельство низкой квалификации адвоката. В речи нужно не только сказать то, что считает нужным адвокат, но и ответить на аргументы прокурора, если есть, что возразить. В конце девятнадцатого века был такой известный адвокат Урусов, так он почти каждое свое выступление начинал словами: «Я в своем возражении пойду шаг за шагом вслед за товарищем прокурора». Кроме того, необходимо проанализировать показания обвиняемого, свидетелей и потерпевших. Допустим, после допроса участников процесса у меня уже есть возможность написать заранее соответствующую часть речи. Но после выступления государственного обвинителя у меня этого времени, как правило, уже нет. И как же будет выглядеть, если адвокат, выслушав неизвестное ему до того момента выступление прокурора, вдруг достанет бумажку и начнет по ней зачитывать, не отрывая глаз? Это же дискредитация профессии! А сидящие в зале заседания люди что подумают?

— Одно из двух, — задумчиво кивнула Люсенька. — Либо адвокат работает по шаблону, лишь бы отбарабанить свое выступление и уйти, а судьба подзащитного ему безразлична. Либо он в сговоре с прокурором и заранее ознакомился с позицией обвинения. И то, и другое адвоката не украшает, но во втором случае еще и прокуратуру порочит. Саня, а раньше как было? Тоже так?

На следующий день Орлов принес домой давно пылившийся на полке в юридической консультации, где он работал, двухтомник «Защитительные речи советских адвокатов», где были опубликованы речи, произнесенные в судах в период с 1948 по 1956 год. Люсенька буквально вырвала книги из рук мужа, разве что победный клич не издала, и поздно вечером, закончив с домашними делами и уложив сына спать, уселась в кресле для посетителей, приготовила, по своему обыкновению, блокнот и ручку и открыла первый том.

В течение ближайшего месяца вечера супругов Орловых так и проходили: Люся читала в кресле, Александр Иванович листал толстые журналы и подремывал, лежа на диване, и сия мирная идиллия то и дело прерывалась Люсиным шепотом:

— С ума сойти! Ой, я не могу! Санечка, ты только послушай!

Она подсаживалась к мужу на краешек дивана и едва слышно, чтобы не разбудить Борьку, зачитывала особо впечатлившие ее фразы или даже целые абзацы.

— Зачем тебе все это? — улыбался Александр Иванович, с любовью глядя на жену.

— Не знаю, — пожимала плечами Люсенька. — Мне почему-то интересно.

— Может, тебе в аспирантуру поступить, пока возраст позволяет? — советовал Орлов. — В очную аспирантуру можно поступать до тридцати шести лет, позже — уже только заочная или соискательство, тебе будет трудно совмещать работу на заводе с работой над диссертацией. Подумай, милая, время еще есть.

— Да ну что ты! — отмахивалась Люсенька. — Что я буду делать в аспирантуре? Снова писать о штрафных санкциях за нарушения сортамента? Бррр! Мне и на заводе этого хватает.

— Но тебе же не обязательно писать диссертацию по гражданскому праву, — возражал Александр Иванович. — Подай документы в Институт прокуратуры, например. Там очень сильный сектор уголовного процесса, там сам Перлов работает! Выбери тему по адвокатуре, коль уж тебе так интересно вникать в речи адвокатов.

— Сам Илья Давыдович Перлов? — удивилась Люся, впервые услышав, что этот известный ученый-процессуалист, работы которого она читала, будучи студенткой, работает в Институте прокуратуры.

— Я тебе больше скажу, — хитро улыбнулся ее муж, — там еще и Строговича можно встретить, он хоть и в Институте государства и права трудится, но в Институте прокуратуры частенько бывает на ученых советах.

— Михаил Соломонович! — ахнула Люся, блестя глазами. — Слушай, мне всегда было жутко интересно, за что его гнобили до самой смерти Сталина? Что он такого сделал?

Орлов вздохнул. Выдающегося специалиста в области уголовно-процессуального права Михаила Соломоновича Строговича отлучили от научной и преподавательской деятельности за то, что он в одной из своих работ назвал английский уголовно-процессуальный кодекс наиболее демократичным. Вообще-то это была цитата из Энгельса, спорить с которым не полагалось, но разбираться не стали и профессора быстренько обвинили в «космополитизме и низкопоклонстве перед Западом», в то время это была модная тема. Генетика, вейсманизм-морганизм, космополитизм — все из одной кучи. Мало того, прицепились даже к тому, что Михаил Соломонович настаивал: законы и формы мышления — это правила, которым мы должны следовать. Речь шла о возможностях процесса познания истины и, в конечном итоге, о доказывании и доказательствах, то есть о самом главном, что есть в уголовном процессе. Но и здесь усмотрели космополитизм и «формально-логический уклон». Господи, ну что плохого может быть в формальной логике?! Строговича отстранили от руководства кафедрой и даже поставили на партсобрании вопрос об исключении из партии.

К теме аспирантуры супруги в том разговоре больше не возвращались, но Орлов видел, что сама идея зацепила жену и постепенно пускала корни в ее голове. Недавно созданный Всесоюзный научно-исследовательский институт по изучению причин и разработке мер предупреждения преступности при Прокуратуре СССР, для краткости именуемый всеми просто «Институтом прокуратуры», казался привлекательным, как все новое, и опасным, как все неизвестное. С 1949 года существовал ВНИИ криминалистики Прокуратуры СССР, потом к нему присоединили секторы уголовного права и уголовного процесса двух других крупных научно-исследовательских институтов — и родился в 1963 году тот самый Институт прокуратуры, в аспирантуру которого Орлов советовал поступать своей любимой жене.

А Людмила Анатольевна все больше увлекалась историей, от речей первой половины пятидесятых перейдя к выступлениям Спасовича, Урусова, Кони, искала труды Карабчевского и Слиозберга... Теперь улыбчивую любознательную жену адвоката Орлова знали во всех букинистических магазинах Москвы, а сам Орлов, получая от благодарного клиента очередной «микст» сверх оплаченного через кассу юридической консультации гонорара, непременно откладывал небольшую сумму в отдельный конвертик — Люсеньке на книги: букинистическая литература стоила не в пример дороже современной.

Продолжение следует

Оглавление

Литературно-художественное издание

А. МАРИНИНА. БОЛЬШЕ ЧЕМ ДЕТЕКТИВ

Маринина Александра

ОБРАТНАЯ СИЛА
Том 1
1842—1919

Ответственный редактор *Е. Соловьев*
Художественный редактор *А. Сауков*
Технический редактор *О. Лёвкин*
Компьютерная верстка *Л. Панина*
Корректор *Е. Будаева*

ООО «Издательство «Э»
123308, Москва, ул. Зорге, д. 1. Тел. 8 (495) 411-68-86.

Өндіруші: «Э» АҚБ Баспасы, 123308, Мәскеу, Ресей, Зорге көшесі, 1 үй.
Тел. 8 (495) 411-68-86.
Тауар белгісі: «Э»
Қазақстан Республикасында дистрибьютор және өнім бойынша арыз-талаптарды қабылдаушының өкілі «РДЦ-Алматы» ЖШС, Алматы қ., Домбровский көш., 3«а», литер Б, офис 1.
Тел.: 8 (727) 251-59-89/90/91/92, факс: 8 (727) 251 58 12 вн. 107.
Өнімнің жарамдылық мерзімі шектелмеген.
Сертификация туралы ақпарат сайтта Өндіруші «Э»

Сведения о подтверждении соответствия издания согласно законодательству РФ о техническом регулировании можно получить на сайте Издательства «Э»

Өндірген мемлекет: Ресей
Сертификация қарастырылмаған

Подписано в печать 19.07.2016. Формат 84x108 ¹/₃₂.
Гарнитура «Гарамонд». Печать офсетная. Усл. печ. л. 21,84.
Тираж 80000 экз. Заказ 5289.

Отпечатано с готовых файлов заказчика
в АО «Первая Образцовая типография»,
филиал «УЛЬЯНОВСКИЙ ДОМ ПЕЧАТИ»
432980, г. Ульяновск, ул. Гончарова, 14

Оптовая торговля книгами Издательства «Э»:
142700, Московская обл., Ленинский р-н, г. Видное,
Белокаменное ш., д. 1, многоканальный тел.: 411-50-74.

**По вопросам приобретения книг Издательства «Э» зарубежными
оптовыми покупателями обращаться в отдел зарубежных продаж**
*International Sales: International wholesale customers should contact
Foreign Sales Department for their orders.*

**По вопросам заказа книг корпоративным клиентам,
в том числе в специальном оформлении**, *обращаться по тел.:*
+7 (495) 411-68-59, доб. 2261.

**Оптовая торговля бумажно-беловыми
и канцелярскими товарами для школы и офиса**:
142702, Московская обл., Ленинский р-н, г. Видное-2,
Белокаменное ш., д. 1, а/я 5. Тел./факс: +7 (495) 745-28-87 (многоканальный).

Полный ассортимент книг издательства для оптовых покупателей:
В Санкт-Петербурге: ООО СЗКО, пр-т Обуховской Обороны, д. 84Е.
Тел.: (812) 365-46-03/04.
В Нижнем Новгороде: 603094, г. Нижний Новгород, ул. Карпинского, д. 29,
бизнес-парк «Грин Плаза». Тел.: (831) 216-15-91 (92/93/94).
В Ростове-на-Дону: ООО «РДЦ-Ростов», 344023, г. Ростов-на-Дону,
ул. Страны Советов, 44 А. Тел.: (863) 303-62-10.
В Самаре: ООО «РДЦ-Самара», пр-т Кирова, д. 75/1, литера «Е».
Тел.: (846) 269-66-70.
В Екатеринбурге: ООО«РДЦ-Екатеринбург», ул. Прибалтийская, д. 24а.
Тел.: +7 (343) 272-72-01/02/03/04/05/06/07/08.
В Новосибирске: ООО «РДЦ-Новосибирск», Комбинатский пер., д. 3.
Тел.: +7 (383) 289-91-42.
В Киеве: ООО «Форс Украина», г. Киев,пр. Московский, 9 БЦ «Форум».
Тел.: +38-044-2909944.

**Полный ассортимент продукции Издательства «Э»
можно приобрести в магазинах «Новый книжный» и «Читай-город».**
Телефон единой справочной: 8 (800) 444-8-444.
Звонок по России бесплатный.

В Санкт-Петербурге: в магазине «Парк Культуры и Чтения БУКВОЕД»,
Невский пр-т, д.46. Тел.: +7(812)601-0-601, www.bookvoed.ru

Розничная продажа книг с доставкой по всему миру.
Тел.: +7 (495) 745-89-14.

ISBN 978-5-699-91169-1

9 785699 911691

16+